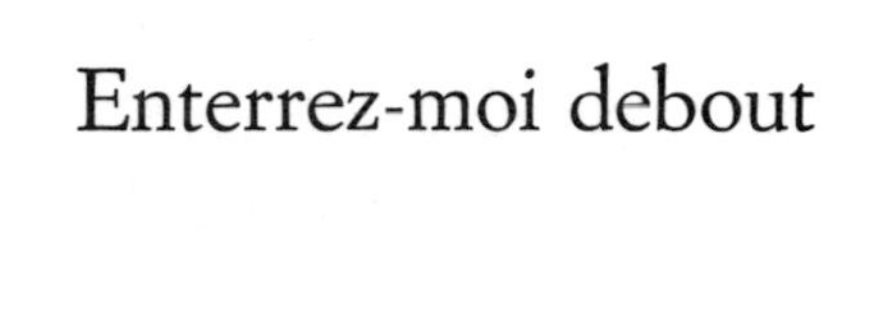

Enterrez-moi debout

Isabel Fonseca

Enterrez-moi debout

L'odyssée des Tziganes

Traduit de l'anglais
par Laurent Bury

Ouvrage traduit avec le concours
du Centre National du Livre

LATITUDES
ALBIN MICHEL

LATITUDES

Collection dirigée par Francis Geffard

Titre original :
BURY ME STANDING – THE GYPSIES AND THEIR JOURNEY

Traduction française :

22, rue Huyghens, 75014 Paris
www.albin-michel.fr
ISBN : 2-226-13622-3

À mon frère Bruno 1958-1994

Carte de l'Europe centrale et de l'Est

En guise d'avertissement : L'histoire de Papusza

Elle s'appelait de son vrai nom Bronislawa Wajs, mais on la connaît sous son nom tzigane, Papusza, « Poupée ». Papusza fut l'une des plus fêtées parmi les célébrités de la poésie et du chant tziganes. Après avoir passé toute sa vie en Pologne, elle est morte en 1987, dans un oubli total.

La famille de Papusza était nomade, comme la plupart des Tziganes polonais ; elle appartenait à une grande *kumpania*, un groupe de familles qui voyagent en roulottes avec leurs chevaux, les hommes à l'avant, les femmes et les enfants à l'arrière dans des carrioles découvertes. Les familles les plus riches avaient des voitures artistiquement sculptées, pourvues d'un toit en dur, avec des vitraux étroits, parfois en forme de losange, enchâssés dans des boiseries peintes. Il pouvait y avoir jusqu'à vingt roulottes dans la *kumpania*. Hommes, femmes, enfants, chevaux, carrioles, chiens : jusqu'au milieu des années 1960, tout ce petit monde se promenait, depuis Vilnius, à travers les forêts de Volhynie à l'est (où des milliers de Tziganes polonais s'étaient cachés pendant la guerre), jusque dans les monts Tatra au sud. Les caravanes des Roms de Pologne étaient parfois accompagnées par la danse des ours, leur gagne-pain. Mais dans la famille de Papusza, on était harpiste, et des villes septentrionales de Lituanie aux Tatras, on transportait les grands instruments dressés au sommet des roulottes, comme les voiles d'un navire.

En voyage, la *kumpania* maintenait le contact avec d'autres convois du même clan qui empruntaient des itinéraires différents. On laissait des signes aux carrefours (un faisceau de brindilles attachées par un chiffon rouge, une branche cassée d'une façon particulière, un os entaillé), ces signes que les Tziganes polonais appellent *shpera* (et qu'on nomme *patrin*, « feuille », partout ailleurs, du Kosovo à Saint-Pétersbourg). Craignant la progéniture du diable, les villageois se tiennent à l'écart de ces marques.

Voici comment Papusza apprit à lire et à écrire. Quand la *kumpania* s'arrêtait pendant plus d'un jour ou deux (même les familles nomades avaient généralement un lieu où passer l'hiver), elle apportait à un villageois un poulet volé en échange de quelques leçons. Quelques poulets supplémentaires lui permettaient d'acheter des livres, toute une bibliothèque secrète sous les harpes. Aujourd'hui encore, près de 75 % des femmes tziganes sont illettrées. Dans les années 1920, quand Papusza était enfant, très peu de Gitans savaient lire, et lorsqu'on la surprenait à lire elle était battue et ses livres étaient détruits. Par la suite, sa famille ne put pas davantage supporter son désir de fréquenter le garçon qui avait les yeux les plus noirs de la *kumpania*. A quinze ans, un mariage arrangé la lia à un vieux harpiste vénéré, Dionizy Wajs. C'était un bon mariage, et elle fut très malheureuse. Elle n'eut pas d'enfant. Elle se mit à chanter.

Faute d'un compagnon et d'un amant, Papusza avait du moins trouvé un accompagnateur en épousant Dionizy Wajs. Puisant dans la grande tradition tzigane du récit improvisé et s'inspirant de simples chansons populaires, elle composait de longues ballades, mi-chant, mi-poésie, qu'elle « jouait » avec spontanéité. Comme pour la plupart des chansons tziganes, on y pleurait sur la pauvreté, l'amour contrarié et, plus tard, la liberté perdue. Et comme pour la plupart d'entre elles, le ton était aussi larmoyant que le sujet : le déracinement et le *lungo drom*, le long chemin, le manque de véritable destination, le retour impossible.

Papusza perdit plus de cent membres de sa famille durant la guerre. Mais ce n'était pas cette tragédie-là qui devait faire d'elle ce qu'elle deviendrait. Elle écrivait à un moment critique de l'histoire de son peuple : en Pologne et (elle l'ignorait) partout ailleurs une époque prenait fin, celle du *lungo drom*, et rien de reconnaissable ou de tolérable ne la remplacerait.

Seigneur, où dois-je aller ?
Que puis-je faire ?
Où trouverai-je
Les légendes et les chants ?
Je ne vais pas dans la forêt,
Je ne rencontre pas les fleuves.
O toi l'arbre, mon père,
Mon père noir !

Le temps des Gitans errants
Est depuis longtemps passé.
Mais je les vois, brillants,
Forts et clairs comme l'eau.
On l'entend
Vagabonder
Lorsqu'elle veut parler.

Mais la pauvre elle ne peut parler [...]

[...] l'eau ne regarde pas en arrière.
Elle fuit, s'en va toujours plus loin,
Où les yeux ne la verront pas,
L'eau qui vagabonde.

La nostalgie est l'essence de la chanson tzigane et semble l'avoir toujours été. Mais la nostalgie de quoi ? *Nostos* signifie « retour au foyer » en grec ; les Gitans n'ont pas de foyer et, fait peut-être unique parmi les peuples, ils ne rêvent pas d'une patrie. L'utopie, *ou topos*, signifie « nulle part ». La nostalgie de l'utopie : le retour nulle part. *O lungo drom*. Le long chemin.

Ce que les chants disent, c'est peut-être ce désir inassouvi d'un passé que l'on n'a jamais connu. C'est ce désir, le plus puissant de tous, qui pousse à voyager. Mais la nostalgie des chansons est chargée de fatalisme. « Le destin va bientôt nous frapper. / Qu'il vienne, / Cela n'a pas d'importance », tel est le refrain d'une chanson tzigane de Serbie.

Beaucoup des chants-poèmes de Papusza s'inscrivent dans cette tradition ; à travers mille élaborations et réécritures, il s'agit surtout de versions hautement stylisées d'une expérience collective. On y trouve quelques Antigone tziganes, qui pleurent leurs frères morts, quelques fils qui regrettent d'être loin de leur mère, loin de chez eux, en prison. Tout le monde a un frère. Tout le monde a une mère. Chacun a sa tragédie. Les paroles des chansons ne permettent pas d'en déterminer l'origine, parce qu'elles expriment le *čačimos*, la vérité éternelle et universelle d'un peuple qui vit de son mieux, hors de l'Histoire.

L'œuvre collective de la poignée de poètes roms en activité aujourd'hui reflète une tension irrésolue entre la fidélité au folklore et la légère culpabilité de l'individu qui tente de décrire son expérience personnelle. Il y a quarante ans, Papusza avait déjà accompli ce passage du collectif et de l'abstrait vers un univers privé, minutieusement observé.

Dans ses plus grands chants, qu'elle appelait parfois simplement « Chanson sortie de la tête de Papusza », on entend sa voix spécifique, un style encore inouï dans la culture tzigane. Papusza écrivait et chantait des lieux et des événements particuliers. Elle témoignait. Une longue ballade autobiographique, où elle raconte comment elle s'est cachée dans les forêts pendant la guerre, s'intitule simplement « Larmes de sang : ce que nous avons vécu sous les Allemands en Volhynie en 1943 et 1944. » Elle ne parlait pas seulement de son peuple et de la vague menace du monde *gadjikano* (non gitan). Elle parlait aussi des juifs, dont son peuple partageait le destin et les cachettes dans les bois ; elle parlait d'« Ashfitz ».

Au cours de l'été 1949, le poète polonais Jerzy Ficowski entendit par hasard Papusza chanter et reconnut aussitôt son talent. Il se mit à rassembler les histoires qu'elle avait laborieusement recopiées en romani et à les transcrire phonétiquement dans l'alphabet polonais. En octobre 1950, plusieurs poèmes de Papusza furent publiés dans le magazine *Problemy*, avec un entretien accordé à Ficowski par l'éminent poète polonais Julian Tuwim. Il y est question des malheurs de « l'errance », et le dialogue se termine par une traduction en romani de l'*Internationale*. Auteur de ce qui reste le plus important livre sur les Tziganes polonais, Ficowski devint conseiller sur « la question tzigane ». La première édition de son livre, en 1953, comprend un chapitre intitulé « La bonne solution » (il fut supprimé dans la plupart des éditions suivantes et il n'avait peut-être été inclus que pour faciliter la publication) : il y approuve la politique gouvernementale de sédentarisation imposée aux Tziganes polonais qui avaient survécu à la guerre (ils étaient moins de

15 000). Ficowski cite Papusza comme un idéal et suggère que ses poèmes pourraient être utilisés à des fins de propagande parmi les Tziganes : « Sa meilleure période créatrice se situe vers 1950, peu après avoir abandonné la vie nomade. » Alors que ses poèmes sont une élégie sur la vie errante, moins abandonnée par les siens que « confisquée » par le gouvernement, Ficowksi fait d'elle « une actrice et une porte-parole » de la sédentarisation forcée.

Dans la Pologne de l'après-guerre, le nouveau gouvernement socialiste aspirait à construire un Etat homogène du point de vue ethnique. Alors que les Tziganes ne représentaient que 0,005 % de la population, « le problème tzigane » fut déclaré « tâche nationale importante » et un secrétariat aux Affaires tziganes fut créé sous la juridiction du ministère de l'Intérieur, c'est-à-dire de la police. Ce département devait persister jusqu'en 1989.

En 1952, un vaste programme de sédentarisation, « la Grande Halte », fut mis en application : ce but ne fut pas atteint en Pologne avant la fin des années 1970, avec la fin du Voyage (en roulotte, du moins). Ce projet avait été conçu dans le cadre de la fièvre de « productivisation » qui, avec son programme social plein de bonnes intentions, imposa en fait aux Tziganes une nouvelle culture à laquelle ils s'étaient toujours opposés, liée à la dépendance envers l'Etat. Une législation similaire devait être adoptée en Tchécoslovaquie (1958), en Bulgarie (1958) et en Roumanie (1962), à mesure que la mode de l'assimilation forcée prenait de l'ampleur. Pendant ce temps, à l'ouest, apparaissait une tendance inverse, imposant légalement le nomadisme ; cependant, à la fin des années 1960, la sédentarisation était devenue l'objectif général. En Angleterre en 1960, par exemple, la loi ne reconnaissait d'existence « légale » aux Gitans que s'ils se déplaçaient. Mais moins de dix ans après, le contraire devint également vrai, puisque que le *Caravan Sites Act*, loi de 1968, visait à sédentariser les Gitans (en partie grâce à une technique de contrôle des populations, la « désignation », selon laquelle de vastes zones du pays étaient déclarées interdites aux gens du voyage).

Les réformateurs, dont Ficowski, croyaient sans doute que ces mesures amélioreraient les conditions de vie des Tziganes : l'éducation était le seul espoir d'émancipation pour ces peuples qui vivaient « hors de l'Histoire », et la sédentarisation entraînerait l'instruction.

Mais personne n'a jamais pensé à demander leur avis aux Gitans. Toutes les tentatives d'assimilation ont donc échoué. Contrairement aux politiciens coupés du monde, Ficowski faisait référence aux Gitans qu'il avait connus, surtout à Papusza. Moins de deux mois après la parution de ses poèmes dans *Problemy*, un groupe d'« envoyés » tziganes vint rendre visite à Papusza pour la menacer.

Parmi les siens, Papusza fut bientôt identifiée comme l'une des responsables de la campagne visant à anéantir leur mode de vie traditionnel. Son statut de poétesse et chanteuse ne signifiait rien, pas plus que l'amour pour son peuple qu'elle exprimait dans ses chants depuis des décennies. Papusza avait commis un acte impardonnable : elle avait collaboré avec un *gadjo*.

Personne ne me comprend,
A part la forêt et le fleuve.
Tout, tout ce dont je parle
A complètement disparu.
Tout s'est envolé en même temps,
Avec les années de la jeunesse.

Papusza avait été mal comprise, et manipulée par les deux camps. Elle essaya désespérément de réaffirmer sa propriété sur ses propres idées, sur ses chansons. Elle quitta sa maison de Silésie du Sud pour se précipiter à Varsovie et supplier le Syndicat des Ecrivains d'intervenir. Tous refusèrent. Elle s'adressa à Ossolineum, la maison d'édition qui s'apprêtait à publier d'un jour à l'autre le livre de Ficowski incluant ses poèmes. Personne ne put la comprendre. Etait-elle mécontente des traductions ? Voulait-elle procéder à d'ultimes révisions ? Papusza rentra chez elle et détruisit toutes ses œuvres, près de trois cents poèmes, qu'elle avait entrepris de transcrire, avec les encouragements enthousiastes de Ficowski. Elle lui écrivit ensuite, en l'implorant d'arrêter la publication, mais cette lettre même traduit sa résignation, le fatalisme essentiel de la chanson tzigane. « Si vous imprimez ces chants je serai écorchée vive, écrivit-elle, mon peuple sera nu face aux éléments. Mais qui sait, peut-être me viendra-t-il une nouvelle peau, peut-être plus belle. »

Après la publication des poèmes, Papusza fut jugée. Elle dut comparaître devant la plus haute autorité chez les Tziganes polonais, le Baro Shero, la Grande Tête, l'aîné. Après une brève audience, elle fut déclarée *mahrime*, ou *magherdi*, impure : le châtiment était l'exclusion irréversible du groupe. Elle passa huit mois dans un hôpital psychiatrique de Silésie, puis vécut les trente-quatre années suivantes, avant sa mort en 1987, dans l'isolement total (peut-être pour éviter de nouvelles attaques, même si Ficowski avait rompu toutes relations avec elle). Elle fut évitée par les membres de sa propre génération et inconnue de la suivante. Elle devint ce que désignait son nom : une poupée, muette et abandonnée. A part une courte embellie à la fin des années 1960, durant laquelle elle créa certains de ses meilleurs poèmes, Papusza ne devait plus jamais chanter.

Dans une édition révisée de son grand livre *Les Gitans en Pologne*, publiée en 1984, Ficowski fait le bilan de la Grande Halte. « Les Tziganes ont renoncé à la vie nomade et le nombre d'illettrés a considérablement baissé. » Pourtant, même ces progrès étaient limités parce que les filles se marient à douze ou treize ans, et parce que « dans les rares cas où les individus ont reçu une éducation correcte, ils ont généralement tendance à quitter la communauté ». Les résultats étaient désastreux : « L'opposition au voyage des artisans tziganes, qui rétamaient et forgeaient dans les plus lointains recoins du pays, a peu à peu entraîné la disparition de [...] l'essentiel de l'artisanat. » Finalement, pour beaucoup de Tziganes, « après avoir perdu l'occasion d'exercer leurs métiers traditionnels, la principale source de revenus devint le parasitisme aux dépens du reste de la société ». Ils savaient désormais de quoi ils avaient la nostalgie. La sagesse vient toujours trop tard. C'est au crépuscule que la chouette de Minerve prend son vol.

Cette expérience démographique brutale eut pour effets le déracinement et la misère : nul ne s'en étonnera et nul ne le contestera. L'emprisonnement du langage, en revanche, a peut-être eu l'effet opposé. Les mots, et l'écrit de plus en plus, sont la pierre angulaire de l'identité tzigane moderne et de l'émancipation.

En romani, il n'existe pas de mots pour « lire » ou « écrire ». Les Tziganes empruntent à d'autres langues pour désigner ces activités. Ou bien, de manière plus révélatrice, ils utilisent d'autres mots romanis. *Chin*, « couper, tailler », signifie « écrire ». Le verbe qui veut dire « lire » est *gin*, « compter ». Mais l'expression courante est *dav opre*, c'est-à-dire « je donne vers le haut », qu'on peut donc traduire par « je lis à haute voix ». Il ne s'agit pas de lecture privée, activité que les Tziganes ne pratiquent guère. De même, *drabarav*, formule utilisée par les gitans de Macédoine pour dire « je lis », a traditionnellement le sens spécifique de lire l'avenir dans les lignes de la main. Et en Albanie, les Gitans emploient le verbe *gilabav* qui, à l'origine, signifie « je chante ».

Un *gilabno* est un chanteur *ou* un lecteur ; le *drabarno*, plus souvent la *drabarni*, est une lectrice qui prédit l'avenir mais aussi une marchande d'herbes, une guérisseuse. Ces termes sont des inventions récentes, qui montrent l'importance du langage écrit pour un peuple historiquement illettré. Et c'est vers la Papusza de Ficowski que tous ces lecteurs-chanteurs doivent d'abord se tourner.

Les efforts de Ficowski, comme ceux de Papusza, n'ont suscité aucune gratitude. Les Tziganes polonais instruits, comme l'ethnographe Andrzej Mirga (qui a fait revivre Papusza à travers un film et des concerts, dont une série de représentations au Metropolitan Opera de New York), reconnaissent la valeur de l'ouvrage érudit de Ficowski, mais le considèrent toujours comme un traître.

Si les Tziganes ont rejeté les propositions gouvernementales, et Papusza par la même occasion, ce n'est pas à cause de leur attachement à la liberté ancestrale. Sitôt après la guerre, beaucoup avaient présent à l'esprit le souvenir d'entretiens avec des *gadje*. Les nazis étaient des ethnographes assidus. Ils avaient collecté plus de 30 000 généalogies tziganes. Ils avaient mesuré les crânes, recueilli des échantillons sanguins, fait le relevé de la couleur des yeux.

Aujourd'hui, la grande majorité des Tziganes ignore presque tout de cette entreprise criminelle de documentation approfondie, menée auprès d'une portion considérable de leurs ancêtres qui vivaient alors en territoire allemand ; mais cet héritage est néanmoins présent dans leur mémoire. La conviction à laquelle beaucoup s'accrochent encore farouchement est que les *gadje* sont dangereux, qu'on ne peut leur faire confiance et que, dans l'intérêt de la survie du groupe, il faut les éviter sauf pour le commerce. De fait, au sens général, les *gadje* sont considérés comme *mahrime*, impurs. Développer des relations avec eux, c'est risquer la contamination.

Evidemment, en Pologne comme ailleurs, de plus en plus de Gitans épousent des *gadje* mais, comme le signale Andrzej Mirga, marié à une *gadje*, « nos mères se désolent de ce phénomène ». Elles n'ont pas à s'inquiéter : loin de contribuer à la désintégration du groupe ou à son assimilation dans le monde des *gadje*, ces mariages mixtes ne font que grossir les rangs. Les enfants de ces unions, comme tous les mulâtres et les créoles, sont considérés par tout le monde comme des Gitans, selon une classification proche de celle des nazis.

La réaction que la collaboration de Papusza avec Ficowski a suscitée chez certains Tziganes investis d'une puissance regrettable en dit peut-être plus long sur les mœurs roms que toutes les données patiemment accumulées. Elle révèle une attitude fondamentale : « nous contre le reste du monde ». L'idée qu'ils doivent rester un peuple à part ne s'appuie sur aucun précepte théologique, mais cette conception, affirmée à travers des centaines de lois non écrites et de superstitions imposant la purification symbolique, n'est pas très différente de celle qu'expose le Talmud : « Soyez prudents dans vos jugements, faites de nombreux disciples, et entourez la Torah d'une barrière protectrice. » De plus en plus menacés, les Gitans ne cherchent qu'à construire leur barrière.

« Tu n'apprendras jamais notre langue », m'a dit fièrement un activiste tzigane, professeur de romani, dans un bus à Bucarest. Il ne voulait pas dire que je n'avais aucun don pour les langues. « Pour chaque mot que tu enregistres dans ton petit carnet, nous en avons un autre, un synonyme, que nous utilisons et que tu ne pourras jamais connaître. Oh, tu pourras les apprendre, mais tu ne sauras pas comment les employer et quelles nuances ils véhiculent. Nous ne *voulons pas* que tu saches. Tu aurais dû naître tzigane. »

Ce professeur, l'un des plus éminents nationalistes roms, consacre une énergie incroyable à dénoncer et à lutter contre le racisme antitzigane. Pourtant, dans l'autobus, il renforçait l'une des plus vieilles calomnies courant sur leur compte : le romani n'est pas une vraie langue, mais un argot de voleurs. Cette contradiction souligne une difficulté que rencontre aujourd'hui le mouvement d'émancipation tzigane : il est clair, et c'est compréhensible, que l'exotisme fait partie de la « barrière » (de même que l'humour : comme dans le Talmud, les différentes strates de la loi constituent une protection en soi ; chez les Gitans, on dit des amants adultères, souillés d'une honte durable, qu'ils sont « passés de l'autre côté de la barrière »).

Mais l'imitation ou l'adaptation coexistent depuis toujours avec l'exotisme. Depuis 1989, les premiers partis politiques tziganes sont apparus, en même temps que leurs premiers représentants, députés ou délégués aux Nations unies. Les poètes tziganes publient désormais leurs œuvres en romani et dans d'autres langues. En Roumanie et en Macédoine, la télévision diffuse des programmes en romani produits par la communauté tzigane ; il existe une première génération de rédacteurs tziganes dans les journaux et les magazines (le meilleur, que dirige un Gitan kosovar originaire de Slovaquie, s'appelle *patrin*, vieux mot qui désigne les marques laissées par les gitans pour leurs amis voyageurs). Tout cela est nouveau, et l'enthousiasme est encore sensible. Mais on peut également dire, sans dénigrement, que le changement n'a eu lieu qu'en surface. L'arrivée de la démocratie ne signale nullement une révision des traditions tziganes. La société secrète survit, et son écheveau d'interdits, qui forment la barrière tzigane, est intact.

Konferença, *kongresso*, *parliamento* : ces mots sont parmi les derniers qui aient été ajoutés à la langue romani. Il est vrai que, depuis 1989, les Gitans de l'ex-bloc communiste n'ont guère eu l'occasion de les utiliser. Ces concepts restent étrangers, voire opposés à l'organisation interne du peuple tzigane.

Lorsqu'ils sont apparus en Europe au XIVe siècle, les Tziganes se présentaient comme des pèlerins et disaient la bonne aventure : deux professions lucratives à une époque de superstition. Leurs chefs se baptisaient comtes, princes ou capitaines. Il s'agissait moins d'expressions des valeurs tziganes que de preuves de leur talent (souvent sous-employé) pour s'adapter aux valeurs et hiérarchies locales afin d'entretenir un prestige précaire. « Nous contre Eux » est un jeu qui se joue encore dans la langue des conquérants, de la société « hôtesse ».

« Ne pose jamais de questions et ne porte pas de jupes courtes. » C'est le meilleur conseil que j'aie reçu avant de partir. Il vient d'un anthropologue qui avait étudié les Gitans de Madrid. « Poser une question n'est pas le moyen d'obtenir une réponse. »

Il y a quinze ans, j'ai voyagé en Europe de l'Est avec ma grand-mère, qui avait quitté sa Hongrie natale en 1905, à l'âge de deux ans. Je me rappelle être descendue de l'Orient-Express à Budapest en me demandant « ce que faisaient là tous ces Indiens » (ce soir-là, et tous les autres soirs en Hongrie, nous les avons identifiés en tant que Tziganes, ces trios de Gitans qui jouaient du violon au-dessus de notre goulache). Durant les révolutions de 1989, je me suis de nouveau interrogée sur ces « Indiens ». On ne parlait jamais d'eux dans les journaux, mais je pensais qu'ils montreraient bientôt au monde quel genre de démocratie le soulèvement ferait naître en Europe de l'Est.

Avant de les rencontrer en chair et en os, je savais déjà certaines choses sur les Gitans. Ils sont douze millions à vivre dispersés sur tous les continents, dont peut-être huit millions en Europe, surtout en Europe de l'Est, où ils forment la principale minorité. Dans une partie du monde où le taux de natalité stagne ou baisse, ils témoignent d'une fertilité impressionnante. On pense qu'en une quinzaine d'années, leur population doublera. Ils servent déjà de bouc émissaire pour *tous* les maux des sociétés communistes en lente transition. Je savais que plusieurs centaines de milliers d'entre eux étaient morts au cours de l'Holocauste. Les pogroms sont réapparus en Europe de l'Est. Conscient de l'escalade de la violence, Václav Havel a déclaré que « les Tziganes sont la pierre de touche non de la démocratie mais d'une société civilisée ». Il n'était pas difficile de prévoir que les forces nationalistes seraient exacerbées par les difficultés spécifiques que les Gitans posent à chaque Etat en faillite. Ils sont, pour la plupart, illettrés, chômeurs, et sans logis décent. Leur espérance de vie est environ d'un tiers inférieure à celle de leurs compatriotes (et les Tziganes d'Europe de l'Est ne sont pas les seuls à être vulnérables : en Italie, 70 % des familles gitanes perdent au moins un enfant, tandis qu'en Irlande, leur mortalité infantile est trois fois supérieure à la moyenne nationale).

Je savais tout cela. Mais je ne savais pas, par exemple, que les Gitans s'offusquent de voir les genoux d'une femme. Et je n'aurais pas cru qu'ils ne voudraient pas dissiper toutes les calomnies et tous les stéréotypes, qu'ils ne voudraient tout simplement pas raconter leur histoire. « Ne pose jamais de questions... »

Les Gitans mentent. Ils mentent beaucoup, plus souvent et avec plus d'imagination que les autres peuples. Ils ne mentent pas entre eux, mais aux *gadje*. Pourtant, ce n'est pas par méchanceté. Il s'agit plutôt d'un mensonge joyeux. Les gens vous disent ce qu'ils pensent que vous voulez entendre. Ils veulent vous amuser, ils veulent s'amuser, ils veulent vous faire passer un bon moment. Cela dépasse l'hospitalité. C'est un art.

Celui qui ment, ou qui affabule, croit parfois que sa version est plus vraie que la vérité. Il a peut-être raison : plus vraie, car plus vivante. Mais bien entendu, les mensonges servent aussi à tromper. Tromper les gens en douceur est un véritable devoir. « Nous ne *voulons pas* que tu saches », avait dit le professeur de romani. Et c'est de survie qu'il parlait en fait.

Les relations entre Gitans et *gadje* n'ont pas toujours été aussi désespérées qu'aujourd'hui. Certains secrets sont connus : pendant la Seconde Guerre mondiale, il y eut beaucoup de Gitans dans la Résistance. Avant la venue des mariages mixtes, il y eut des siècles de symbiose professionnelle, entre paysans et artisans, par exemple. Mais leur survie, durant un millénaire, reposa sur le secret : déguisement, fausse information, dissimulation des coutumes et des ambitions, enfouissement du passé, mensonge. Les Gitans ont toujours été des partisans.

Quand je reviens d'un mois en Bulgarie ou d'un été passé en Albanie, les gens me demandent si j'ai été acceptée par les Tziganes parmi lesquels je séjournais. Je pourrais dire que oui. Je suis accueillie avec une générosité ruineuse. Mon honneur est défendu par mes frères tziganes, même quand je ne me rends pas compte qu'on l'insulte. Je me sens parfaitement en sécurité parmi eux. Ma mère gitane m'appelle *chey*, fille. Mais on ne me laisse jamais préparer la nourriture, travailler, ou accomplir les tâches dévolues aux filles. Dans une communauté, on ne me laissait même pas me laver moi-même ; cette tâche revenait aux jeunes femmes de la maison. Je mange généralement avec les hommes, et non avec les femmes et les enfants, qui ramassent ce que nous n'avons pas touché. Je sais que je serai toujours une *gadji*, en dehors de leur histoire.

Naturellement, un secret ne peut être gardé que par un consensus, en jurant fidélité. Pour collusion réelle ou imaginaire avec les *gadje*, Papusza fut condamnée à une mort civile. La dure loi des Gitans, si cruellement opposée aux stéréotypes romantiques de la liberté rom, interdit l'émancipation des individus en faveur de la préservation du groupe. Papusza fut considérée comme une espionne, et l'ostracisme dont elle fut victime illustre l'exigence de conformité qu'on associe plus communément aux *gadje*.

Le miracle est que les Gitans dans leur ensemble aient résisté à une assimilation qui aurait été une capitulation. Papusza fut sacrifiée, mais on peut aussi dire que Papusza survit, grâce au *gadjo* Ficowski. Peut-être Papusza était-elle déjà condamnée avant de le rencontrer, condamnée parce que sans enfants, et parce qu'elle avait accompli ce que de plus en plus de Gitans voient désormais comme un acte libérateur : chanter de sa voix personnelle et pas seulement pour le groupe, et transcrire ses chants pour la postérité.

1

Les Duka d'Albanie

En général, quand je voyage en Europe de l'Est, je pars seule et je me fais des amis en chemin. Mais l'Albanie, c'est différent. L'Albanie est lointaine et insaisissable comme le Tibet, et il me faut un guide. Je dois trouver « Marcel ».

On me parle de lui depuis des années, mais je sais seulement que c'est un non-gitan qui parle le romani, qu'il a vécu longtemps en Albanie, qu'il porte une longue barbe et qu'il n'a pas d'adresse permanente. Je finis par lui mettre la main dessus lors d'un congrès près de Bratislava, mais j'aurais aussi bien pu le rencontrer n'importe où dans les Balkans, qu'il parcourt à longueur d'année. Durant une pause déjeuner entre deux séances je m'approche du délégué barbu et je lui demande s'il veut m'accompagner en Albanie. Oui, très bien, répond-il sans un sourire, en levant à peine les yeux de son escalope ; nous réglerons les détails après. Mais « après », Marcel a disparu.

Un mois s'écoule avant que je le retrouve, à Paris. A sa demande, nous nous revoyons rive droite, devant les bureaux de la LOT, la compagnie aérienne polonaise. Dès que je le repère, en train de se débattre avec la fermeture-éclair de son coupe-vent, je comprends en partie ce que représente pour lui le monde des Gitans. Tout de gris vêtu, Marcel se confond presque avec la façade du bâtiment. Mais le camouflage est incomplet : son air pauvre et provincial fait de lui un intrus. Vu de près, il a l'air constamment effrayé, avec ses yeux verts exorbités et tout ronds.

Je l'invite à déjeuner, en lui laissant le choix du restaurant. Tout Paris est à sa disposition, mais Marcel choisit une obscure cafétéria à l'étage d'un Monoprix. En le regardant engloutir l'assiette de salade de pommes de terre à la mayonnaise foncée qu'il a commandée, je vois qu'il se sent chez lui. L'endroit fait très « Europe de l'Est ». En fait, Marcel est français, mais dans les pays de l'Est, il n'a pas cet air perdu qu'il avait avenue de l'Opéra. Parmi les Tziganes, c'est un personnage ; on devine qu'il cesse alors d'être un intrus pour devenir l'un d'eux, et sa bizarrerie prend un sens.

Marcel aime aborder les questions linguistiques, mais au Monoprix, il me parle de lui et de sa vie parmi les Gitans ; il commence chaque conversation en levant le doigt et en rectifiant un détail. Contrairement à ce que j'ai supposé, Marcel n'est *pas du tout* français, mais *occitan*. La langue de ses ancêtres est proche du provençal et sonne comme du catalan, avec le même esprit d'indépendantisme. Marcel est surtout un polyglotte pointilleux.

Son grand-père venait d'une famille de gens du voyage, appartenant au groupe des « Gringos », terme qui désigne en Espagne les Gitans qui parlent le grec. Marcel s'exprime comme un Français, ou plutôt il parle l'anglais avec un accent franchouillard caricatural, comme Peter Sellers dans les films de *La Panthère rose*. « La famille voyageait et s'arrêtait dans les fêtes pour vendre et réparer des machines à coudre, pendant que je restais avec ma grand-mère dans le Massif central. » Il me raconte que son père a été organiste, mais qu'il s'est arrêté de jouer quand ils se sont installés : il avait trouvé un emploi de porteur à la gare de Clermont-Ferrand.

Marcel a fait des études de médecine en province. Au début des années 1970, il a eu des ennuis pour avoir organisé des grèves de la faim contre les coupes budgétaires du gouvernement ; à vingt-neuf ans, revenu de ses illusions, il est parti pour la Voïvodine, où il a participé aux vendanges et où il a pour la première fois travaillé parmi des Gitans.

C'était déjà un brillant linguiste : Marcel connaissait le samoan, le hiri motu (de Papouasie), le maori et le tahitien. Il se débrouillait en ajie (Nouvelle Calédonie) et, bien sûr, il parlait toutes les langues « ordinaires », le français, l'anglais, l'espagnol, l'allemand, et avait de bonnes notions de russe et de japonais. Faute de pouvoir visiter la Polynésie ou l'Océanie en général, Marcel s'est tourné vers les Balkans. Son amour pour cette partie du monde et sa vocation de linguiste ont été confirmés alors qu'il voyageait en cachant un petit cochon dans sa chemise ; on l'accueillait partout comme un messager de bonnes nouvelles.

« J'ai passé quelques mois dans un monastère en Slovénie. Sans argent du tout, je n'avais aucun moyen de remercier les moines qui avaient été si gentils avec moi. Après mûre réflexion, j'ai décidé de leur donner le cochon, qui n'était déjà plus si petit, en fin de compte. Ils étaient ravis. L'abbé l'a pris dans ses bras comme un bébé. C'est quelque chose que je n'oublierai jamais : l'abbé parlait à l'animal dans sa propre langue ! » Ce souvenir même laisse Marcel muet de stupeur et d'admiration.

Quand je lui demande comment il en est arrivé à passer dix ans en Albanie, il me l'explique sans hésitation et sans ironie : parce qu'il n'a pas pu trouver d'emploi ailleurs. La difficulté de la langue était un défi irrésistible pour Marcel, et dès qu'il a maîtrisé l'albanais, il a découvert qu'il était indispensable dans les ambassades étrangères du pays. Par la suite, il a été renvoyé pour avoir fait sortir clandestinement du pays des réfugiés tziganes.

J'ai rencontré une poignée de spécialistes comme Marcel, des linguistes et des sociologues qui se consacrent et s'identifient entièrement aux Gitans. Certains Gitans appellent leurs admiratrices *puyuria*, ce qui veut dire « chiots », « poussins », « louveteaux » (c'est ainsi qu'ils m'appelaient, par exemple). Il existe d'autres termes moins affectueux, à travers lesquels leur mépris se manifeste parfois, en même temps qu'ils accusent les *gadje* de profiter de leur malheur. Ce ressentiment vient en partie de ce que les Gitans sont conscients de profiter de ces relations, dont ils dépendent parfois. Il s'agit d'un arrangement historique tout à fait pragmatique : en échange de son aide, le *gadjo* sympathique jouit avec toute sa famille d'une protection plus ou moins grande, ce qui n'est pas un service à dédaigner. L'aide du *gadjo* consiste à écrire des lettres, lire les documents officiels et à servir d'intermédiaire auprès d'autorités pleines de préjugés (les ambassadeurs occidentaux dans le cas de Marcel). A Tirana, Marcel est une star.

Marcel se considère clairement comme un Gitan. Il passe sa vie à aller d'une colonie à une autre et à fréquenter les congrès internationaux ; par-dessus tout, il œuvre pour la promotion de la langue romani. Malgré sa contribution réelle, des activistes gitans « dénoncent » parfois ce *gadjo* pour tenter de compromettre son statut au sein du mouvement. Mais après tout, quelle importance, même si l'histoire de ses ancêtres gitans grecs n'est pas vraie ? Marcel se voue à l'émancipation de l'ethnie, mais il profite de l'opinion courante selon laquelle c'est le mode de vie qui fait le Gitan. Marcel vit comme eux, ou du moins dans leur ombre.

Six semaines après notre rencontre à Paris, nous partageons un taxi. Un taxi qui nous emmène de la Bulgarie vers l'Albanie : douze heures de canicule, à travers la mémoire de la Yougoslavie. Comme tous les postes-frontières, celui qui se situe près de Struga en Macédoine est délabré et sans intérêt, rempli d'une population louche, badauds, dealers et colporteurs en haillons, indolents et insolents, qui attendent d'être refoulés, prêts à refaire une fois de plus le voyage en sens inverse. En approchant de la frontière, nous rencontrons un convoi de semi-remorques énormes, à dix-huit roues (italiens, suisses, allemands, hongrois), bloqué là depuis cinq jours. Michele, routier hagard venu de Trévise, m'apporte des Cocas tièdes. « Qu'est-ce qui se passe ? » lui dis-je. Michele est incapable de trouver les mots, il ne peut que bafouiller sous l'effet de la fatigue, de la colère et de l'inquiétude ; il fait voler la poussière et les gouttes de sueur en hochant la tête. En bon Italien, Michele se tracasse pour la nourriture, désignant de la main son camion dont, depuis une semaine, le chargement recuit au soleil : quelques milliers de petites boîtes de « ragoût de bœuf » de la CEE (« produit d'origine animale à 75 % ») et de barils d'huile de tournesol italienne.

Pleins d'une indifférence manifeste face à la file d'attente et à la musique disco turque qui braille dans leur bureau, une demi-douzaine de douaniers sont adossés au mur, rêveurs, le regard perdu dans un paysage de terre rouge, semi-bucolique, parsemé de petites chèvres sans gardien. Quant aux autres, leur posture (jambes écartées, mains sur les hanches) indique clairement que le prix n'a pas encore été négocié. L'aide humanitaire est la principale importation de la plus pauvre nation d'Europe. Il s'agit entièrement de dons, mais rien n'est gratuit en Albanie ; tout ce qui entre dans le pays sera vendu et revendu plusieurs fois, et à la frontière en premier lieu.

Nous avons tous vu ces photos de bateaux partant pour l'Italie, chargés de grappes d'Albanais. Marcel connaît même certains réfugiés. Mais dans la queue, personne à part lui ne sait à quoi s'attendre dans ce pays que nul n'a le droit de quitter. Jusque-là, la seule chose que nous savons, c'est qu'il est aussi difficile pour un étranger d'entrer en Albanie que pour un autochtone d'en sortir.

A l'instant précis où l'on nous fait enfin signe d'avancer, une petite Tzigane édentée se faufile jusqu'à moi et me tire par la manche. Elle a une bonne blague à me raconter. Soudain sérieuse, elle crie en romani avant de disparaître : *« Te djivel o Tito, te djiven e Jugosloviage manusha ! »*, « Longue vie au camarade Tito et longue vie au peuple yougoslave ! » Ce commentaire est le seul que nous offre la population locale (ou du moins les Gitans locaux) au sujet du pays en pleine désintégration que nous sommes en train d'abandonner. La guerre est tellement proche qu'elle devient lointaine : on ne peut pas en parler.

Une fois en Albanie, en attendant la voiture qui doit venir nous chercher, nous nous promenons un moment sur les rives du grand lac Ohrid aux eaux turquoise. Pas de cuillers en plastique, pas de boîtes de Coca, pas de détritus, pas de panneaux publicitaires, rien qui cherche à attirer le regard. Mais on sent aussitôt que l'Albanie est beaucoup plus (ou beaucoup moins) qu'une oasis sans touristes entre ces ex-paradis que sont la Grèce et le sud de l'Italie. Ce qu'on ne peut imaginer avant d'arriver, c'est le vide. La terre est si mauvaise que même les arbres ne poussent qu'un à la fois, entourés de plus d'espace que leur maigreur ne peut en protéger. La beauté particulière de l'Albanie semble toujours liée à l'isolement... Une voiture vient s'arrêter bruyamment, dans un nuage de poussière, et en sortent les deux Gitans les plus chevelus que j'aie jamais vus. « Voici Gimi. » Soulagé, Marcel désigne le chauffeur timide, aux longs cheveux gras, vêtu d'un jean à la taille étrangement basse. « Et voici Nicu. » Joufflu, souriant, torse nu, Nicu est entièrement velu, depuis le panache qui lui couvre le ventre avant de bifurquer sur la poitrine, jusqu'à sa tête de Cupidon hirsute. Même son visage est couvert de mèches rebelles. Nicu s'appelle en réalité Besnik, mais sa pilosité nous inspire un surnom qu'il accepte bien volontiers : Veshengo, littéralement « Homme de la Forêt ». Ou Tarzan.

En route, Vesh m'offre ma première cigarette albanaise. C'est une Victory. Sur le paquet brun, sous un « V », là où figure habituellement l'inscription « Fumer provoque des maladies mortelles », est écrit « Gardez le Moral ».

KINOSTUDIO

Je passe l'été chez les Duka, la famille de Nicu, en banlieue de Tirana, dans le quartier appelé Kinostudio. Les Gitans d'Albanie sont si isolés qu'ils n'ont qu'une vague conscience de l'existence de leurs millions de frères dispersés à travers le monde. Pourtant, les Roms de Kinostudio ont plus de choses en commun avec les victimes de la diaspora qu'avec leurs compatriotes albanais, aux côtés desquels ils vivent depuis près de six cents ans. Ils n'ont pas de problèmes avec leurs voisins, mais chacun reste chez soi.

En Albanie, la violence ethnique est négligeable du fait de l'isolement et des longues années de répression et de pénurie dont tous ont pâti. Mais le sain orgueil des Tziganes tient aussi à leur incroyable solidarité ; comme en Macédoine et nulle part ailleurs, les Gitans albanais ne constituent pas la lie de la société. Il existe une hiérarchie entre les quatre tribus présentes dans le pays, et surtout, il y a en Albanie un groupe social dont les conditions de vie sont pires : les Jevgs, petits, à la peau brune, qu'on voit souvent mendier sur les places de Tirana.

Les Duka sont l'une des premières familles du quartier ; ils appartiennent à la tribu Mechkari, la plus grande des quatre. Comme tous les Gitans d'Albanie, les Duka sont théoriquement musulmans. Ils partagent Kinostudio avec d'innombrables cousins tout aussi accueillants, d'autres membres de leur tribu, quelques familles issues d'un autre groupe, les Kabudji, et une poignée d'Albanais, une infime minorité, invisible plutôt que rejetée. Dans Kino, on n'entend guère parler que le romani.

Nous arrivons trop tard pour rencontrer la famille : seules nous attendent Jeta (« vie », en albanais), la mère de Nicu, et Dritta, son épouse, une jeune femme sensuelle, au visage large. Trapue et énergique, Jeta paraît bien plus que ses quarante-quatre ans, mais ses mouvements sont lestes et juvéniles. Tandis que sa belle-fille bâille de manière charmante, elle consacre toutes ses forces à accueillir les voyageurs fatigués : elle s'empresse de nous servir à boire et de préparer un repas chaud, puis elle écarte sa chevelure grise de son visage hâlé, plein de santé, lisse sa jupe et s'assied. Le visage dans les mains, l'air intrigué, Jeta fixe sur moi ses petits yeux bruns et brillants et attend, en se demandant ce que lui apportent ses mystérieux visiteurs.

Le lendemain, je rencontre les autres, les frères, leurs épouses et leurs enfants. A sept heures du matin, je suis encore couchée (ce qui revient, là-bas, à faire la grasse matinée), et les femmes défilent une par une dans ma chambre pour m'examiner. La première est Liliana, la sœur célibataire et boiteuse, qui dissimule son visage cubiste (les yeux sur deux plans différents, les muscles faciaux animés d'une énergie variable, un soupçon de bec-de-lièvre) sous une toison d'Indienne, épaisse et noire. Viennent ensuite les belles-filles, les *boria*, ainsi que l'on désigne les trois jeunes épouses des fils Duka. Viollca et Mirella s'avancent timidement derrière leurs petits garçons, qu'elles poussent en avant, une main sur chaque épaule. Les enfants sont les dignes fils de leurs pères : le visage poupin et boudeur de Mario rappelle celui de Nicu en miniature et sans les poils. Walther, cinq ans, avec sa coupe au bol, a la beauté, les membres élastiques et le regard brillant de son père, Nuzi, homme agité, à la voix haut perchée, le James Dean de Kinostudio ; ce dernier passe son temps à se faire beau et à rouler des mécaniques, mais sans se prendre au sérieux (il prétend que son jeu de sourcils très élaboré l'aide à aspirer la fumée de ses cigarettes). Le dernier des trois enfants, Krenar le pleurnichard, est le fils sous-dimensionné de Mirella et Artani. Sa barboteuse en éponge tachée de morve est trop grande pour lui : l'entrejambe rase le sol et le bout de ses chaussettes traîne à terre. En arrivant près du lit, il éclate en sanglots, et il restera humide et grognon presque tout l'été. Krenar est surnommé Spiuni, diminutif de *spiuni gjerman*, espion allemand, à cause de ses yeux bleus et de ses cheveux blonds. A leur insu, les Duka se sont approprié et ont inversé deux mythes qui courent sur les Tziganes : celui que tout enfant blond présent parmi eux est un

« chrétien » enlevé à ses parents, et l'idée que les Tziganes sont eux-mêmes des espions, à la solde des Turcs et des autres ennemis de la chrétienté.

Les petits me touchent les cheveux et les vêtements, les jeunes femmes me posent la question qui brûle les lèvres de toutes les Gitanes (« combien d'enfants avez-vous ? »), puis tout le monde part vaquer à ses occupations : lessive, cuisine et fardeaux pour les *boria*, cartes, cigarettes et télévision pour les hommes, que je rencontrerai plus tard. Il n'est pas convenable pour un homme de se tenir dans la pièce où une femme est couchée, même une étrangère, à laquelle les autres règles ne s'appliquent pourtant pas.

Artani, le seul des Duka qui ait un emploi, part travailler avant le lever du jour. Il ramasse les ordures de la capitale, moyennant un salaire mensuel de 800 leks (une cinquantaine de francs). Artani ne dit pas qu'il gagne 800 leks, mais évoque ce qu'il peut acheter avec ce salaire : « Je gagne cinq kilos de viande par mois. » Il travaille surtout pour avoir quelque chose à faire, pour se promener en ville dans la fraîcheur du petit matin, pour sortir de Kinostudio.

Nicu fait la grasse matinée. Nuzi rumine, assis sur le pas de la porte ; il mâchonne une Victory éteinte et caresse ses cheveux qui lui tombent sur les épaules, en attendant que Liliana lui fasse son café. C'est son travail à elle, depuis qu'il a perdu son emploi aux Parcs et Jardins, et son travail à lui consiste à attendre qu'elle le serve. Nicu n'a pas grand-chose à dire à ses petits frères, mais Nuzi occupe ses journées à se moquer d'Artani et de ses goûts vestimentaires épouvantables. Mais ces moqueries justifiées (ses pantalons pattes d'éléphant, trop grands, en nylon-éponge, sont bel et bien épouvantables) révèlent surtout la pauvreté de Nuzi. Car se soucier de la mode en Albanie, où on ne peut rien acheter, c'est se plonger dans une infinie torpeur de frustration et de honte. Nuzi feint la répugnance face à Artani qui vend son temps contre si peu d'argent, mais la vérité, c'est que le temps lui pèse. Son emploi, qui consistait à décourager le lierre sur les innombrables statues d'Enver Hodja, à planter des buissons, à tondre les pelouses publiques et à entretenir les apparences en général, faisait la fierté et la santé de Nuzi ; c'était l'expression civique de ses tendances naturelles à se pomponner. Jeta, comme toute mère dans un pays où le chômage est quasi total, souffre du licenciement de son fils (on l'accusait de participer à des jeux d'argent) plus encore que lui-même. Artani n'aime pas son travail, il ne gagne pas de quoi vivre, mais il a du moins un emploi.

Le premier jour, il y a deux absents : Bexhet, le mari de Jeta et leur père à tous, et Djivan, 10 ans, le fils de Nicu et Dritta. Le grand-père et son petit-fils passent la journée à Berat, au sud du fleuve Shkumbin, en visite chez un couple d'amis qui ont une fille de neuf ans, à qui on vient de fiancer Djivan. En voyant ma surprise, Jeta me rassure : « Ils ne se marieront pas avant trois ou quatre ans. Qu'est-ce que vous croyez ? C'est encore des gosses. »

La vie est instable, partout dans les Balkans. Mais chez les Tziganes, on se sent comme eux : parfaitement en sécurité, comme en famille. L'une des raisons est l'absence de tout mariage entre Albanais et Gitans à Kinostudio. Loin d'être le signe de la décadence d'un peuple, l'endogamie semble ici une marque d'assurance, chez un groupe bien dans sa peau et qui n'a pas besoin des autres.

Kinostudio est une grande famille, puisque presque tous les habitants du quartier sont parents. Gimi, par exemple, est marié à Mimi, l'une des sept sœurs de Jeta. En une journée, tout le voisinage sait que je suis là et que je séjourne chez les Duka. On m'escorte partout, en partie parce que je suis une femme et que je suis sous leur protection. Je dois vite renoncer à me promener seule. Pas question : en quelques minutes, Nicu, Nuzi, Artani ou un groupe de *boria* fait son apparition.

A la maison non plus je n'ai pas le droit de rester seule (même aux toilettes, du moins s'il y en avait). Les Duka ne partagent pas la notion et le besoin d'intimité qu'ont les *gadjo*. Ou de calme. Plus on est nombreux et plus on fait de bruit, mieux on se porte, telle est leur conviction ; j'ai découvert que tous les Gitans pensent comme eux. Dans leur esprit, un individu isolé, c'est un Rom qui s'est rendu *mahrime*, impur, par quelque délit et qui est exclu du groupe. Si vous avez envie d'être seul, c'est qu'il y a en vous quelque chose de mauvais, de honteux. Les Tziganes ont traversé les pires épreuves, mais on peut être sûr que la solitude n'en fait pas partie.

Il existe cependant une certaine forme d'intimité : chez les Duka, comme par un accord préalable, toutes les femmes peuvent oublier un moment l'existence des hommes de la famille, et inversement. De même, le matin, personne ne parle à un homme avant qu'il se soit lavé la figure (les femmes sont toujours levées des heures avant eux). On dirait vraiment qu'ils ne voient pas celui qui n'est pas encore prêt à être vu. L'intimité prend la forme de murs invisibles (ça ne marche pas pour moi : je deviens constipée et je le resterai pendant un mois de rétention et d'inquiétude).

Kinostudio a été construit dans les années 1950, en partie sur la décharge municipale de Tirana. Les premiers Roms qui s'y sont installés venaient des caves de la ville. Dix familles ont été chassées et transférées « provisoirement » à Kinostudio. Elles ont construit leurs propres maisons, la mairie leur ayant promis le droit de propriété.

Les Duka vivent dans l'une des premières maisons du quartier, sur la piste qui monte vers la route goudronnée de la ville. A Kinostudio, aucune rue n'est pavée (c'est aussi le cas dans la majeure partie de Tirana) ; l'hiver, elles se transforment en rivières de boue. Comme tous les vieux bâtiments de la colonie tzigane, la maison des Duka, sans étage, est blanchie à la chaux, avec un porche couvert et une cour cimentée. Trois pièces construites de bric et de broc, en planches, ferraille et ciment, ont été ajoutées pour accueillir l'épouse et les enfants de chacun des fils.

Le puits commun se dresse au milieu de la route ; un peu plus loin, la boulangerie, ou plutôt la queue pour le pain. Après une longue attente (la file offre aux *boria* du quartier une rare occasion de poser leurs seaux pour bavarder), on arrive devant un trou dans le mur. De cette fenêtre sans vitre sortent deux bras : le premier attrape les billets froissés et crasseux tandis que le deuxième, qui n'appartient pas forcément à la même personne, tend un long pain encore chaud, beige ou blanc (plus cher).

Il n'y a pas de magasins à Kinostudio. A vrai dire, même dans Tirana, il n'y a guère de magasin où l'on puisse *entrer*. Il existe un marché couvert pour l'alimentation et, dans le trou à moitié creusé d'un chantier à l'abandon, un marché à ciel ouvert pour les tapis sans valeur, les lampes en plastique et les ustensiles de cuisine. C'est dans ce « cimetière » que Jeta examine les produits dont elle a envie mais qui ne sont pas indispensables : une moulinette à viande, un tablier, de la crème pour la peau importée de Bulgarie. Elle veut les louer mais essuie un refus indigné, d'où ce subterfuge : accompagnée par l'un des frères, je tente de les acheter le lendemain.

Au lieu de magasins, le capitalisme n'a pour l'heure apporté que des kiosques, des boutiques mobiles en préfabriqué où le client doit se dresser sur la pointe des pieds pour payer. Certaines sont spécialisées, comme « Shag », stand devant lequel nous passons en revenant de la ville, et qui vend des articles religieux, « mauvais œil » en verre, etc, mais surtout des crucifix, en pendentif, à accrocher au mur, ou des Jésus en plastique à placer au chevet du lit. Dans Kinostudio, les structures commerciales sont plus nettement éphémères, mais incitent davantage à manipuler la marchandise et, comme les vendeurs sont tziganes, à marchander. Une table en carton dépliée dans un coin, un homme accroupi derrière une caisse renversée : ces éventaires apparaissent dès qu'il y a quelque chose à vendre. Comme partout dans les Balkans, on peut y trouver n'importe quoi, piles électriques, jouets, chaussures en plastique, chaussettes, éventails en papier, nourriture en boîte envoyée par la CEE ou les Nations unies, cigarettes à l'unité, ficelle.

A Kino, les enfants connaissent quelques-unes des marques qui obsèdent le monde industrialisé : Coca, Kent et Marlboro (les cigarettes sont des fragments de l'Ouest qu'un Albanais peut posséder ; à quoi bon connaître le nom des *voitures* américaines ?). Mais ces marques y ont le même statut que les fausses cigarettes occidentales de marque Wenston [*sic*], Victory, Bond, Ronhill, Sher et OK, qui viennent de Turquie ou d'Iran. Tous ces produits font rêver parce qu'ils ne sont pas albanais. A part ça, peu importent leur qualité et leur provenance.

En haut de la route, le marchand de légumes est assis dans sa charrette au milieu de ses produits, qui se limitent généralement à des *domate* (tomates). Il a parfois des cerises et des figues, mais Jeta m'interdit d'en acheter ; elles ne coûtent que quelques centimes, mais sont hors de prix selon les critères locaux, et Jeta ne laisse personne se faire rouler.

Et puis il y a Yolanda, la grosse brune assise sur un muret près de la poste, avec ses bas couleur rouille roulés jusqu'au mollet. Les mains à plat sur les cuisses, les coudes écartés, elle tient entre ses genoux un sac en toile rempli de graines de tournesol. Lorsqu'elle a un client, elle lui verse soigneusement quatre coquetiers pleins dans un cornet en papier journal. Dans tout le quartier, les gens interrompent la conversation pour cracher les petites coques noires, et les enfants se les crachent les uns sur les autres. Partout où l'on fait la queue, pour le pain ou à la poste, on peut en voir une traînée. Quelques mètres plus loin, le squelettique M. Cashku fait pendant à la corpulence de Yolanda. Vêtu d'un costume en tweed en pleine canicule, il vend de l'essence à briquet, remplissant à l'aide d'un minuscule entonnoir métallique les modèles en plastique dont tout le monde est apparemment équipé. Les allumettes sont rares, et en Albanie rien ne se perd. A part le temps.

Yolanda et M. Cashku ont le meilleur espace commercial : la poste de Kinostudio est toujours bondée. On y va pour recueillir les potins et pour téléphoner (les lignes privées sont rares en Albanie, et il n'y en a aucune à Kino). La file d'attente pour le téléphone déborde parfois dans la rue ; à l'intérieur, elle remplit tout l'espace, des gens agitent des morceaux de papier, en criant « Italia ! » ou « Gjermania ! ». Ils espèrent négocier leur appel avant d'arriver au guichet, quand ce sera leur tour de hurler dans l'unique téléphone, un antique modèle en bakélite. On dirait que tout le monde a un réfugié dans sa famille. Et à voir leur visage lorsqu'elles quittent la poste, il est clair que les mères albanaises soupçonnent les Occidentaux de ne pas apprécier leurs fils à leur juste valeur.

Vaut-il mieux alors être coincé en Albanie ou être un réfugié, échoué dans un autre pays ? Le consensus est net. Pendant plus d'un mois en Albanie, je n'ai rencontré personne qui n'ait pas envie de partir. Les rêves d'évasion diffèrent cependant. Les Gitans veulent profiter des nouvelles occasions commerciales, ils sont impatients de rapporter des bribes du monde extérieur. Ils ne sont guère séduits par l'idée de s'arracher à leur « famille » et à son riche vivier de partenaires futurs pour le travail ou le mariage.

Comme beaucoup de Gitans, les *gadje* albanais détestent leur pays, mais ils croulent aussi sous le poids d'une honte que les Tziganes ne partagent pas. Ils veulent partir et ne plus être albanais. Ils veulent « devenir européens ». Contrairement aux Gitans, qui doivent fidélité à leur famille, puis à leur tribu, mais jamais à leur nation au sens où ils aspireraient à un état territorial, les Albanais que j'ai rencontrés avaient une vive conscience d'être des Européens de seconde zone. Quoi qu'il en soit, tout le monde veut partir.

« Vous voulez bien me parrainer ? » « S'il vous plaît, s'il vous plaît, servez-moi de garant. » Voilà ce que me murmurent, parfois sur un ton de menace, les jeunes gens de Kino quand ils arrivent à me trouver seule. Ils ne s'adressent pas à vous en albanais. « Garant » et « no problem » (*ska problem* en albanais) sont des mots étrangers que tout le monde connaît et emploie pour demander secours. De plus en plus, le seul espoir de la population locale pour fuir le pays est de se faire adopter : il leur faut trouver un « parrain » occidental qui pourra les héberger et les nourrir, et envoyer la caution en cas de désistement. C'est une responsabilité légale considérable, et l'idée de voir mon appartement se remplir de jeunes Albanais au chômage me rend le refus plus facile, je l'avoue.

Partir, c'est l'essentiel, sans trop s'inquiéter de la destination. Nuzi, qui m'accompagne un jour à la poste avec Nicu, a choisi l'Amérique. « Parce que c'est un pays riche et libre. » Il rit quand je lui certifie qu'il y a des pauvres en Amérique. Autre argument décisif à ses yeux : « En plus, les Américains n'ont peut-être pas entendu parler de nous » (un an après mon séjour, j'ai appris que Nuzi était parti pour l'Allemagne comme membre d'un groupe de musiciens tziganes. Cette nouvelle me ravit, car je suis certaine qu'il n'éprouve aucun intérêt pour la musique).

Les habitants de toute l'Europe de l'Est aiment à sentir peser sur eux le poids de la fatalité, mais les Gitans albanais y mettent une malice particulière. En levant les bras au ciel, ils vous disent : « c'est l'Albanie » pour expliquer que les rues de Tirana ne soient pas pavées, pour justifier les amendes pour mauvais stationnement que l'on reçoit régulièrement sans raison apparente, pour tout ce qui est déplorable, bureaucratique, mal fait, ou qui prend beaucoup de temps.

Mais Nicu, le fils aîné, ne se laisse pas abattre. La poste est bâtie dans le pire endroit de Kinostudio : une zone bétonnée, sans un brin d'herbe, où des immeubles de dix étages tombent en ruine. Ces tours lugubres ont été construites en 1965 pour la police de Hodja, mais les destinataires de ces logements les ont refusés et la construction a été abandonnée, la plomberie n'a jamais été installée et les bâtiments ont été peu à peu envahis par le surplus de population de Kinostudio. On dirait un bidonville. Mais là où je vois un projet avorté, Nicu voit son avenir. C'est là qu'il espère acheter un appartement pour sa petite famille, Dritta, Djivan et Mario. Debout à côté de lui, à mesure que j'écoute son programme (rebétonner le sol, repeindre les murs et les décorer de fleurs au pochoir, comme partout les Gitans adorent le faire), le bidonville se transforme en un quartier ordinaire. Une fois que l'on connaît leurs noms, les enfants qui y jouent n'ont plus l'air de petits délinquants condamnés d'avance. Et il n'y a pas de drogue. Simplement la pauvreté, simplement l'Albanie.

Bien sûr, Nicu a envie de partir, mais il veut seulement gagner un peu d'argent, trouver des partenaires commerciaux, puis rentrer chez lui. La Turquie est le seul pays qui accorde parfois des visas aux Albanais (leurs anciens sujets, après tout), des visas qu'on réutilise jusqu'à usure totale, qu'on détache au rasoir pour les recoudre dans un autre passeport en vinyle rouge. Nicu est déjà allé à « Stanbuli », voyage qui lui vaut une aura extraordinaire ; cet exploit a rendu son épouse Dritta encore plus insupportable aux yeux de ses belles-sœurs, les *boria* cadettes. Il a des projets, il se lance dans « l'import-export » (pour l'instant, la nature des exportations reste « secrète ») ; jusqu'à présent, il fait venir de Turquie des mini-fours circulaires en aluminium qui, en attendant que le stock soit épuisé, s'entassent en un mur de colonnes métalliques dans la cour de la maison des Duka.

Nicu a travaillé dans une usine de textile. Non sans audace pour l'habitant d'un quartier où le chômage est quasi-total (288 familles sans emploi), il a démissionné. Il avait besoin de travail, mais comme la plupart des Gitans, il n'est pas fait pour une activité régulière rémunérée. Le coup de grâce est venu lorsqu'on l'a mis dans l'équipe de nuit. Il ne voulait pas que Dritta reste seule le soir (ou il ne voulait pas être loin d'elle le soir). Surtout, Nicu pensait pouvoir mieux se débrouiller tout seul : gagner plus d'argent, être plus libre, s'amuser davantage et avoir de meilleures perspectives d'avenir. Il avait raison.

Le frère de Gimi, Arben, dit Beno, a un commerce florissant de tissus turcs ; il a invité Nicu à le rejoindre dans l'entreprise. Ou, du moins, il lui a cédé un coin de son camion. Une fois par mois, le camion revient d'Istanbul et tout Kinostudio vient toucher et admirer les nouveautés : de superbes rouleaux grands comme un homme, des tissus à ramage compliqué comme les Gitans les aiment. Toutes les maisons, toutes les femmes et toutes les filles de Kino sont parées grâce au contenu du camion de Beno, ce qui donne un aspect étrangement uniforme à cette zone urbaine aux allures de bidonville. Nicu loue à Beno un coin dans le camion pour ses fours, qui n'ont pas encore trouvé preneur, mais il reste optimiste.

Le commerce n'est pas pour les Mechkari une activité traditionnelle comme c'est le cas pour tant de groupes gitans (il est même rare que les Mechkari admettent avoir été ouvriers agricoles pendant des siècles). Mais ils sont naturellement doués pour les affaires. On trouve à Kinostudio quelques maisons plus fantaisistes, avec une tourelle ici, un balcon là, et cela étonne d'autant plus qu'il n'y a ni trottoir ni route goudronnée : les bâtisses émergent du sol, sans transition. Elles appartiennent à des Gitans qui réussissent dans l'importation. En Albanie, et dans toute cette partie de l'Europe, les Tziganes sont parmi les rares à profiter des nouvelles occasions et à construire de nouvelles maisons, tandis que le reste de la population les observe et se plaint, envieuse, inerte, furieuse mais lasse.

Les Tziganes n'ont pas de fausse pudeur vis-à-vis de l'argent : ils en parlent librement et montrent leurs paquets de billets sans aucune vantardise. Jeta en a toujours une liasse sous la bretelle de son soutien-gorge (en général, les femmes n'en portent pas, et le sien lui sert surtout de portefeuille). Les perspectives encourageantes de Nicu sont saluées avec joie, comme elles le seraient par tous les parents. Pourtant, chez les Tziganes, la notion d'économie inspire des sentiments mitigés. Je n'ai jamais rencontré un Gitan qui ait son propre compte en banque... mais, naturellement, la banque est une institution de *gadjo*.

Quelles que soient ses raisons, Nicu a caché l'argent qu'il économise pour acheter son nouvel appartement. Tout le monde est au courant, mais il n'est pas question d'en parler.

Je dors souvent dans les deux-pièces de Nicu et Dritta, leur « aile », sur un canapé convertible polonais, avec Mario ou Djivan ou les deux. Une nuit, peu avant le lever du jour, Nicu se met à manipuler bruyamment les quelques fours turcs qu'il n'a pas réussi à caser dans la cour. Il fait noir, mais j'entends ce que je ne vois pas. Il prend les fours circulaires un par un et les entasse ailleurs. Arrivé au dernier de la pile, il devient soudain très délicat, et l'installe doucement sur la table peinte placée au milieu de la pièce. Il enlève le couvercle, qu'il pose sur la chaise. C'est seulement à ce moment-là que Nicu relève les manches de la chemise cintrée dans laquelle il a dormi ; la blancheur éclatante du vêtement accroche le peu de lumière qu'il y a. Il met la main dans la cuve et, avec précaution, en tire un objet rectangulaire, plus lourd que du pain ; ce pourrait être une brique. Une, deux, trois briques, alignées avec soin sur la table. Quatre, cinq, six.

C'est de l'argent. Des liasses de billets ficelés ; l'argent mis de côté pour l'appartement.

Dritta arrive avec le sac à linge sale, vide, et le tient ouvert à côté de Nicu. Comme un voleur qui manipule des lingots récemment acquis, il y dépose adroitement les six briques, trois au fond, trois au-dessus. Le sac part ensuite sous le canapé faisant face au mien, sur lequel Marcel ronfle encore. Dritta complète le camouflage du butin avec l'un de ses nombreux arbres fruitiers en plastique fluorescent, puis s'attaque à ses tâches habituelles : faire chauffer l'eau pour le café, tirer de leur rangement nocturne les tasses, les bassines et le savon. Sans échanger un mot, Nicu avale la gorgée de café fort et sucré que Dritta lui tend, troque la tasse grande comme un dé à coudre contre le sac plein de billets, et se faufile dans la cour pour rejoindre le portail.

Ce soir-là, il revient avec l'acte de vente de l'appartement, seul document prouvant qu'il s'est dessaisi de sa fortune, près de mille dollars. Tout essoufflé, il le pousse sur la table, vers Marcel, assis derrière sa longue barbe, flegmatique, comme un prêteur sur gages. Nicu ne sait pas lire : il ne sait littéralement pas ce qu'il a en main. La *deklerat* est rédigée au crayon sur un morceau de papier brun, du genre qu'on utilisait jadis (luxe inconsidéré) pour emballer le pain, dans une écriture cursive très chantournée, avec des boucles supplémentaires pour la queue des lettres. Pour donner un petit air officiel, un cachet circulaire est dessiné en bas, dans un coin ; l'artiste a compris que ce genre de tampons contribue à l'atmosphère. Il n'est fait mention ni de la somme, ni de la date.

Les lois de l'hospitalité sont encore en vigueur chez les Gitans albanais, même si elles sont inévitablement tombées en désuétude ailleurs. Tout Gitan doit accueillir et aider matériellement tout membre de son groupe (ou même d'un autre groupe) qui le demande. Cette pratique leur est très utile lorsqu'ils voyagent à l'étranger. Un soir à Kinostudio, Dilaver, un frère de Gimi, homme sec, au visage grêlé, revenu récemment d'une expédition en Grèce (même en Albanie, ils se débrouillent pour franchir les frontières), parle pendant des heures du choc qu'il a eu en trouvant toutes les portes fermées. Il y a une limite au séjour qu'on peut se permettre chez une famille qu'on ne connaît pas : les uns disent trois jours, d'autres disent sept. Mais chez les Gitans comme partout, les obligations sont élastiques et parfois même illimitées. Non seulement l'ennemi de votre ennemi a des chance d'être votre parent, mais le crime qu'a commis votre frère est votre crime. Pendant mon séjour à Kino, la loi fait une apparition exceptionnelle. Un Kabudji est arrêté pour vol et agression. Il est condamné à un an de prison. Pourtant, comme il est le seul de sa nombreuse famille à exercer un emploi, comme il est père de quatre enfants, la famille se consulte et le remplace en prison par un frère cadet.

Cette pratique est courante chez les Tziganes dans tous les Balkans (l'on raconte aussi des histoires semblables en Grande-Bretagne), où le châtiment collectif est dirigé contre eux tous, où la responsabilité ou la honte sont ressenties par le groupe. Cela prouve à quel point, pour les autorités, tous les Gitans se ressemblent : n'importe lequel d'entre eux fait l'affaire. Et qu'en pense le frère cadet ? ça ne le dérange pas trop. L'incarcération est souvent redoutée, non par crainte du meurtre ou de la sodomie, mais parce que l'on est séparé du groupe, obligé de vivre et de manger parmi les *gadje*, et qu'on risque ainsi toutes sortes de contamination. Dans la famille, en revanche, ce sacrifice est un honneur, et le temps passé en prison est comparable à des années de combat en terre étrangère. Tous les jeunes gens qui ont connu la prison, et ils sont nombreux chez les Gitans, montrent fièrement leurs tatouages bleus et flous, faits au rasoir, comme s'il s'agissait de médailles de guerre.

La loi de l'hospitalité est un principe noble et beau, mais qui se prête aussi à des abus (selon Michael Stewart, Britannique qui a vécu avec des Tziganes hongrois, il est fréquent, lors d'une rentrée d'argent, de tout dépenser aussitôt en avoirs solides, en mobilier de poids). Depuis des siècles, ces codes communautaires maintiennent parmi les Gitans la cohésion... et la pauvreté.

Les Tziganes sont loin de n'attacher aucune importance aux biens matériels. Bexhet prend un soin extravagant de sa bicyclette et, comme tous les jeunes gens, Nuzi rêve d'une voiture de sport, d'une voiture tout court. Le mariage arrive si tôt, souvent dès l'enfance, que les difficultés liées à l'adolescence font ici figure de crise de l'âge mûr (en Slovaquie, le Tzigane moyen meurt avant d'atteindre quarante ans).

La différence, c'est que ces objets, vélos ou voitures, sont sources de plaisir mais aussi de profit. Ce ne sont pas de simples jouets, ils n'inspirent aucun fétichisme ; un autre vélo, une autre voiture leur succédera. Le remplacement et l'échange sont les seules constantes, qui renforcent parmi les *gadje* l'idée que les Gitans ne possèdent que des biens volés. La marchandise se renouvelle rapidement, et les Gitans se comportent plus comme de riches Occidentaux que comme leurs homologues pauvres dans d'autres pays. L'étiquette aristocratique exige en outre que les biens semblent aisément acquis, par contraste avec les valeurs non gitanes de dur labeur et de parcimonie.

Voilà pourquoi la fortune de Nicu est vigoureusement minimisée lorsqu'il n'est plus possible de la dissimuler aux voisins. Il prétend l'avoir gagnée en jouant aux dés. Et cette élégance typiquement gitane se double d'une certaine prudence. L'argent, abondant un jour, peut disparaître le lendemain.

CHACUN NE VOIT QUE SON ASSIETTE

Manger. Même s'il n'y a pas pénurie en Albanie durant mon séjour, la nourriture, ou la viande, semble être le seul sujet de conversation ; s'en procurer et la préparer, voilà qui occupe les trois quarts de la maisonnée pendant l'essentiel de chaque journée.

Juste en face de la maison se trouve Mish Mas, « Viande Viande », la boucherie (« viande » se dit *mish* en albanais, *mas* en romani). Jeta n'y fait pourtant pas ses courses. Pour plaisanter, le propriétaire de Mish Mas lui fait signe de venir dans sa boutique, et elle riposte en criant : *« Xinav to mas ! »*, « Je vais chier sur ta viande ! » Avec sa grimace la plus impitoyable, elle déclare que la viande de Mish Mas est *bi-lacho*, qu'elle ne vaut rien, et en maudissant le boucher local, elle troque donc chaque jour ses pantoufles contre ses « chaussures de ville », noires, luisantes, à talons, et parcourt à pied les trois kilomètres qui la séparent du marché couvert en ville. Là-bas, on peut renifler et tâter la viande, et on peut vraiment marchander. Jeta s'y entend pour marchander.

Sa méthode consiste à manipuler d'un air dégoûté les morceaux de viande étalés sur le carrelage blanc couvert de sang. Chaque geste est ponctué d'un claquement de la langue, d'un éclat de rire ou simplement d'un soupir déçu. Cet examen de la viande paraît inutile puisque, à mes yeux inexperts, tous les morceaux sont identiques. Il s'agit exclusivement de mouton : cervelle, testicules, boyaux, tripes, organes et glandes, têtes entières écorchées, gigots maigrelets. On peut aussi acheter la peau et les sabots pour en faire du ragoût, ou peut-être de la colle. De la brebis ou du bélier gras et filandreux, c'est la seule *mas* qu'on puisse manger, et on en mange tous les jours.

Même jeu pour les légumes, que Jeta ne considère pas comme de la vraie nourriture, de toute manière, et pour les grains de café vert, examinés un par un comme s'il s'agissait d'émeraudes. Mais c'est pour le mouton que se réserve la vraie passion ; une fois à la maison, il faut le laver, le préparer et l'oindre comme les pieds d'un roi, et certainement avec plus d'énergie qu'on en met à laver les enfants. Dans un pays aussi pauvre, servir de la viande à table tous les jours, presque plus souvent que dans les pays développés, revêt une importance symbolique. Ce peut être un signe de statut social, comme de vivre au-dessus de ses moyens ; mais pour Jeta, c'est une marque de force et de survie.

Tous les habitants de l'Europe de l'Est et de l'Europe centrale gardent le souvenir de graves pénuries (il fut un temps où les seules nouvelles venant d'Albanie étaient les émeutes liées à la nourriture). Face à cette menace perpétuelle, les *gadje* ont tendance à faire des réserves et les Tziganes à se gaver. Chez des Albanais que j'ai rencontrés, l'ordinaire est maigre : soupe aux fèves, avec un morceau de gras qui flotte dans chaque assiette en guise de source de calories. Jeta juge dérisoire ce régime parfait. Pourtant, elle n'achète jamais d'avance, car elle se fie à sa capacité à fouiller, à marchander et à rapporter chaque jour des victuailles fraîches, si mince que soit son soutien-gorge-portefeuille.

Marcel décrit la façon dont les Gitans font leurs courses dans d'autres parties des Balkans, les enfants en particulier. Ils rendent la nourriture répugnante pour tous les autres. Non seulement ils tripotent tout, mais en même temps (et d'un geste théâtral), ils se grattent les bras et le crâne comme à la recherche de poux, et s'arrêtent à l'instant où le marché est conclu ou dès qu'on les renvoie chez eux. Y a-t-il escroquerie ? Selon Marcel, ces garnements ne cherchent qu'à s'amuser. Ils mettent en pratique le proverbe rom *Te den, xa, te maren, de-nash !* : Mange quand on te donne, sauve-toi quand on te frappe ! Dans le cas de Jeta, on songe à ce dicton, moins pragmatique et plus philosophique : *Sako peskero charo dikhel.* Chacun ne voit que son assiette. Les enfants de Jeta ne s'adonnent jamais à ces méfaits ; si elle les y surprenait, elle les giflerait, peut-être en ajoutant son avertissement favori bien que redondant : *isi ili daba*, ici on trouve aussi des gifles.

Il n'est pas encore neuf heures, mais c'est déjà la canicule quand, avec une escorte de gamins, Jeta et moi revenons à Kinostudio en portant péniblement le déjeuner (c'est le seul repas de la journée, complété matin et soir par des quantités de pain et de confiture). Peu importe la chaleur, peu importe le poids des denrées, tout se fait à pied. Sur la route principale qui sort de la ville, les bus sont si rares que la file d'attente à chaque arrêt prend l'aspect d'une manifestation, avec les gaz d'échappement en guise de gaz lacrymogène. Les voitures privées sont rarissimes (avant 1990, il était illégal d'en posséder une) et les Albanais, dont la plupart parcourent de grandes distances pour faire leurs achats, passent un temps inimaginable à attendre les transports en commun. Les trottoirs sont noirs de banlieusards. Des vieillards en fez blanc restent accroupis sur toute la longueur de certaines rues ; les familles y mangent ou dorment, en attendant que passe le bus plein à craquer (personne ne contrôle les billets, personne n'oserait). Il y a presque autant de bus en panne que de bus en état de marche ; abandonnés le long de la grand-route, ils sont dépouillés de toutes les parties revendables, avant de servir de maison aux nombreux enfants sans abri de Tirana.

Quand nous rejoignons la piste à l'entrée de Kinostudio, des gamins viennent nous accueillir en courant. Malgré ses 31 ans, Liliana accompagne souvent la petite troupe, en gambadant à petits bonds. Elle nous soulage de tous les sacs et, en titubant de droite à gauche, elle les porte joyeusement jusqu'à la maison.

Un jour, en la regardant, je m'arrête pour secouer mes bras engourdis par le fardeau. Djivan et son copain Elvis restent avec moi et, quand nous descendons la colline, Djivan me propose une devinette. « J'ai une sœur qui court sans jambes et qui siffle sans bouche. Qui est-ce ? » Il me dévisage en souriant, écarte les boucles brunes de son front, croise ses bras bronzés et attend ma réponse. Je lui reproche d'être aussi méchant avec sa pauvre sœur, puis Elvis me souffle la bonne réponse : « Sa sœur, c'est le vent ! »

Les Duka habitent juste à côté de l'école où tous les enfants ont fait un bref séjour, tous sauf Liliana ; on a jugé qu'avec ses handicaps (« causés par une vieille femme alors qu'elle était bébé »), elle n'avait pas besoin d'instruction. Elle n'est pas non plus faite pour le mariage et la maternité. Lili est douce, patiente, travailleuse, tous les enfants l'aiment parce qu'elle leur ressemble et parce qu'elle n'a pas d'enfants (et n'est donc pas considérée comme une adulte). Elle aurait fait une *bori* idéale. Pourtant, avec ses propos saccadés et sa jambe de travers, Liliana passe pour *dili*, attardée, ce qu'elle n'est certainement pas. En Albanie, comme partout dans le monde prémoderne, on ne distingue pas entre handicap physique et déficience mentale.

Une autre raison de « garder » Liliana est peut-être qu'elle ne se serait pas vendue cher sur le marché matrimonial et qu'on lui aurait donc accordé un statut inférieur dans la famille de son mari. Pour Jeta et Bexhet, c'est une consolation : la plupart des Gitans perdent leurs filles dès la puberté. « C'est hors de question », me dit Jeta quand j'évoque le mariage de sa fille unique, et elle doit se demander si je ne suis pas un peu *dili* moi-même. Elle en parle sans détours, en présence de Lili, qui ne paraît pas blessée pour autant. La candeur de cette mère, qui semble brutale au premier abord, est typique des Duka, et de tous les Gitans que j'ai rencontrés. Chez eux, ce n'est pas la vérité qui blesse : seule l'ignorance peut être source de souffrance. Par conséquent, l'euphémisme est peu pratiqué, sauf pour faire allusion aux fonctions corporelles, ce que l'on évite soigneusement.

Certains après-midi, je vais en ville en voiture, avec Marcel et Gimi. Marcel consacre une bonne partie de son temps à des projets peu prometteurs, comme la création d'une coopérative gérée par les Tziganes pour cultiver et exporter des plantes médicinales. Il se fait conduire partout par Gimi qui, après tout, a pour profession *shofer* sur son passeport, et qui attend des heures sous un soleil de plomb devant une ambassade, un bureau ou la maison d'un simple particulier, tandis que Marcel aboie et s'énerve, essaye de passer des coups de fil et exige des choses qu'il n'ose espérer. Entre autres, il tente en vain de retrouver ses biens personnels qui ont été dispersés depuis son dernier séjour en Albanie, vendus par ses amis albanais ou « perdus ». Marcel mêle de plus en plus de gens à ses recherches et, visiblement, personne n'a rien de mieux à faire, certainement pas travailler (cet été-là, le chiffre du chômage tourne autour de 70 % de la population).

A Tirana, Marcel a sa suite de Gitans, son domestique attitré, Gimi, qui l'attend éternellement dans la voiture, mais on aurait tort de se fier à cette impression de puissance. La vraie raison pour laquelle Gimi reste à l'extérieur quand nous nous arrêtons chez des Albanais, c'est la nourriture. Inévitablement, quelle que soit l'heure, nos hôtes nous préparent à manger. Il est impossible de décliner l'invitation, mais ce qui est au pire une corvée pour moi est un danger pour Gimi. Partout, les Gitans font de leur mieux pour éviter de manger de la nourriture préparée par des *gadje*, qui est presque par définition *mahrime*.

Marcel n'a pas de maison, ni en Albanie ni ailleurs, et il ne sait jamais où il sera dans quelques jours ou quelques semaines. Néanmoins, l'indignation hystérique que lui inspire le vol de ses biens (quelques meubles, une télévision) contraste avec sa vie insouciante. Quand le soleil est à son zénith, Marcel éponge son crâne d'œuf et se demande comment il a pu être aussi bête. Ses satellites, Gitans et Albanais, haussent les épaules et joignent les mains, tête baissée, sans oser l'interroger sur sa bêtise. « Si seulement j'avais laissé mes affaires chez les Duka, ou chez d'autres amis tziganes, elles seraient encore là aujourd'hui. » C'est vrai ; contrairement aux Gitans, les Albanais ne brillent pas par leur loyauté en tant que dépositaires.

Gimi s'appelle, de son vrai nom, Palumb Furtuna, Tempête de Colombes. C'est un homme sage, paisible, capable de donner au moindre cliché la force d'un proverbe, don assez répandu parmi certains Roms. C'est Enver Hodja, le feu dictateur, qu'il rend responsable de la corruption des Albanais, qui *semble* inconnue parmi les Gitans du pays. « *Jekh dilo kerel but dile hai but dile keren dilimata* », déclare-t-il, en reposant son front en sueur sur le volant de sa voiture ramolli par le soleil. « Un fou engendre beaucoup de fous et beaucoup de fous engendrent la folie. »

Assis dans la voiture, nous attendons, Gimi et moi, et nous contemplons la violence urbaine sous ses formes plus ou moins subtiles. « À présent, nous avons adopté la culture italienne, mais seulement dans ce qu'elle a de mauvais », commente-t-il. Il est plus facile d'observer le désordre que le crime, par exemple au plus grand carrefour de Tirana, sur la place Skanderbeg. On y trouve les restes des seuls feux tricolores de la capitale, qui se balancent au bout de leurs fils dénudés, comme des lampions éteints après un bal populaire. Sous les feux défunts, des bus, quelques voitures, des motos, des vélos et des carrioles à chevaux traversent la place selon le trajet qui leur paraît le plus direct. On remarque quelques policiers, qui ont décidé de leur propre chef de régler la circulation ; ils parcourent la place dans tous les sens, en distribuant des amendes à qui leur plaît, sans doute à ceux qui ont l'air le plus susceptibles de payer sur-le-champ. Aucune signalisation n'indique la marche à suivre ni ce qui constitue une infraction. Gimi, bon conducteur, est régulièrement arrêté (sa voiture, ou celle de Marcel, est assez élégante : elle a encore ses quatre portes d'origine). Il ne prend même plus la peine de demander pourquoi, et considère les amendes (fixées à la tête du client) comme des « impôts ». Beaucoup d'automobilistes mériteraient d'être arrêtés mais ne sont jamais inquiétés par la police ; à les voir au volant, on les croirait ivres, mais c'est simplement qu'ils ne savent pas conduire : ils ont leur voiture depuis trop peu de temps. On voit des épaves à tous les coins de rue, et ces épouvantables amas de carrosseries n'ont pas l'air d'avoir été placés là par la sécurité routière pour servir d'incitation à la prudence au volant.

Il y a aussi des épaves humaines, ivres ou non, garées partout au bord des routes, voire au milieu de la route. Elles n'ont nulle part où aller, ou c'est trop difficile, trop dangereux d'y aller. Par ailleurs, dans une ville où les places et les boulevards étaient encore vides et silencieux il y a un an à peine, la circulation est une nouveauté, une distraction. Les gens sortent pour regarder passer les voitures.

Un jour où Marcel se fait attendre plus que de coutume, sur une route à la sortie de Tirana, Gimi et moi nous voyons passer une colonne d'hommes à pied. Ils portent des tuyaux en caoutchouc, des canalisations métalliques, des bâtons et des outils de jardinage. « Des bandits », dit Gimi quand je referme mon appareil-photo. Mais tout le monde en Albanie peut être « bandit » à temps partiel, car ce genre d'armes est monnaie courante.

L'Albanie possède une longue tradition de vendetta à la manière corse, entre les clans rivaux, les Gegs et les Tosks. Sous Hodja, les gens étaient trop terrifiés pour se battre, mais les haines héréditaires ont rapidement fait leur réapparition (la traduction locale de « œil pour œil, dent pour dent » est *kokë për kokë*, tête pour tête). Comme partout dans l'ex-bloc communiste, la police n'a qu'une autorité relative. Les policiers ne comprennent pas que leur pouvoir puisse être limité, et ils préfèrent généralement ne rien faire et vivre de la gratitude des voleurs. Les soldats italiens qui patrouillent dans Tirana, sur la place Skanderbeg et le boulevard des Martyrs, sont chargés de protéger l'aide humanitaire étrangère et non les citoyens albanais. Résultat, beaucoup d'Albanais prennent les armes, même s'ils n'ont rien de belliqueux, comme la famille d'universitaires dont j'ai partagé la soupe au lard. Cet été-là, une pendaison publique a lieu. Deux frères, tous deux âgés d'une vingtaine d'années, ont assassiné les cinq membres d'une famille, dont un bébé de sept mois, alors qu'ils étaient à la recherche de l'argent prétendument caché sous les planchers. Même les parents des criminels trouvent leur peine juste.

Marcel a beaucoup d'amis albanais. Il y a une famille que j'apprécie particulièrement, chez qui je vais souvent au début de mon séjour. Ils vivent en ville, dans une maison calme, ils ont des livres : c'est une sorte de refuge, loin du carnaval de Kinostudio. Un couple âgé, leurs deux fils d'âge moyen et leurs deux petites-filles partagent trois petites pièces et un jardin rempli de roses (le grand-père m'en cueille une à chaque visite). Les deux filles maigres apportent nonchalamment les assiettes à table. Elles n'ont que dix-neuf et vingt ans, mais leurs dents ressemblent à celles de leur grand-mère vêtue de noir : il ne leur en reste que quelques-unes, d'un jaune grisâtre, qui s'écaillent comme de vieux ongles de pied. Par leurs gestes même, les filles semblent dire qu'elles sont conscientes de n'avoir aucun avenir, et à les voir qui les contredirait ? Elles n'ont aucune énergie, elles ne sortent pas. Leur grand-père passe ses journées assis en tailleur sur le canapé, à moudre du café, activité qui s'accorde bien à leur humeur. Le père garde ses filles non parce qu'elles sont *dilia*, mais parce que nous sommes en Albanie : elles sont instruites, aimables, mais il n'y a pas d'emplois, et aucun jeune homme n'a aujourd'hui les moyens de se marier ; leur père ne peut rien pour elles. La famille se torture en suivant l'actualité : ailleurs, la vie continue. Même la guerre qui fait rage dans le pays voisin, l'ex-Yougoslavie, leur paraît acceptable, ça donne quelque chose à faire.

J'arrête d'aller les voir quand ces visites commencent à me déprimer. Le calme qui m'a d'abord attirée n'est qu'une amère lassitude, une haine apathique de la vie en Albanie, passée, présente et future. Cette attitude est compréhensible, mais on se sent soulagé lorsqu'on regagne Kinostudio, où on ne laisse aucune chance à la solitude et à ses idées noires.

LES FEMMES AU TRAVAIL

Quelques mètres carrés remplis d'enfants, de poulets et de linge qui sèche ; pour les Duka, la vie se déroule dans la cour. Jeta est la seule à pouvoir quitter la maison ; à part quelques rapides sorties pour aller chercher du pain ou du butane pour la cuisinière extérieure, et peut-être, le soir, une brève visite à une sœur ou une amie qui habite dans le quartier, les femmes n'ont pas le droit de sortir. De toute façon, elles sont trop occupées.

De nombreux conseils expliquent comment être une bonne *bori*, comme par exemple ce proverbe slovaque : *Ajsi bori lachi : xal bilondo, phenel londo* (la belle-fille parfaite, c'est celle qui mange sans sel mais qui dit que c'est salé). Il faut être modeste et soumise, certes, mais il faut surtout *travailler.* A partir d'environ cinq heures trente du matin, la journée égrène ses tâches, dont l'essentiel échoit à Viollca et à Mirella, les plus jeunes. On ne les appelle jamais par leur prénom, leurs maris ne se servent jamais du mot « épouse » *(romni)* ni d'aucun terme affectueux ; leurs enfants ne les appellent pas « maman » *(daj).* Tout le monde les désigne comme les *boria*, les fiancées, les belles-filles, et c'est à Jeta qu'elles doivent obéissance, pas à leurs hommes. Malgré cette institution qu'est l'oisiveté masculine, il s'agit donc en fait d'une société matriarcale. Seule Jeta inspire la crainte. Les hommes ne font rien, mais ce n'est pas un privilège ; cela les relègue plutôt au statut d'enfants.

Les filles refusent chaque jour de me réveiller. Comme je veux les voir à l'œuvre, j'essaye par tous les moyens de m'adapter à leur rythme, mais mon corps ne veut se lever avant le soleil (je ne peux pas utiliser mon réveil, qui donnerait l'alarme à tous les enfants). Une nuit d'insomnie, pourtant, alors que je tente encore de trouver le sommeil, les *boria* s'agitent dans le noir et commencent leur journée. Viollca et Mirella (surnommée Lela) se lèvent avant tout le monde, y compris Dritta et les *khania*, les poules. Elles se déplacent en silence dans la cour, ramassent du bois sur le tas soigneusement amassé contre un des murs. Dans la pénombre, elles allument un feu, toujours le même, ni trop vif ni trop faible. Elles transvasent l'eau contenue dans un vieux baril d'essence dans des récipients qu'elles disposent parmi les bûches enflammées. Il existe du carburant, mais comme il coûte cher, on le réserve pour la cuisine de Jeta. Les *boria* doivent allumer leur feu avec les moyens du bord.

Tandis que l'eau chauffe, les filles rassemblent toutes les couvertures, les tapis et les vêtements sales pour la lessive. Chacune a son poste de travail dans un coin de la cour, où elle pose une longue bassine métallique sur une vieille caisse en bois ; puis chacune aide l'autre à soulever sa lourde planche à laver en ardoise. Les bassines leur arrivent à mi-cuisse ou plus bas, et les filles doivent donc se pencher pour faire la lessive, le dos cassé. Lorsque je les supplie de « plier les genoux », elles échangent des regards furtifs et des gloussements de pitié.

Il faut d'abord briser un morceau du pain de savon entreposé dans l'armoire (elles considèrent ma savonnette comme un produit aussi exotique qu'un ordinateur de poche). On verse ensuite de l'eau bouillante dans la bassine, sur le bloc de savon, et l'on touille. Le rituel commence, des heures de frottement rythmique, une transe que viennent interrompre de nouvelles exigences : un enfant qui a faim, un beau-père qui n'a pas eu sa dose de caféine. Et elles ne font pas semblant : elles frottent avec une telle vigueur qu'on dirait qu'elles veulent faire perdre leur couleur à chaque bout de tissu. Laver (les vêtements, la maison, leur propre corps) est l'activité principale des *boria*. Elles rivalisent d'ardeur à l'ouvrage, surtout quand Dritta fait son apparition. Et il faut faire attention à ce qu'on lave : on ne mélange pas les vêtements des hommes avec ceux des femmes, ni avec ceux des enfants. Une autre bassine est destinée aux enfants eux-mêmes, et une autre à la vaisselle. Chaque bassine a sa serviette ou son chiffon, et l'on ne transfère jamais un morceau de savon d'une bassine à l'autre : il faut en découper un nouveau pour chaque opération.

Ce n'est pas seulement en tant qu'épouse du fils aîné ou à cause de son grand âge (26 ans) que Dritta jouit d'un statut supérieur. Elle vient d'un autre groupe ; c'est une Kabudji. Ce fait devrait jouer contre elle, mais il a ses avantages : elle est beaucoup plus grande que les deux autres, beaucoup plus assurée, pleine d'une séduction terrienne, comme les paysannes épaisses, porteuses d'amphores, que Picasso peignait dans les années 20.

Dritta n'a rien de délicat. Son sens de l'humour consiste à agacer les gens. Elle attrape les seins des autres filles pour leur dire bonjour, ou pour souligner ses propres plaisanteries. Elle n'a pas l'apanage de ce geste (l'anthropologue Anne Sutherland a remarqué le même jeu chez les Gitans américains). Les seins étant associés aux bébés plutôt qu'au sexe, la poitrine n'est ni une source de honte ni un objet d'intérêt. Tout ce qui se trouve en dessous de la ceinture, en revanche, présente de graves dangers en tant que source de contamination ; la plupart des Gitanes portent des jupes longues, et même les pantalons sont interdits. Mais je n'arrive pas à m'habituer à son geste, ce qui l'incite d'autant plus à vouloir me pincer les seins. Un jour, après une séance particulièrement pénible, je donne à Dritta un coup de pied dans les tibias, sans violence (j'ai les pieds nus), mais avec colère. Après un silence étonné, elle se met à grimacer et finit par éclater en sanglots feints, comme une enfant ; bien entendu, je me sens coupable, comme une adulte.

Les manières de Dritta irritent tout le monde sauf son mari, Nicu, et quelques admirateurs peu discrets. Elle a cette sensualité faussement innocente que les femmes détestent et qui pousse les hommes à rire de ses blagues atroces et de ses imitations insultantes, uniquement pour éprouver le plaisir coupable de rester dans son champ de force.

Les Kabudji sont moins respectés que les Mechkari, peut-être parce que ces derniers habitent l'Albanie depuis quelques siècles de plus. Mais chez ces peuples musulmans, il y a peut-être une autre raison qui est l'allure nettement plus effrontée et les vêtements plus colorés des filles Kabudji. Quand Jeta n'est pas là, Dritta se montre sous son vrai jour. Un après-midi, elle m'emmène chez sa mère et sa sœur, qui ont la garde de deux jeunes enfants et d'un bébé. Au cinquième étage du pire immeuble de tout Kinostudio, dont l'unique fenêtre n'est plus qu'un trou béant sur la rue, les filles hurlent, cancanent, fument la cigarette et dansent en rivalisant de déhanchements lubriques.

Elles se grisent de leur propre rébellion, encouragées par leur mère, cette squaw aux cheveux gras, assise en tailleur à même le sol, qui frappe des mains en cadence. Aucune d'entre elles n'accorde la moindre attention aux enfants, qui s'approchent dangereusement de la fenêtre sans vitre. Le bébé pleurniche, assis à terre dans une flaque d'urine ; il ne crie pas, car il a déjà appris que les cris ne servent à rien. Ces femmes n'ont pas la main légère lorsque les enfants se trouvent sur leur chemin.

On est tenté de considérer, à tort, ces gamines comme des femmes parce qu'elles ont des enfants. Mais à certains détails, on se rend compte qu'elles étaient elles-mêmes enfants lorsqu'elles sont devenues mères (par exemple, Dritta jette parfois dans le sac à linge sale les tenues de ses chères poupées en plastique). Parmi les Gitans, une grossesse adolescente n'a pas le même statut qu'en Occident. C'est une situation attendue et désirée, qui survient dans le contexte d'un groupe plus large dont les membres sont prêts à accomplir leur rôle de soutien.

Cet été-là, la sœur de Jeta, Xhemile (dite Mimi, épouse de Gimi), devient grand-mère à trente ans. Jeta, les *boria* et moi sommes invitées à aller examiner le nouveau-né. Avant de traverser Kinostudio, Jeta me demande si, par hasard, j'ai mes règles en ce moment : si c'est le cas, il m'est défendu de voir le bébé né dix jours avant. C'est pour cette raison que Dritta ne vient pas avec nous. Cette précaution est prise très au sérieux : une femme en période de menstruation est *mahrime* (je soupçonne par ailleurs que Dritta ne s'intéresse guère aux enfants des autres). Le bébé et sa mère campent chez les parents de Mimi, tandis que les grands-parents, la *puri daj* et le *puro dad*, séjournent chez Gimi. Chez les Gitans, il est fréquent que trois générations s'entraident de la sorte.

Il fait une chaleur étouffante dans ces deux pièces minuscules : en plein mois de juillet, un feu est allumé, et toutes les fenêtres sont calfeutrées avec du tissu rouge sombre. Ces femmes seraient scandalisées si elles pouvaient voir mes voisins anglais, qui laissent leur bébé dans le jardin par temps froid, « pour l'endurcir ». La jeune mère, une gamine de quatorze ans boudeuse et anémique, est assise calmement sur un lit de l'autre côté de la pièce, mais les deux pieds à terre au cas où Mimi l'appellerait. Elle nourrit le bébé, puis retourne au lit et s'assied, comme si elle n'avait que faire de toute l'agitation qui règne dans le coin. Et de fait, elle ne s'en soucie guère. Son travail consiste à allaiter et à se reposer.

Bien entendu, Mimi s'occupe du nouveau-né, de le laver et de l'emmailloter. Sa mère, la *puri daj* chez qui nous nous trouvons, pourrait aussi montrer à la jeune mère comment soigner son enfant. La mère de Mimi a tout juste cinquante ans, mais elle est *vieille* : fatiguée, voûtée, desséchée (*puri daj* signifie littéralement « vieille mère »). Elle préfère laisser cette tâche à l'experte Mimi, et rester dehors pour fumer avec les hommes (seules les femmes âgées ont le droit de fumer, et elles y prennent un vif plaisir, après des années passées à cuisiner, à nettoyer et à élever leurs enfants). La *puri daj* range sa pipe et son tabac dans son soutien-gorge, puisqu'elle n'a plus à se soucier de l'argent du ménage.

La jeune maman a beaucoup à apprendre. Après avoir baigné le bébé, on le frotte longuement avec un onguent fait maison et on le talque au moyen d'une poudre jaune safran, curieusement amère. Puis on l'emmaillote dans de la mousseline, en serrant si bien que l'enfant ne peut plus remuer bras ni jambes ; le paquet, appelé *kopanec*, est maintenu par des agrafes et des talismans qui éloignent « le mauvais œil ». Mimi tire un fil de mon foulard rouge (la couleur de la santé et du bonheur) et le glisse dans le paquet. Jeta, pour sa part, offre une poignée de billets neufs, qui rejoignent les autres porte-bonheur.

Cette quarantaine n'a rien d'agréable pour la jeune accouchée (comme le bébé, elle est intouchable pendant quarante jours). Mais elle a beaucoup d'appuis : elle n'a vraiment pas *besoin* de mûrir. Tant qu'une jeune *bori* est suffisamment obéissante et accomplit toutes ses tâches, il n'y a pas de raison qu'elle devienne adulte autrement que du point de vue physique.

Les bébés font l'objet d'un culte. Loin de vous rendre *mahrime*, ils vous purifient. Par exemple, une femme n'a pas le droit de marcher devant un homme plus âgé : ce serait lui manquer de respect, le contaminer. Mais avec un bébé dans les bras, elle peut se promener comme il lui plaît. Les bébés reçoivent une attention constante et dévouée : on les emballe, on les déballe, on les lave, on les saupoudre, on les huile, on les remballe si souvent que j'ai l'impression qu'ils ne sont jamais tranquilles. Mais dès qu'ils marchent, ils sont confiés à leurs aînés et se fondent dans la foule.

Les Gitans sont durs avec leurs enfants (mais pas avec leurs bébés) ; du moins, c'est ce qu'il me semble. Ils passent leur temps à les repousser, à les réprimander, à les frapper, et les enfants n'ont pas l'air d'en souffrir. Cela n'a rien de cruel ou d'extraordinaire ; ça n'a rien d'effrayant. Même les jeux sont brutaux : Jeta ne cesse de tirer et de pincer le pénis de tous les petits garçons. Ce n'est qu'une question de style, et dans l'ensemble tout se passe bien : les enfants sont plus rudes que les nôtres, ils n'ont pas le choix (*o chavorro na biandola dandencar*, dit le proverbe : « l'enfant ne naît pas avec des dents »). Dans la grande famille des Gitans, amour, attention et intégration leur sont garantis.

Chez la mère de Dritta, par contre, les choses se passent autrement. Jeta ne fait pas uniquement preuve de snobisme lorsqu'elle dit du mal des Kabudji. Ils vivent selon des normes différentes, ou sans normes du tout, et constituent donc une menace pour les autres. Dritta y prend un plaisir pervers, car elle sait ce qu'elle fait : elle n'autorise pas ses enfants à être témoins de sa débauche et ne se comporterait jamais ainsi chez Jeta. Je me demande pourquoi elle me laisse la voir ainsi. Pour me montrer son indépendance, je suppose ; pour ridiculiser et défier des valeurs que je pourrais croire universelles, des faits que j'ai consignés dans mon carnet à la rubrique « la vie des *boria* ». Si Dritta est si forte, c'est principalement parce que, contrairement à tout le monde sauf O Babo (Pépé, c'est-à-dire Bexhet) et les enfants, elle est vraiment heureuse : elle aime son mari, c'est une sœur pour ses deux fils, et elle échappe aux exigences et à la vigilance impitoyable dont sont victimes les deux *boria* cadettes. En fait, elles sont toutes deux plus belles que Dritta, mais elles ne le savent pas et donc personne d'autre ne s'en aperçoit. Dritta est contente d'elle-même ; ne suis-je pas moi aussi contente d'elle ? semble-t-elle demander à tout instant, lorsqu'elle saisit fièrement ses fesses robustes, mais sans se soucier d'obtenir confirmation. Dritta occupe son temps libre en compagnie de son propre visage. Elle possède un objet inestimable : un miroir, à peine plus grand qu'un poudrier, encadré de pétales en plastique rose.

Un matin vers 5 heures, Dritta chaussée de sandales s'approche bruyamment du canapé où je dors avec le petit Mario. Peu importe que nous la regardions, elle se met au travail sans nous accorder la moindre attention. Elle tire de sous le canapé sa boîte à cigares, son trésor : boucles d'oreilles dépareillées, bracelets gagnés dans des distributeurs de bonbons, barrettes à cheveux, tubes de rouge à lèvres sales, bigoudis, rubans, fard à paupières, bobines de fil, henné en poudre, la photo d'un célèbre chanteur turc découpée dans un magazine, et son plus grand secret, un petit pot de crème pour blanchir la peau. Dritta est l'arbitre des élégances ; sans ses ressources en matière de maquillage (car c'est une grande sœur typique dans son refus catégorique de prêter quoi que ce soit), les autres filles font de leur mieux pour suivre la mode.

La vie dans la cour n'est drôle pour personne, en réalité. Elles ne sont rien d'autre que des servantes, clouées là à demeure ; elles n'ont pas le droit de sortir et aucun endroit de la maison ne leur appartient en propre, à part un tiroir ici, une boîte là. Jeta est la patronne, mais Bexhet est la croix qu'elles doivent porter. Elles ne le regardent jamais. Par déférence envers Jeta, apparemment, mais aussi par pudeur, ou ce qui passe pour telle. Il n'est pas correct pour une jeune épouse d'avoir trop de relations avec son *sastro*, son beau-père, dans la maison duquel elle doit vivre ; le regarder droit dans les yeux pourrait sous-entendre des rapports condamnables. Naturellement, la honte et les ennuis ne retomberaient que sur la fille, dont ce serait, par définition, la faute.

Lors des rares occasions où elles n'ont pas de travail, Lela et Viollca vont dans une de leurs chambres et barricadent la porte. Elles font hurler la musique disco sur la radio de Nuzi et font la fête dans leur coin. Dans toute l'Europe de l'Est, les filles ne se mêlent pas aux hommes lors des bals, mais chez les Duka, même danser entre femmes n'est pas vraiment permis. On me traîne deux ou trois fois dans ce club exclusivement féminin, on me fait danser le boogie à l'Américaine, accueilli par de grands cris et des glapissements (en très peu de temps, elles apprennent toutes les deux à m'imiter). Lela me montre ses talons aiguilles, une vieille paire toute neuve, aux semelles lisses en vinyle et aux talons métalliques semblables à la pointe d'un parapluie. Après me les avoir fait admirer, elle les remballe dans des chiffons et les cache dans une valise qu'elle pousse loin sous le lit. Bien entendu, elle n'a pas le droit de porter ces chaussures, mais elle prend un plaisir illicite à les savoir dans leur cachette.

Dans sa chambre, Viollca devient pleine de verve, alors qu'elle est d'habitude si amorphe. Les injustices de Dritta l'inspirent particulièrement. Elle fait semblant de se mettre en rage, martèle le sol de son petit pied, ses yeux verts lancent des éclairs. Et elle imite Dritta avec un art consommé de la caricature, le postérieur coincé dans la porte.

Après l'une de ces séances, je suis stupéfiée par la panique qui naît tout à coup dans la pièce, comme si une chauve-souris était entrée et que j'étais la seule à ne pas l'avoir vue. Les filles sont terrifiées parce qu'elles ont découvert que Bexhet est *dans la maison*. Ces jeunes mères se précipitent en même temps pour faire taire la radio puis courent vers le lit, où elles s'asseyent sagement, les mains croisées, la tête basse, retenant leur respiration tant que l'on entend la voix du grand-père.

Elles travaillent beaucoup en tandem : c'est une façon naturelle de se protéger (de Dritta, de la solitude). Elles portent des robes taillées dans le même tissu jaune vif, à fleurs, alors que la robe de Dritta est rouge. Le motif est identique, et les coupons viennent tout droit du camion de Beno, de retour d'Istanbul ; en Albanie, le choix est limité, mais la différence de couleur est significative, c'est une démarcation qui souligne le prestige bien supérieur dont jouit Dritta.

Entre les *boria*, la rancœur donne du cœur à l'ouvrage. Chaque chemise effilochée, chaque serviette est tordue sans merci pour la vider de toute son eau ; sur les quatre fils à linge toujours pleins, les chiffons sont disposés avec autant d'art que possible, transformant la cour en un charmant labyrinthe de kilims dégoulinants et de vêtements humides (la lingerie et les habits des femmes en général sont invisibles, dissimulés sous d'autres linges ou placés hors du champ de vision des hommes).

Vers sept heures, les enfants sont debout ; comme les poules, les chiens et Papin l'oie, ils risquent d'entrer dans la pièce principale et de réveiller O Babo. Le devoir des *boria* est de les en empêcher. Elles ne cessent d'agiter leurs chiffons et leurs balais en direction des animaux ; elles réduisent les enfants au silence avec de grosses tartines de pain bis, tout chaud, couvertes d'une épaisse couche de confiture de figues pleine de morceaux.

Les *boria* apportent des bûches et allument de nouveau un feu, qui brûlera bien quand Jeta reviendra du marché. Les filles préparent le *mariki*, une pâtisserie feuilletée en forme de pizza, à base de farine, de lait en poudre, de sucre et de saindoux, quand ces ingrédients sont tous disponibles. Mais Jeta est la cuisinière en chef et la seule responsable des achats. Elle est la seule à manipuler le mouton, à le dépecer de ses propres mains si le boucher a négligé de lui rendre ce service. Elle seule débite la viande en petits morceaux avec son hachoir.

L'essentiel de ces préparatifs réside à nouveau dans un lavage obsessionnel, de la viande, cette fois. Jeta la trempe et la frotte exactement comme ses belles-filles récurent les jeans. De temps en temps, elle crie pour qu'on lui apporte *pani nevi !* (de l'eau propre), elle jette l'eau sale et c'est reparti pour une nouvelle séance de récurage. Chacune de ces étapes complexes est encore rallongée par les superstitions qu'il faut respecter tout au long : Jeta crache sur son balai. Pourquoi ? Parce qu'elle a balayé sous mes pieds. Comme cette réponse ne m'éclaire guère, elle ajoute : « Si je ne le fais pas, tes enfants resteront chauves toute leur vie, idiote ! »

Laver la cour est un autre travail : les animaux et les enfants se dispersent lorsque les baquets d'eau savonneuse se déversent dans la cour. Le plus petit, Spiuni, s'éloigne d'un pas mal assuré et pousse de petits cris de joie, à travers ses larmes, lorsque l'eau rattrape ses talons. Il faut tout laver : le sol, les marches, les murs. De même à l'intérieur de la maison.

Tout le travail est accompli par les femmes, mais personne n'a l'idée de trouver cela injuste, et certainement pas elles-mêmes. A leurs tâches habituelles, il faut ajouter celles que les hommes leur créent continuellement, notamment en se servant du sol comme cendrier. Dans cet univers clos, elles n'ont pas le sentiment d'être des victimes. Au contraire : elles ont la satisfaction d'avoir un rôle clairement défini, dans ce monde de chômage sans fin. Désœuvrés, les hommes s'ennuient ; c'est leur sort qui paraît le moins enviable. Tel est le cas partout chez les Tziganes, en Roumanie, en Bulgarie, en Tchécoslovaquie, en Hongrie, et même parmi les réfugiés venus de ces pays, qui s'entassent et somnolent dans les gares de Pologne, en attente, pendant que leurs femmes et leurs enfants s'en vont mendier en ville. La disparité entre hommes et femmes est beaucoup plus grande que chez les *gadje*, et en Albanie, je ne crois pas que l'islam puisse l'expliquer.

Les Gitans se disent musulmans, mais ce terme prend une signification locale particulière. Après la « révolution culturelle » albanaise, en 1967, la religion fut mise hors la loi avec une véhémence sans précédent dans cette partie du globe, où la pratique religieuse fut tolérée pendant l'essentiel de la période communiste. Lorsque je leur demande s'ils sont musulmans, Dritta se tourne vers Nicu : « On est quoi ? » Aucun d'entre eux ne va à la mosquée, aucun ne prie, il n'y a pas de Coran dans la maison. La circoncision est en vigueur pour les garçons, mais il n'y a rien qui presse : normalement, l'opération a lieu vers douze ans, ou juste avant la puberté (pourtant, à cinquante ans, O Babo est encore intact).

Un matin, je suis réveillée par la visite de tous les garçons : Mario, Walther, Spiuni et un Djivan épouvanté font irruption dans mon lit comme pour y trouver refuge, croyant peut-être que mon statut d'invitée à qui l'on ne refuse rien me permettra de les y garder indéfiniment. De quoi ont-ils si peur ? A côté, on entend un enfant pousser des hurlements affreux. Elvis, le meilleur ami de Djivan, est en train de se faire circoncire.

On dit généralement que les Gitans n'ont pas de religion, qu'ils adoptent la foi de leur lieu de résidence quand cela les arrange, dans l'espoir d'échapper aux persécutions et d'en tirer tous les avantages possibles. C'est la vérité. D'une part, ils se font souvent sermonner hors de l'église. Mais la raison plus profonde est que, entre eux, ils n'ont pas besoin des religions des autres nations. Il est difficile de dire exactement ce que signifie, pour les Gitans de Kinostudio, le fait d'être musulmans, comme ils déclarent l'être. Les femmes sont chastes et portent des jupes longues, mais c'est un code observé par tous les Gitans « respectables ».

Si j'ai voulu aller en Albanie, c'est en partie pour voir si les Roms, coupés du reste du monde, y vivent différemment de leurs frères. Du point de vue religieux, en tout cas, ils ressemblent tout à fait à certains Gitans que je connais dans le New Jersey. L'Albanie n'a pas une culture religieuse, si elle en a jamais eu une. C'est la superstition qui domine, chez les Gitans du moins, et leur vie spirituelle mêle animisme, déisme, crainte des esprits des ancêtres et une religion importée, l'islam. La responsabilité personnelle est une valeur culturelle inconnue, ce qui montre bien que les religions établies, monothéistes en particulier, n'ont eu aucun impact. Cette *absence* est pourtant significative, car elle a suscité en remplacement un fort sentiment d'appartenance tribale.

Mais les Gitans ont aussi leurs croyances ferventes, qui viennent du groupe et non d'une puissance invisible ; elles sont honorées avec un zèle inconditionnel digne de l'intégriste le plus strict. Il s'agit d'un réseau serré de tabous et de rites qui protègent de toute contamination le groupe, l'individu ou sa réputation. Ils forment le *Romipen*, la « gitanité », et sont la clef de cette faculté exceptionnelle qu'ont les Gitans de rester partout eux-mêmes malgré les persécutions et les bouleversements radicaux. Les relations entre *gadje* et Gitans sont limitées et codées, de même que les relations entre Gitans et Gitanes ; c'est principalement aux femmes qu'il revient de veiller sur ces coutumes. Dans l'ordre symbolique, les parties du corps sont indépendantes les unes des autres ; la lessive et le langage ont une riche valeur symbolique, car il ne s'agit pas seulement d'éliminer la crasse ou de passer le sel. Ces codes existent chez les Gitans, de Tirana à Tulsa.

A Lela et Viollca reviennent les tâches les plus nombreuses et les plus pénibles, et je suis désolée de devenir l'une de leurs corvées. Elles me lavent tous les jours, dans l'une de leurs pièces. Tout comme on m'empêche de participer au ménage, on m'empêche de me laver moi-même. Elles se considèrent comme responsables de leur invitée, mais surtout comme seules équipées pour combattre les microbes albanais. Inutile de protester.

Comme pour les enfants, et comme pour elles-mêmes dans le secret du petit jour, elles font bouillir de l'eau ; l'une verse sur mon corps le contenu d'un broc tandis que l'autre me savonne de la tête aux pieds. Elles me frictionnent avec efficacité, parfois avec brutalité ; concentrées, elles froncent les sourcils et me laissent crier quand j'ai du savon dans les yeux. Comme d'habitude, elles veulent simplement faire leur travail à fond.

Une fois que nous nous connaissons mieux, nous rions beaucoup ensemble et les deux filles se dégèlent. Elles sont fascinées par mon corps qui, même s'il est formé des mêmes composants féminins de base et à peu près de la même couleur, est totalement différent du leur. Comme la plupart des Gitanes, les *boria* sont petites (environ 1m 50) et n'ont pratiquement pas de taille. Elles ont les hanches étroites, comme un garçon, les seins petits et les jambes courtes. Leurs pieds sont minuscules. Les deux filles sont étonnamment velues ; étonnamment vu leur silhouette puérile.

Pourtant, c'est ma poitrine qui les intrigue surtout, comme des garçons qui en voient une de près pour la première fois. Sans hésitation, elles s'approchent pour inspecter. Elles tâtent, pressent avec méfiance et (conscientes de peut-être aller trop loin) pincent très brièvement. Que font-elles ? Croient-elles que mes seins pourraient être différents non seulement à la vue, mais aussi au toucher ?

Rien de sexuel dans ces manipulations. Il s'agit simplement d'évaluer tout ce qui me distingue d'elles. Fascination et incrédulité : sans fausse pudeur, elles déboutonnent leur robe et dégagent leurs seins pour prouver que je suis un être à part. Ces femmes ont douze et treize ans de moins que moi, mais comme elles n'ont jamais porté de soutien-gorge, et comme elles ont allaité leurs fils pendant *des années*, elles ont la poitrine pendante, des mamelles plates, triangulaires, aux tétons légèrement décolorés. Leurs seins timides regardent vers le sol, il s'agit plus de tubercules que d'objets sexuels, étranges et beaux. La croissance des filles semble s'être arrêtée avant d'atteindre l'âge adulte ; encore enfants, encore inachevées, elles ont commencé à décliner. Nues, les *boria* ont l'air de « vieilles petites filles ».

Malgré tout le savon qui mousse chez les Duka, les enfants ont toujours l'air de souillons. Ils sont propres au début de la journée mais, comme les gamins qu'on laisse jouer, ils se salissent vite. Cet aspect crasseux est souligné chez beaucoup de Gitans, surtout les enfants les plus actifs, par le fait qu'ils portent des vêtements en lambeaux. Pour une raison inconnue, les Gitans ne réparent jamais ; c'est la règle partout.

On pourrait supposer que des gens aussi pauvres que la majorité des Gitans sont passés maîtres dans l'art de repriser, recoudre, ravauder, comme les paysans au milieu desquels ils vivent souvent. Mais alors qu'ils accordent une importance suprême à la propreté, surtout symbolique, ils ne se soucient guère de leur apparence. Les filles sont propres, comme elles doivent l'être, mais ne font pas d'ourlet à leur robe. Beaucoup de Tziganes, les hommes surtout, ont envie d'être élégants ; mais on voit souvent les enfants et les adultes vêtus de haillons. Comme Jeta lorsqu'elle achète la nourriture, ils sentent par instinct qu'ils trouveront le nécessaire quand le besoin s'en fera sentir.

A Kino, le refus de réparer est la seule trace d'une coutume gitane selon laquelle un aspect misérable peut être utile : cela peut inspirer la peur aux *gadje*, et donc les tenir à distance respectueuse, ou du moins craintive. Mais le phénomène inverse peut se produire. La xénophobie est en partie liée à la peur de la crasse, des maladies et de la contagion que représentent la peau basanée, les excréments et les ténèbres.

Les haillons peuvent aussi inspirer la pitié, sentiment accueilli par le mépris. Les Tziganes se moquent des *gadje* qui les regardent d'un œil humide, mais ils sont heureux de recevoir leur argent. Certains mendiants n'ont pas d'autre choix que de mendier, mais chez les enfants, c'est une activité annexe, l'occasion de se faire un peu d'argent de poche tout en confirmant la distance orgueilleuse qui les sépare du bienfaiteur blanc. Même si la mendicité n'est pas forcément encouragée, cette attitude est vue d'un bon œil par les adultes qui, on peut le comprendre, souhaitent que leurs enfants ne se mêlent pas aux *gadje* et ne soient pas trop susceptibles. Les Gitans de Tirana, en tout cas, ne mendient pas. Ils laissent cette tâche aux enfants sans logis du centre-ville, qui appartiennent au groupe infortuné des Jevgs.

En général, les vêtements ne passent guère d'un propriétaire à un autre, car ils survivent rarement à leur utilisateur et, surtout, ils peuvent entraîner une pollution. Dans beaucoup de pays, les vêtements d'un Gitan mort sont enterrés avec le reste de ses biens (il existe une autre pratique, plus commode : comme l'a noté la sociologue américaine Marlene Sway, les Gitans urbains déposent leurs vêtements chez les teinturiers et ne les récupèrent jamais). Les Gitans préfèrent les habits neufs, mais à Kino, je remarque un certain enthousiasme pour l'occasion. Lorsque je quitte les Duka, je voyage léger ! Un peu à la fois, je promets de laisser mes chemises, mes jupes, mes brosses, mon maquillage, mes pinces à cheveux et même mes chaussures aux filles, surtout à Dritta, non parce que j'ai plus d'affection pour elle, mais parce qu'elle est la plus déterminée, la plus casse-pieds (toute tentative de répartition équitable serait évidemment rectifiée après mon départ). Pourtant, l'automne précédent, quand une mission américaine pentecôtiste a offert aux Tziganes de Kino toute une quantité de vêtements d'occasion, dont plusieurs manteaux d'hiver très nécessaires, ils se sont hâtés de les revendre.

Comme la plupart des Gitans traditionnels, le père de Jeta, Sherif, porte toujours un costume, par tous les temps et en toutes circonstances. Il le porte jusqu'au moment où il tombe en miettes et où il faut le remplacer. Cette habitude se marie avec le chic auquel aspirent beaucoup de Gitans : ils aiment les coupes voyantes, les revers larges, les tissus brillants, rayés ou pointillés (les jeunes choisissent les couleurs à la mode et les associent avec une originalité séduisante) ; ils aiment arborer des chapeaux, des montres de gousset, des moustaches et beaucoup de bijoux (en or). Plus le costume devient luisant d'usure et de graisse, mieux cela vaut. S'ils sont riches, ils achètent les plus grosses voitures, des bagnoles de maquereaux, avec carrosserie bicolore, énormes feux arrière et une décoration qui rappelle les caravanes bigarrées qu'on voyait jadis en Pologne et qu'on croise encore parfois en Angleterre ou en France. Avec leur sens des couleurs et leur goût pour le tape-à-l'œil, qu'ils ont l'art de faire passer, ils ressemblent aux Noirs américains, avec lesquels (dans certaines régions de Roumanie) ils partagent aussi un passé marqué par l'esclavage entre les mains des Blancs.

Comme les Noirs américains, ils sont victimes de stéréotypes et de préjugés très répandus. On les accuse d'être paresseux, d'avoir peur de travailler. En fait, les Gitans sont partout plus énergiques que leurs voisins, sinon toujours plus industrieux ; ils ont toujours dû avoir des réactions rapides. Bien sûr, ils évitent souvent le travail salarié officiel, en faveur de tâches plus indépendantes, plus flexibles. Le mur de fours turcs dans la cour inondée de Kinostudio en témoigne ; ici, c'est le client qui manque de ressources, ou peut-être les fours eux-mêmes.

APPRENDRE À PARLER

Il n'est pas difficile de comprendre pourquoi les linguistes comme Marcel aiment tant le romani. Jan Yoors était lui aussi fasciné par cette langue, et par cette vie. A douze ans, il quitta le foyer bourgeois d'Anvers où il avait grandi et, avec l'accord de ses parents, se mit à voyager avec un groupes de Tziganes Lovara. Yoors partagea leur vie nomade pendant six ans ; en 1940, lorsqu'il dut les quitter, il était au désespoir :

> Je ne m'exprimerai plus dans ce « Romanes » sauvage, archaïque, inadapté à la conversation courante. Je n'utiliserai plus les descriptions puissantes, poétiques, visuelles et les paraboles ingénieuses des Rom, je ne profiterai plus de l'intensité et de la fécondité illimitées de leur langue. La vieille Bidshika nous avait un jour raconté la légende de la pleine Lune qui est attirée à terre par l'intensité, le poids et la magie de la langue romani. Et cela semblait presque pouvoir être vrai.

J'avais espéré que mon séjour chez une famille me donnerait l'occasion d'apprendre un peu de romani. Mais en tant qu'invitée chez les Duka, je suis paralysée par l'étiquette stricte des Tziganes. Chaque fois que je me lève ou que j'essaye de me rendre utile, je reçois l'ordre : *Besh !* Assis ! De ce point de vue, je suis membre d'honneur de la famille ; je mange avec les hommes, avant les femmes et les enfants. Et tandis que les femmes travaillent, je reste assise, j'observe, je dessine, j'écris dans mon carnet. Lire est hors de question. La lecture intrigue les Duka. *So keres ?* (Que fais-tu ?) est la réaction étonnée face à un livre ouvert. Mais on me demande tout aussi souvent : *Chindilan ?* (Tu es fatiguée, déprimée ?), comme si le calme ou l'immobilité était un signe de maladie. Comme la plupart des peuples nomades ou récemment sédentarisés, les Gitans ne lisent pas. Cela vaut même pour les Gitans alphabétisés (une minorité partout).

Lili n'est pas une *bori* et ne fait donc pas la lessive ; elle est chargée de remplir toutes les cruches et des dizaines de bouteilles d'eau potable, ainsi que de faire griller et de moudre le café. Elle s'installe souvent à côté de moi sur le pas de la porte, dans un nuage au parfum de moka, un plateau métallique rempli de grains noirs posé à ses pieds. Et elle ne se sépare presque jamais de son moulin en cuivre poli ; ce n'est guère qu'un long moulin à poivre avec lequel elle produit péniblement des cuillerées de poussière brune. Assis tout autour, les enfants mangent leur pain garni de confiture de figues, encore à moitié endormis, et je demande des mots : c'est mon « travail ». Par chance, mes efforts pour apprendre le romani deviennent un projet familial qui amuse tout le monde.

Longtemps, après une question, et parfois après chaque *mot* qu'on m'adresse, je dois répondre : *So ?*, quoi ?, dans l'espoir d'obtenir un indice. *So* est assez vague pour attirer toutes sortes de réponses, apparemment très drôles. Toute la famille, du petit Spiuni jusqu'au vieux Sherif, se met à rire aux larmes, incapable de se retenir. Cette bonne humeur permet à ma leçon de se prolonger, avec plus de liberté.

Donner de faux renseignements aux *gadje* trop curieux est une vieille tradition. Un rigoureux code d'autodéfense veut que les Gitans ne fassent pas connaître aux étrangers leurs traditions, et même certains mots. C'est aussi une source de plaisanterie ancestrale. L'un des premiers glossaires, établi en 1776 par Jacob Bryant à partir de mots recueillis auprès de Gitans anglais, indique le mot *ming* comme traduction de « père » (le romani a également légué le mot *minge* à l'argot britannique pour désigner le sexe de la femme).

Parfois, chez les Duka, la désinformation est le fruit du hasard. A plusieurs reprises, on m'indique des mots albanais. Bien que bilingues, ils sont souvent incapables de distinguer entre les deux langues : ils parlent un mélange des deux. Et la manière dont les membres de la famille tentent de m'instruire ou de me parler me renseigne au moins sur eux.

Lili est joueuse, on dirait qu'elle voit en tout cela un jeu d'enfant, comme si à chaque minute j'allais me mettre à parler le romani, à bavarder avec les autres adultes. « O.K. ! » est le seul mot auquel j'arrive à l'intéresser ; le reste du temps, elle émet un gargouillement grave et agite vigoureusement la tête, ce qui signifie pour tous les Albanais (comme pour les Bulgares) le contraire de ce qu'on imagine : oui.

Comme beaucoup de gens timides, Artani, le fils cadet, rend le dialogue encore plus pénible pour lui en parlant très vite et en s'adressant à son aisselle, de sorte qu'il doit toujours tout répéter. Il semble incapable d'admettre que, malgré toute mon expérience du monde — après tout, n'ai-je pas fait tout le trajet de l'Amérique jusqu'à l'Albanie ? —, je ne peux le comprendre. Et comme beaucoup d'autres, il poursuit de plus belle dès que je comprends une phrase, comme si je maîtrisais soudain la langue tout entière. La solution d'O Babo est de traduire les mots difficiles en albanais : dans sa logique, je suis une *gadji*, donc je parle sûrement la langue des *gadje*. Tatoya, la sœur de Jeta, toute rouge d'émotion, emploie une technique aussi délicate que sa beauté : au lieu de prononcer les mots, elle les articule en silence ! Kako, le vieil oncle à la voix rauque qui, comme Sherif, vient souvent dans notre cour, tente de me faire comprendre le sens des mots simplement en les hurlant.

Shkelgim, un jeune cousin, essaye de me parler en romani avec ce qu'il imagine être un accent américain. S'il ne m'avait pas donné cette précision, je n'aurais pas deviné, malgré les déhanchements suggestifs dont il accompagne son discours, et sa façon de se recoiffer à la Elvis Presley. Nicu est un grand cabotin ; il ne nous rejoint que lorsqu'il dispose d'un public assez nombreux, et c'est lui qui lance la plupart des plaisanteries grivoises. Il ne reste jamais longtemps, pourtant, et après avoir exploité au maximum chacune de ses blagues, il oscille des épaules, fait pivoter ses hanches, agite le ventre comme une danseuse turque puis sort par le portail. Cette comédie a quelque chose de touchant et d'unique : rares sont les Gitans qui oseraient ainsi compromettre leur image de macho, même en plaisantant.

Jeta essaye de le gronder. Elle l'appelle *bengalo*, diabolique, mais avec le plaisir radieux qu'on réserve à ceux qui vous font rire. Elle a du mal à se montrer sévère avec son fils aîné, qu'elle adore juste un tout petit peu plus que les autres, comme elle le reconnaît publiquement avec une candeur caractéristique. Et c'est un homme charmant, d'un charme puéril, à deux sous, contrairement à la séduction plus fugitive, plus subtile de Nuzi, ou d'Artani, le tendre, le torturé. Jeta passe d'un faciès de sorcière à un visage de grand-mère gâteau en un instant, pour maîtriser ou réconforter ses petits-enfants. Dans l'une ou l'autre de ses incarnations, il est impossible, même à moi, de se méprendre sur son humeur.

La langue romani dispose d'un vocabulaire de base assez restreint, ce qui oblige ses utilisateurs à faire preuve d'imagination. Par exemple, ils disent « oreilles » pour désigner les ouïes du poisson ; pour évoquer un tremblement de terre, on dit : *I phuv kheldias*, la terre danse. Comme en turc, il existe un seul verbe, *piav*, pour « fumer » et « boire », deux occupations nécessairement associées ; *chorro* signifie à la fois « pauvre », misérable, et « mauvais ». Il n'y a pas de mot signifiant « danger » ou « calme », même si certains Gitans ont recours à *strážno* et à *mirnimos*, emprunts récents aux langues slaves.

Donald Kenrick, linguiste britannique et spécialiste des Tziganes, a entrepris de traduire *Roméo et Juliette* en romani pour Pralipe, une compagnie théâtrale gitane de Skopje. A Londres, il m'a montré sa version de la scène du balcon.

Roméo. Mais chut ! Quelle lumière perce à cette fenêtre ?
Elle est mon Orient ; Juliette est le Soleil.
Lève-toi, beau Soleil, tue cette envieuse Lune
Déjà toute malade et blême de chagrin
A te voir, sa vestale, bien plus belle qu'elle-même.
Ne sois plus sa vestale, puisqu'elle est envieuse.
Sa livrée virginale est pâle et anémique ;
Que les sottes la portent, seules ; rejette-la.

Roméo. *Ach ! Savo dud si andi kaja filiastra ?*
O oriento si thai Juliet si o kham.
Usti lacho kham kai mudarel o chomut,
nasvalo thai parno si o chomut thai na mangel ke tu-leski
kanduni-si po-lachi lestar.
Lesko uribe si zeleno thai nasvalo
sade o dinile uraven pes andre, chude le.

Que l'on peut retraduire ainsi :

Roméo. Oh ! quelle lumière est à cette fenêtre ?
C'est l'est et Juliette est le soleil.
Lève-toi bon [ou gentil] soleil et tue la lune
Malade et blanche est la lune qui ne te veut pas
Sa servante est plus belle qu'elle.

(Donald n'a pu trouver aucun mot pour traduire « envieux », de sorte que dans la version romani, ni la Lune ni la servante ne peuvent plus être envieuses).

Son habit est vert [ou bleu] et malade
Seuls les fous s'habillent comme cela, jetez-les dehors.

Les choses se compliquent. Plus loin, Roméo dit :

Présomptueux, ce n'est pas à toi qu'elle parle.
Au firmament, deux des étoiles les plus belles,
Ayant affaire ailleurs, sollicitent ses yeux
De briller sur leurs orbes, là-haut, en leur absence.

Kenrick propose :

Na tromav. Na kerel mange duma.
Dui lache cerhaia ando bodlipen
si len buti averthane-mangen lake jakha
te dudaren ando lengo than
zi kai aven palpale.

Ce qui donne, retraduit :

Je n'ose pas. Elle ne me parle pas.
Deux bonnes [ou gentilles] étoiles en un lieu nuageux
Elles ont du travail [un emploi] ailleurs — elles veulent que ses yeux
Donnent de la lumière à leur place
Jusqu'à ce qu'elles reviennent.

Apparemment, le spectacle a remporté un grand succès et, selon les dernières nouvelles, Pralipe le donne au cours d'une tournée en Allemagne.

Toutes les langues s'enrichissent et trouvent un sang neuf dans l'emprunt de mots étrangers, mais cela n'est sans doute jamais plus vrai que dans le cas du romani, parce que ses utilisateurs ont souvent traversé les frontières et parce qu'une langue commune n'a pas encore été fixée par écrit. Une réserve de mots « domestiques », liés au foyer, à la maison, principalement d'origine indienne, s'est préservée à travers les siècles, et c'est ce fonds que partagent les divers dialectes (il y en a environ soixante en Europe) liés au romani, la langue commune. C'est surtout par l'esprit que ces idiomes sont proches : langue grégaire, excessive, faite pour exprimer des émotions extrêmes. La vigueur, le verbe comptent avant tout, et l'originalité des images est appréciée. Ce qu'on raconte est moins important que la manière dont on raconte, et les grands conteurs sont des membres révérés de la communauté ; ils tendent à se spécialiser dans les récits fantastiques, les contes de fées, les histoires à dormir debout ou les devinettes.

En ajoutant simplement le vieux suffixe indien *pen*, équivalent de « tude » ou « ité » en français, on peut créer des mots abstraits, comme Romipen, la « gitanité » ; on peut également emprunter ce genre de substantifs à d'autres langues. Mais parmi les romanophones, ces grands concepts ne sont guère nécessaires. Dépourvue de ces termes généraux, leur langue coule comme de la bonne poésie, riche de détails, d'images concrètes et de mots simples utilisés de manière inventive. Pour dire « Je t'aime », on a le choix entre « Je te veux » (comme en espagnol), « Je te mange » ou même « Je mange tes yeux ». « Je veux manger ton visage » (ou « Je veux manger ta bouche », puisque le même mot, *muj*, désigne le visage et la bouche) est une façon de demander un baiser.

Avec ses syllabes rauques, gutturales et ses H aspirés, c'est une langue très expressive, surtout lorsqu'elle sort d'un gosier âgé et marqué par le tabac. Une langue moderne, « politique », est en train d'apparaître, mais le romani est principalement « phatique », c'est-à-dire que sa fonction est d'exprimer la sociabilité plutôt que d'échanger des idées (que les locuteurs partagent sans doute déjà).

Le style de Jeta est typique. Elle est grossière et drôle, elle applique des images vigoureuses à des cibles inattendues, et exprime souvent la terreur et l'ironie à la fois. « Pourquoi une *gadji* ne peut-elle pas faire une bonne *bori* ? » se demande-t-elle sérieusement.

Dans la cour, alors qu'ils s'interrogent sur une fiancée possible pour Djivan (10 ans), l'un d'eux, goguenard, me range parmi les prétendantes. Mais « une *gadji* ne saurait pas s'arracher les yeux ». Ce que Jeta veut dire, c'est que, par rapport à une vraie Tzigane, une *gadji* n'aurait pas la formation et la sensibilité nécessaires. Mais elle arrive aussi à me faire comprendre qu'une telle épouse ne serait pas drôle, car « s'arracher les yeux » est une expression gitane qui désigne l'orgasme.

Si l'on considère la pudibonderie des Gitans en ce qui concerne la sexualité et le corps féminin, quel que soit le contexte, Jeta est d'une verdeur exceptionnelle, avec les libertés qu'on accorde à une grand-mère ou, plus exactement, à une femme ménopausée : « Les poivrées, dans la boue ! » lance-t-elle à propos des femmes qu'elle désapprouve. Par ailleurs, pour évoquer un lieu qu'elle apprécie, par exemple, un nouveau café en ville, elle déclare : *O manusha khelaven tut*, « les gens vous font danser ». Si les enfants passent devant elle alors qu'elle discute avec quelqu'un, elle interrompt son débit pour leur crier : « Je peux pisser sur tes yeux ? » ou « Tes boyaux sont en train de sortir ? » (de sorte que tu n'as pas eu le temps de faire le tour ?). Ou, lorsqu'elle est vraiment agacée, elle s'exclame : *Te bisterdon tumare anava !*, « Puisse ton nom être oublié ! ». Elle s'exprime avec une fureur feinte, que tout le monde adore.

Tous les Gitans que je connais aiment les sucreries. Même si le sel, le poivre, le vinaigre et les marinades sont considérés comme *baxtalo*, porte-chance, ils aiment la nourriture *but guli*, très sucrée, et s'inquiètent de ma préférence pour le salé, le *bushalo* (aigre). En Albanie, le sucre est un luxe, et Jeta croit peut-être que je me sacrifie, ce qu'elle ne supporterait pas de la part d'un invité. Un matin, exaspérée, elle verse une tonne de sucre dans le yaourt nature que je m'apprête à manger, en agitant la tête comme pour dire : où a-t-elle été élevée ? Ce qu'elle dit en fait, c'est : « Si tu enfonces ce yaourt dans le cul d'un cochon, il va s'envoler », tellement cette nourriture est aigre...

Elle a également l'habitude d'ajouter à chaque phrase l'exclamation *Ma-sha-llah !*, « Dieu le veut ! ». Jeta explique : « C'est pour faire savoir à ceux à qui l'on parle que, si on dit que leur nouveau bébé est si mignon, on n'est pas en train de dire en fait, au plus profond de son cœur, "puisse son cerveau se ratatiner" ». C'est aussi une précaution utile : « Si tu ne montres pas que ton cœur est pur, ce sera ta faute si quelque chose de terrible arrive. » Grossier, grivois et, pour faire bonne mesure, superstitieux.

A Kino, l'humour est une affaire de femmes. L'idiome masculin se compose le plus souvent de pesantes observations (ou d'absurdités ridicules) qui expriment l'autorité des anciens et la sagesse des proverbes. Kako, le vieil oncle de Jeta, ne cesse de se répéter, de sa voix enrouée, et il emploie toujours cette formule à balancement : « De même que la jument galope sur la route, de même la jeune épouse désire le pénis. » Et il s'ensuit bien sûr un hochement de tête sagace.

Dans le monde entier, les Gitans ont la réputation d'être des linguistes hors pair, mais cela n'apparaît pas toujours à Kinostudio. Les choses commencent mal, car mon nom leur pose problème. En romani, *i* est l'article féminin, comme dans *i daj*, « la mère », et il est très employé, même avec des noms propres, comme le masculin *o* (O Kako). A leurs oreilles, « Isabel » sonne donc comme « la zabel », et je deviens donc Zabella, Zabade, puis Zabe, et enfin Za.

Les jours et les semaines semblent se confondre, peut-être parce qu'on ne m'a pas appris le nom des mois et des jours de la semaine ; quand je veux m'instruire, il semble que je ne pose que des questions-pièges. Si j'insiste, les enfants, et même les *boria*, ont bien du mal à me répondre, surtout avec les mois. Les saisons, c'est facile. Il n'y en a que deux : l'été et l'hiver, la chaude et la froide. Tous les jours se ressemblent (et pas parce que c'est l'été : Djivan doit bientôt faire sa rentrée des classes). Aucun des enfants ne sait lire l'heure, personne ne porte de montre (à part Nuzi, qui porte la mienne et qui est le seul à s'intéresser au temps, qu'il trouve bien long). Parmi les adultes, les plus âgés ne savent pas lire, et les plus jeunes ânonnent chaque syllabe comme des enfants ; personne ne maîtrise totalement l'écriture.

Un an après mon séjour, je reçois une lettre des Duka. C'est un morceau de carton couvert de leurs signatures, tracées d'une vieille main tremblante ou avec une assurance puérile. En dessous, quelques lignes qui ne sont rédigées dans aucune langue, mais qui donnent l'impression visuelle d'une lettre, et c'est l'essentiel.

Il n'y a pas de journaux, pas de radio et, évidemment, pas de livres ; la télévision reste allumée, mais personne ne la regarde vraiment ; les images défilent comme le paysage à la fenêtre d'une voiture. C'est compréhensible : dans la banlieue de Tirana, on ne capte que de sordides drames siciliens ou des feuilletons à l'eau de rose d'un prosélytisme écœurant, subventionnés par les églises américaines. Contrairement à la plupart des Albanais parmi lesquels ils vivent, les Tziganes ne savent rien de ce qui se passe dans le monde et (à l'exception de Nuzi, une fois encore) ils ne ressentent aucune curiosité.

Parfois, cependant, leur réserve ne tient pas à leur manque de curiosité mais à leur tact. Ils s'intéressent à la vie de famille : ils m'interrogent sur mes frères, mes sœurs, mes parents et mes cousins, comme s'ils les avaient rencontrés. Quand nous sommes entre femmes, nous parlons grossesse et mariage... Je fête mon trentième anniversaire alors que je séjourne chez les Duka. Ce n'est pas pour moi un événement particulier, mais alors que je me contente de pousser un léger soupir, c'est pour eux un moment triste, même dramatique. Le jour de mon arrivée, ils ont appris qu'à vingt-neuf ans je n'ai pas même *un* enfant, la *puri daj*, mère de dix enfants, m'a tapoté le poignet avec compassion : de toute évidence, je suis stérile. Cela explique pourquoi je n'ai pas de mari non plus et, pire encore, pourquoi je suis condamnée à errer de par le monde, à aller en *Albanie*, rendez-vous compte, loin de ma famille et de mes amies, pour séjourner chez de *parfaits inconnus* ! Il est difficile de déterminer ce qu'ils considèrent comme la pire épreuve. Ma présence parmi eux ne saurait avoir d'autre explication, apparemment, car tous les Gitans que je rencontre ont la même version des faits et, désireux de m'épargner un moment pénible, ils ne me permettent pas de leur donner des précisions ou des explications. Ma vie est une tragédie, ils le voient bien, mais ils sont pleins de compassion et me le font savoir : après tout, n'ont-ils pas jadis eux aussi été « condamnés » à errer de par le monde ? N'ont-ils pas été condamnés à l'Albanie ? (Leur objectivité résignée à propos de ce pays est impressionnante, étant donné qu'ils y ont passé toute leur vie. Ne se considérant pas comme albanais, ils sont heureusement exempts de cette maladie locale, le patriotisme ethnique.)

Dritta n'a pas de temps pour de telles réflexions. Elle a d'autres soucis plus pressants. De tous les membres de la famille, Dritta est aussi celle avec laquelle j'ai le plus de mal à communiquer, car son dialecte Kabudji est contaminé par des mots turcs. Pourtant, avec sa détermination sans égale, elle joue le rôle de professeur. C'est elle qui m'apprend le langage du *trampa*, du troc. La réserve de vocabulaire inclut les mots suivants : chemisier, jupe, peigne, brosse, rouge à lèvres, mascara, chaussures, foulard, éponge, savon, rubans, épingles, serre-tête et, à des fins d'autodéfense, j'ai appris comment dire bague, bracelet, boucles d'oreille... Dritta affirme vouloir apprendre ma langue ; après tout, c'est un *trampa*, un échange. Je commence donc : « Comment t'appelles-tu ? Je m'appelle Zabe », et ainsi de suite. Elle se contente d'éclater de rire en produisant des vocables sous-marins et bourbeux. On dirait mon neveu de quatorze mois lorsqu'il imite les adultes au téléphone, qu'il utilise comme une sorte de micro.

Nos leçons sont difficiles non seulement parce que nous n'avons pas de support linguistique commun, mais parce que tant de choses en moi lui sont totalement étrangères : si l'on ne comprend pas les *actes* de quelqu'un, on risque de ne pas non plus comprendre son langage. Je suis constamment choquée par l'isolement qu'implique mon statut de visiteuse, et émue par les gestes protecteurs qu'il leur inspire. Un jour, je m'accroupis devant une bouilloire, prête à verser l'eau sur un sachet de thé. Dritta s'en empare et secoue le sachet par le fil : « Il va se mouiller ! » gronde-t-elle, en le faisant sécher dans sa jupe. Elle n'a jamais vu un sachet de thé et essaye aimablement de sauver ce qu'elle imagine être... quoi donc ? un sachet désodorisant ou un bouquet garni (même s'il est difficile d'imaginer ces produits éphémères introduits en Albanie). Lors d'un incident similaire, O Babo, assis à l'avant dans la voiture de Gimi, se plaint de la saleté du véhicule et signale au propriétaire qu'il ferait bien de ranger un peu. « Qu'est-ce que c'est que toutes ces cordes ? » demande-t-il d'un ton irrité, en tentant d'arracher les ceintures de sécurité. Cette invention est une nouveauté en Albanie, tout comme la notion même de voiture personnelle.

Pourtant, rien ne les étonne et ne les amuse autant que le rituel selon lequel, deux fois par jour, Zabade se brosse les dents. Cette obsession leur paraît bizarre et, avant d'être chassés par une gifle de leur mère, les enfants manipulent avec précaution ma brosse à dents, avec la délicatesse hésitante qu'ils auraient face à un petit oiseau tombé du nid.

Le cabinet de toilette est un trou dans un placard avec une porte battante montée sur des gonds grinçants : elle claque mais ne se ferme pas. En guise de lavabo, une évacuation creusée dans le sol ; sur un rebord, à la hauteur de la taille, un broc, que Liliana remplit constamment. Le brossage des dents est donc un événement public. L'un de mes surnoms est *Dandi*, du mot *dand*, la dent. Quand le besoin s'en fait sentir (environ une fois par semaine), ils se brossent les dents avec un doigt garni d'un bonne couche de gros sel, ou *lon*. Et ils ont tous de superbes dents blanches et robustes, comme très souvent chez les Gitans, par opposition au reste de la population locale ; du moins quand elles ne sont pas masquées par l'or, l'argent ou même les deux à la fois.

La toilette d'O Babo attire encore plus de spectateurs. Tous les matins, Bexhet fait durer le rituel du rasage aussi longtemps que possible, comme s'il espérait chaque jour ajouter quelques secondes, peut-être même une minute, à son record personnel. Pour les enfants, c'est un grand spectacle. Pour O Babo, c'est une manière d'occuper les loisirs prodigieux dont l'Albanie est incomparablement riche. C'est ce que doivent faire tous les hommes sans emploi, et ils s'en acquittent avec plus ou moins de panache.

Un par un, il tire ses ustensiles de son coffret fermé à clef : un blaireau, un bol de savon à barbe, un rasoir pliable. En tenue du matin (pantalon de pyjama rayé et chemise militaire kaki), il fait trois allers et retours entre la maison et la cour pour aller chercher ses outils, qu'il manipule des deux mains, avec la délicatesse qu'on réserverait à une petite poterie d'époque minoenne parfaitement conservée. Tous les ustensiles étant disposés le long de la cour, qui se transforme en échoppe de barbier pendant une bonne partie de la matinée, Bexhet fait un dernier voyage pour la pièce de résistance : son miroir brisé, spécialement réservé au rasage. Pour ne perdre aucun des morceaux, il se déplace à pas feutrés, comme les voleurs dans les dessins animés, en portant la glace devant lui, à plat dans sa paume, comme une tarte sortant du four.

Le matériel de Bexhet se déploie autour de la fourche, en forme de bois de cerf, de l'arbre du voisin. Bien que mort, l'arbre reste debout, prisonnier du ciment à travers lequel il a poussé dans sa jeunesse éprise de soleil. Au creux de la fourche, Bexhet installe son miroir avec la plus grande concentration. Il le flatte, le secoue un peu et teste son talent en le lâchant, deux doigts à la fois. Il murmure doucement des propos encourageants à l'adresse de son reflet brisé : « Allez, tu ne vas pas tomber, maintenant, mon petit visage... » Il tombe pourtant, deux ou trois fois chaque matin, et Bexhet le rattrape toujours, lorsqu'il est d'humeur folâtre, par un revers habile et avec un petit cri de victoire, *Eppah !* ou parfois *Oppah !* avant de le reposer dans sa fourche.

EN VILLE

Jeta est amère lorsqu'elle parle de son mariage qui, explique-t-elle, a eu lieu uniquement parce que son grand-père était mourant. « Je veux voir mes petites-filles mariées avant que je m'en aille », avait-il dit. Bexhet était disponible, à défaut d'être idéal (à vingt et un ans, il avait déjà eu trois femmes), et l'affaire fut conclue. Jeta est rarement morose, elle ne s'apitoie guère sur son propre sort — elle n'en a pas le temps —, mais elle a l'art de raconter, avec une vigueur comique, qu'elle a été lésée. Pourtant, elle ne conteste pas l'institution du mariage arrangé ; là n'est pas le problème. Le problème, confie-t-elle dans un murmure sonore, c'est Bexhet. L'ennui, c'est que Jeta est bien trop intelligente pour la vie qu'elle mène, et qu'elle est assez futée pour s'en rendre compte.

Il est rare de découvrir chez les Gitanes une forme de malaise *moderne* ; leur expérience est généralement trop limitée. Mais Jeta est un esprit exceptionnel. Contrairement à Bexhet, qui glousse béatement, elle voit désormais d'un autre œil, sous l'influence de Marcel, le combat mené par les Roms. De toute la famille, elle est la seule à entrevoir certaines vérités, ce qui compromet son équilibre et la fait se sentir à l'étroit en Albanie, et à plus forte raison dans la cour de la maison de Bexhet.

Un matin, quand je commence moi-même à me lasser de la routine du rasage de Bexhet, j'emmène Jeta *ando foro*, en ville. Sans objectif commercial précis, nous nous promenons longuement, et elle me parle de sa vie avec un talent rare pour l'introspection. Depuis trente ans, Jeta exécute ses tâches quotidiennes dans cette même cour, son quartier général ; elle a élevé et marié ses enfants. Même les mariages, théoriquement le domaine réservé des mères et des grands-mères, ne lui ont apporté que déceptions et humiliations ; l'un après l'autre, ses fils ont éludé ses arrangements complexes et coûteux avec les parents d'une bru idéale en enlevant ou en engrossant la fiancée de leur choix. Elle n'a jamais pris de vacances, elle n'a jamais quitté Kinostudio pour plus d'un jour ou deux, et uniquement au service de ses enfants, notamment pour un voyage (inutile) dans le sud du pays, pour auditionner une épouse possible.

Nous nous arrêtons devant une boutique portant l'enseigne *floket*. Qu'est-ce qu'un *floket* ? La devanture vide ne me renseigne guère ; on devine une chaise de dentiste en imitation-cuir et un vieux fauteuil capitonné surélevé sur des parpaings, tous deux face au même mur. Sur le comptoir se trouve un ustensile rouillé, qui remonte peut-être aux années 1940. On dirait l'un des premiers modèles de mixeur, chromé, de forme ogivale, haut d'environ 50 centimètres. Mais de cet étrange instrument émerge un bouquet de tentacules en caoutchouc fendillé, chacun portant une pince à son extrémité. C'est un institut de beauté !

J'entraîne Jeta à l'intérieur. Deux employées impeccables dans leurs blouses blanches se tiennent devant leur évier profond, les mains sagement croisées. Elles haussent les épaules comme pour implorer notre pardon. Sur le mur, un panneau écrit à la main offre une *twalet complet*, manucure, pédicure, maquillage, pour un peu moins de deux francs, mais malheureusement les outils font défaut : ni limes à ongles, ni produits de beauté. Désolées. Le vieil ustensile posé sur le comptoir que nous avions vu par la vitrine s'avère être une machine à vapeur pour les permanentes, comme le confirment quelques bigoudis en plomb munis d'attaches en fil de fer qui traînent alentour comme des douilles vides. L'engin n'a pas servi depuis des années. Les employées ont cependant un peu de shampooing, une sorte de détergent vert dans un flacon en plastique anonyme ; va donc pour un shampooing. J'espère gâter un peu Jeta au *floket*. Ce n'est pas grand-chose, mais je suis ravie lorsqu'elle accepte de se faire laver les cheveux, par une *gadji*, en plus. Jeta est plus détendue que je ne l'ai jamais vue ; assise dans la chaise de dentiste, elle fredonne un air tout en feuilletant avec mépris de vieux magazines féminins venus d'Union soviétique au début des années 1980, tandis que les deux jeunes employées frictionnent notre cuir chevelu. Du fait de notre escapade, le dîner sera retardé, et Jeta fera un concours de hurlements avec Bexhet, mais elle s'en moque. J'ai conservé une pince à cheveux du *floket*. Elle est rouillée, incrustée de sédiments minéraux, comme si elle avait reposé au fond de la mer pendant cent ans ; on ne peut guère deviner son utilité.

Toutes belles, nous repartons vers Kinostudio. Nous passons devant quantité d'anciennes boutiques pillées, brûlées, éventrées et abandonnées, en plein centre de Tirana. Puis nous arrivons à la maternité d'Etat. Jeta s'arrête devant cet édifice lugubre, souvenir de la dictature, puis me prend par la main et me tire à l'intérieur : peu importe notre retard, c'est quelque chose que je dois voir à tout prix. Elle fonce dans l'entrée, personne ne nous pose de questions : Jeta avance comme si elle était chez elle. Nous parcourons en silence les longs couloirs faiblement éclairés.

Les murs couverts de carrelage jaune, les vieux lits en acier, les gémissements très audibles, la puanteur séculaire : on se croirait dans un hôpital psychiatrique du XIXe siècle, avec ces femmes qui errent vêtues de robes brunâtres en lambeaux, qui attendent dans les vestibules, accroupies à terre. Il n'y a pas assez de lits. Seules les femmes sur le point ou en train d'accoucher ou celles qui subissent une opération ont droit à un lit : deux rangs de six lits dans chaque chambre. Naissances, avortements, tout se passe derrière un simple paravent, à côté des autres malades, à quelques mètres des femmes terrifiées qui attendent leur tour. Du moins n'y a-t-il pas de ségrégation comme en Slovaquie : une chambre pour les Tziganes, une autre pour les *gadja*.

Nous parlons à l'obstétricien en chef. Ils ont quelquefois de la pénicilline, quelquefois pas. Ils n'ont plus d'anesthésique depuis plusieurs mois. Le spectrographe est inconnu, et il ne leur reste que deux couveuses ; la troisième a été volée la semaine précédente, en même temps que les réfrigérateurs et tous les médicaments qu'ils contenaient. Même le ministère de la Santé a été saccagé : on a emporté jusqu'à l'escalier.

Du point de vue médical, la situation est pire que jamais, selon le Dr Viollca Tarc, qui travaille dans cette maternité depuis dix-huit ans. Pourtant, elle reste optimiste. Sous Hodja (qui s'enorgueillissait de la qualité des soins médicaux prodigués en Albanie), la contraception était illégale, de même que l'avortement ; les femmes se débrouillaient par leurs propres moyens, et venaient ensuite chercher un traitement médical. Une femme sur 978 en mourait, du moins parmi celles qui arrivaient à l'hôpital. La majorité en gardait des séquelles : douleurs permanentes et infections récurrentes, et beaucoup avaient perdu toute faculté de concevoir à nouveau.

A présent, les médecins ont le droit de pratiquer l'opération. Cependant, comme pour presque toutes les nouvelles libertés accordées en Europe de l'Est (dans l'édition, par exemple), ce qui était jadis interdit par la loi est devenu impossible faute du matériel ou des produits nécessaires. La contraception est autorisée, mais il n'y a ni pilules ni préservatifs, et même si les avortements pratiqués en hôpital sont plus sûrs, ils n'en sont pas moins éprouvants.

En chemin, nous passons la tête à la blanchisserie. Dans une grande salle voûtée, qu'éclaire seulement la lumière filtrée par de hautes fenêtres industrielles à petits carreaux, cinq femmes se penchent par-dessus une rangée d'éviers bas, frottant des draps sur des planches à laver, tout comme les *boria* à la maison. Au milieu de la pièce, un énorme chaudron est posé sur un anneau de flammes bleues. On fait cuire les draps. Après avoir vigoureusement frotté un drap, chaque femme le prend à deux mains pour l'examiner, puis le rejette dans la marmite ; à l'aide d'un long bâton rose, elle en attrape un autre. Il y a du sang partout. Pas seulement les éclaboussures brillantes que provoquent les blessures et les opérations, mais du sang de femme : sombre, gélatineux, coagulé. Ces taches brunes ne veulent pas disparaître. Une semaine auparavant, tout un chargement de linge neuf est arrivé, don du gouvernement suisse, mais il a été volé quelques heures après réception.

En rentrant à la maison, Jeta me dit qu'elle a subi vingt-huit avortements (elle utilise la troisième personne : « Jeta a avorté vingt-huit fois »). Avec du fil à linge bouilli et doublé, elle a accompli elle-même l'opération, généralement suivie d'un « épongeage » à la maternité d'Etat. Je m'étonne qu'elle ait pu pratiquer cette opération chez elle ; il n'y a pas chez les Duka de baignoire assez grande pour qu'une femme y prenne place. J'aurais pu lui poser la question, mais je ne l'ai pas fait.

Ces histoires horribles sont monnaie courante en Europe de l'Est et, en écoutant Jeta, je commence à réévaluer des récits antérieurs. Ce qu'a vécu une amie roumaine, par exemple, semble bien léger par comparaison. Dans le Bucarest de Ceauşescu, elle a subi deux avortements illégaux sur sa table de cuisine, tandis que son fiancé montait la garde à la porte. Mais elle avait un médecin, ou un individu anonyme portant un bas sur la tête en guise de masque, avec deux trous pour les yeux, qui était prêt à accomplir l'opération. Elle n'a jamais eu la preuve que c'était un médecin, mais le travail a été fait, la première fois contre une bouteille de whisky, la deuxième fois contre une cartouche de Kent.

LE ZOO

La photographie de mariage encadrée est un élément de décor présent dans presque tous les intérieurs d'Europe de l'Est, riche ou pauvre, tzigane ou *gadje*. Les jeunes mariés, dont le visage solennel est reproduit presque en grandeur nature, regardent droit devant eux, hors du cadre. Ces bustes en noir et blanc (on ne voit jamais le corps, seulement la tête et la poitrine) sont généralement coloriés à la main, en rouge et brun, et ils semblent toujours placés à une hauteur curieuse, à trente centimètres du plafond, penchés vers l'avant, comme si le couple photographié était là non pour être vu mais plutôt pour observer, comme s'il se considérait comme le seul protecteur des mariés et de leur famille.

Jeta conserve sa photo de mariage accrochée au mur, mais elle l'a entièrement recouverte d'images de ses enfants, de leurs enfants, d'animaux, ou même de paysages, un arbre, une rivière. C'est *lui* qu'elle ne peut plus supporter de voir, le beau Bexhet, avec ses allures de seigneur.

Parce que les derniers progrès en matière de photographie n'ont pas encore atteint l'Est, ces portraits ont tous l'air de dater du début du siècle (et pour beaucoup de Tziganes, on croit voir des Indiens photographiés au Far West). Leur nuque raide trahit la longueur du temps de pose. On ne retrouve là aucune des caractéristiques des clichés occidentaux, aucune trace de « naturel ». Peut-être ces images guindées en révèlent-elles plus qu'un polaroïd. En tout cas, il est impossible de prendre des photos naturelles de la famille Duka : dès qu'ils aperçoivent le groin noir de mon appareil, ils abandonnent ce qu'ils étaient en train de faire, placent les bras le long du corps, et se figent dans une pose raide, sans un sourire.

Comme tous les petits Gitans, les enfants Duka et leurs amis se précipitent et leur alignement éphémère devient vite un pêle-mêle de starlettes encombrantes, prêtes à pousser du coude ou à piétiner les plus petits pour accaparer l'image. Même s'ils regardent par le viseur, ils ne comprennent pas que l'appareil en voit plus que les quelques centimètres de son « œil ».

Le portrait de Nuzi et Viollca trône dans le couloir de la pièce minuscule qu'ils partagent avec leur fils, Walther. A treize ans, Viollca ressemblait déjà à ce qu'elle est aujourd'hui, à dix-huit ans : d'immenses yeux verts plus fâchés que moqueurs, enfoncés au milieu de son visage carré ; ses lèvres peintes semblent minces et noires sur la photographie. Nuzi a été saisi à une période de beauté adolescente un peu molle qui a bien perdu ses rondeurs depuis. La bouche dessine une moue sensuelle ; le sourcil droit levé est déjà là, mais pas encore aussi complètement dressé, et sans son air malicieux. Un joli garçon, un play-boy ; la vanité à part, ce portrait n'annonce guère le rêveur anxieux que Nuzi est à présent.

Tout l'été, il porte le même jean parfaitement délavé, pâli uniformément sur les cuisses et blanchi à l'entrejambe, et il porte ses chemises par roulement, en prenant bien soin de toujours replier les poignets jusqu'à la ligne où le bronzage s'arrête sur son avant-bras. Nuzi a l'air musclé, mais en fait il ne lève jamais le petit doigt, sauf pour amener une cigarette jusqu'à ses lèvres boudeuses. Il fume ; il mange à peine, non par manque d'appétit, mais parce qu'il tient à rentrer dans son jean. Et il se promène. Nuzi se promène toute la journée, pendant des heures entières, en ville et en banlieue, sur les pentes en friche du Parc Hodja. Ce n'est pas pour faire de l'exercice, c'est pour survivre.

Il est le seul des Duka à être constamment agité. Nuzi me permet de fuir la cour de Kinostudio ; c'est avec lui que je parcours la ville. Il veut être sûr que je le comprends ; il a beaucoup de choses à dire. Nous avons donc conçu un système. *Shnet pach !* est l'équivalent albanais d'« A vos souhaits » après un éternuement. « *Shnet ?* » demande Nuzi, et si j'ai compris, je réponds triomphalement : « *Pach !* »

Par un jour de pluie ininterrompue, nous quittons la place Skanderbeg par le Boulevard des Martyrs et nous remontons vers le Parc Hodja (que les Duka appellent du nom affectueux de Parc Enver).

En route, nous passons devant l'un des deux hôtels de la capitale, le Dajti, avec ses colonnes disproportionnées, dans le meilleur style stalinien. Devant l'hôtel, de chaque côté des larges marches, deux jeunes Tziganes vêtus de T-shirts « Michael Jackson » assortis se sont juchés sur les deux grands socles blancs, qui servaient il y a encore un an de piédestal aux statues en bronze de Lénine et de Staline. Ces deux espaces vides, grands points d'interrogation en marbre, existent sur toutes les places d'Albanie. Un seul cavalier de bronze chevauche encore, le héros national, monté sur le cheval du héros national : Gjergji Kastrioti, connu de tous sous le nom de Skanderbeg. Au XVe siècle, Skanderbeg a brièvement libéré du joug ottoman une partie de sa patrie. Ses petites victoires lui ont valu le respect durable d'un peuple malheureux, même si elles ont été suivies par quatre siècles et demi d'occupation turque.

Certains héros d'Amérique latine apparaissent aux endroits les plus incongrus, envoyés à l'étranger par le gouvernement de leur petit pays au rythme d'une statue pour dix habitants (plus le pays est petit, plus il y a de statues, apparemment). Bolívar en est un exemple, bien sûr, mais aussi Artigas, héros uruguayen, et on les trouve tous deux en Bulgarie, dans le minable Parc Emil Markov, en banlieue de Sofia. En Albanie, on ne rencontre pas pareille prolifération, aucun troupeau de héros. On a l'impression que chaque coopérative, que chaque association de quartier (s'il en existe) s'enorgueillit de posséder son Skanderbeg. Sur cette avenue, le Boulevard des Martyrs, des répliques du héros sur son cheval qui se cabre sont distribuées avec une telle fréquence qu'elles donnent l'illusion d'une parade militaire ou sportive. Il existe *un seul* martyr. Et aujourd'hui plus que jamais, ses effigies semblent bien symboliser les espoirs paralysés du pays : en plein galop, désireux de s'élancer, mais pour toujours rivé au socle.

Il pleut à verse. Peut-être est-ce d'avoir parlé de Skanderbeg et de son cheval qui inspire à Nuzi la décision courageuse de me montrer le zoo de Tirana.

« Zoooo, lance-t-il. *Shnet* ?

— *Pach* : zoo. »

Chacun remonte sa veste par-dessus la tête pour se protéger de la pluie et nous escaladons le chemin rempli d'orties qui mène au Parc Hodja. Comme tous les parcs, celui-ci est muni de bancs et, malgré la pluie, les bancs sont occupés par des couples trempés ou résolument drapés dans leurs ponchos, venus au zoo se bécoter. Nuzi me fait remarquer que je ne verrai aucun Tzigane parmi ces amoureux. Comme Artani lors d'une promenade précédente, il ne cesse d'énoncer des vérités générales et de prendre la défense des mœurs gitanes, surtout par comparaison avec les Albanais. Artani avait désigné dédaigneusement un « disko », comme l'indiquait l'enseigne placée au-dessus de la porte d'un bâtiment triangulaire des années 1960, jadis siège du musée Hodja. « Tu ne trouveras pas un seul Rom là-dedans », avait-il ricané. « Pourquoi ? » Je me disais qu'il aurait pu être amusant d'aller faire un tour avec les frères Duka dans la toute première boîte de nuit implantée en Albanie. « Les discothèques, c'est pour les pays développés », répond-il d'un ton définitif, en utilisant les quelques mots d'italien que nous avons en commun, pour être sûr que je le comprends. Il veut parler des pays « trop » développés, des peuples blasés, gâtés, aux mœurs dissolues. Donc, pas de sortie en boîte.

Si la discothèque est pour les Duka un des cercles de l'Enfer, à mes yeux (et à mes narines), le zoo en est le cœur le plus épouvantable. Ce pavillon hideux est un camp de la mort pour les animaux sauvages. Face aux cages, le nez protégé autant que possible, on ne peut que se demander pourquoi ils n'ont pas tous été tués eux aussi ; un chercheur m'a confié qu'en Albanie tous les animaux de laboratoire ont été abattus pour cause de pénurie alimentaire. Et ce n'était pas pour nourrir les rats et les lapins : les spécimens aux yeux roses ont tous été volés et vendus comme nourriture. Les journaux publient des avertissements sur les cancers et les virus rares que transmettent les rongeurs du marché noir. Par chance, Jeta s'en tient au mouton.

Pourtant, une curiosité hébétée nous pousse à avancer. Il y a un chien ours et un chien lion ; il leur reste assez de fourrure à eux deux pour habiller un chihuahua. Les plus petits animaux, dépourvus de poils (difficile de deviner ce qu'ils sont, ou ce qu'ils ont été), ont l'air de grands bébés hamsters : des boudins roses. Un couple de petits cochons frappés d'eczéma étaient sans doute des pumas lors de leur arrivée au Parc Hodja. Une ombre de tigre est couchée, malade, dans l'une des cages ; vient ensuite un ex-chimpanzé morose, qui se baigne dans une flaque ridicule, sous son petit morceau d'arbre. Il y a une tortue morte et quelque chose qui ressemble à un bloc de tourbe écrasé : un iguane ? Non, c'est une deuxième tortue morte, mais sans carapace. Peut-être le gardien s'est-il fait un peu d'argent.

Les oiseaux n'ont pas l'air de pouvoir voler, ou marcher, ou même sortir de la soupe figée dans laquelle ils sont plantés, incapables de s'en dégager : ce liquide est comme un chewing-gum collé à une semelle. Par opposition à leurs voisins, les oiseaux ressemblent du moins à ce qu'ils sont normalement, mais en version dégraissée. Dans la dernière cage, un aigle flotte dans ses pantalons turcs et, atteint d'une forme de dégénérescence, son bec est déformé par des plis en accordéon, comme s'il avait pris un très mauvais coup.

« L'aigle est notre oiseau national », m'apprend Nuzi, avec une ironie superflue.

Sur le chemin du retour, nous nous réfugions dans le grand café du parc pour échapper à la pluie diluvienne. Dans toute l'Europe centrale, d'énormes restaurants, au service uniformément lent et désagréable, rappellent le superbe mépris de l'ancien régime pour les bénéfices et les frais généraux... L'endroit est vide à part Nuzi et moi, un couple d'amoureux dégoulinants et un groupe de petits Tziganes qui s'agitent à une table lointaine. Ils ne cessent d'entrer et de sortir en passant par une fenêtre cassée, par défi, apparemment : c'est à qui pourra passer sans se blesser. A peine vêtus, ils semblent indifférents à la pluie froide qui ruisselle le long de leurs jambes.

« Ce ne sont pas des Gitans », affirme Nuzi, devançant toute suggestion insolente de ma part. Alors, qui sont ces créatures aquatiques ?

« Ce sont des Jevgs, explique-t-il d'un ton pontifiant, nous les appelons *sir.* » En romani, *sir* signifie « ail ». Et les Jevgs n'ont aucun, absolument aucun rapport avec les Gitans. *Shnet ?* ajoute-t-il, irrité par mon air sceptique.

Les Jevgs étaient autrefois les esclaves égyptiens de l'armée turque, ai-je appris par la suite, et leur responsabilité spécifique était l'entretien des chevaux, détail qui suggère qu'ils étaient peut-être bien des Gitans. Quant à leur origine égyptienne, c'est une manière classique de désigner les autres tribus : les Gitans eux-mêmes étaient jadis appelés Egyptiens (d'où vient le mot anglais *gypsy*). Certains Jevgs sont aujourd'hui favorables à la théorie égyptienne, que les premiers Gitans venus en Europe ont également trouvée utile. En 1990, pour consacrer une mosquée sur le lac Ohrid, un groupe de Jevgs de Macédoine ont invité l'ambassadeur égyptien et, à son grand embarras, ils ont déclaré officiellement être une tribu perdue d'Egypte.

Du point de vue des Duka, tout ce qui compte, c'est que ces gosses des rues (ce sont principalement des enfants, mais les rares adultes qu'on voit parmi eux sont assez petits pour passer inaperçus) ne sont pas des Tziganes. La « preuve » en est qu'ils ne parlent pas le romani ; et parler le romani est le cœur de l'identité tzigane.

Marcel, qui est expert non seulement en langues balkaniques mais aussi en ethnographie, me confirme plus tard que les Jevgs sont probablement des Gitans appartenant à un groupe apparu dans cette région bien avant les ancêtres des Duka. Comme d'autres groupes (les Ashkali et les Mango au Monténégro, au Kosovo et en Macédoine), ce sont des Gitans qui ont perdu leur langue. Le manque de documents sur ces peuples marginaux les rend vulnérables à toutes les interprétations historiques ; certains activistes tziganes cherchent à récupérer ces déracinés pour grossir leurs effectifs, ou pour illustrer les crimes assimilationnistes commis contre leur peuple, mais ceux qui vivent sur le même sol sont libres de les désavouer. Comme les métis, ces groupes sont parfois rejetés avec plus d'hostilité que s'ils étaient *gadje*, l'« autre » par excellence. Les Gitans gardent leurs grands sentiments pour leurs chansons.

À MBROSTAR

Une semaine entière s'est écoulée depuis que je suis allée à la maternité et au *floket* avec Jeta, mais la colère d'O Babo gronde encore au sujet de notre retard. Il a défendu à sa femme de nous accompagner, Marcel, Gimi et moi, pour une excursion parmi les communautés tziganes rurales, et il ne se radoucit qu'à la condition de venir avec nous. Nous devrons faire un arrêt à Mbrostar (au prix d'un détour considérable) pour qu'il puisse rendre visite à son frère.

Le lendemain, munis d'un panier-repas, nous traversons longuement les monts Dajti, d'un blanc de calcite, nous passons sous les ruines du château de Skanderbeg, avant d'arriver à Fushë-Krujë, où les Gitans les plus pauvres que j'aie jamais vus vivent dans des huttes en torchis et sous des abris de branchages, à peine plus grands qu'un carton d'emballage. A l'entrée de la colonie, une ou deux maisons plus solides : des bâtisses en adobe, aux murs épais, blanchis à la chaux, qui ont l'aspect grumeleux de l'argile modelée à la main. A l'autre bout du camp, le plus loin de la route, quelques familles vivent sous des sacs en plastique (c'est l'évolution typique des campements gitans : les bâtiments les plus présentables font bonne impression et dissimulent les taudis situés à l'arrière, les sous-quartiers qui portent des noms comme « No man's land »). La plupart des habitants de Fushë-Krujë ont travaillé à la ferme voisine. On ne distingue plus que la charpente de ce bâtiment, emporté par une explosion : quelques poutres sur un ciel sans nuages.

En quelques minutes, toute la population, quelque trois cents personnes, se presse autour de nous, les petits enfants remplissant les espaces laissés entre les jambes et sous les bras des adultes. De même qu'on voit toujours quelques vieillards ravagés, usés par le temps et quelques gosses affligés de handicaps mineurs comme un strabisme convergent, de même il semble toujours y avoir parmi eux une beauté renversante, un ange pour lequel s'ouvrirait le monde lucratif des top-models si on le rencontrait dans un autobus parisien ; ou un guerrier adolescent sorti de l'*Iliade*, aussi beau que peut l'être un humain, avec ses lèvres pulpeuses, ses yeux en amande et son menton taillé par le ciseau d'un sculpteur.

La foule devient vite oppressante. Dans les colonies rurales où toute la population fond sur vous, on se sent réellement claustrophobe, privé d'air, prisonnier au centre du cercle. *« Ov yilo isi ? »* demande Marcel, c'est-à-dire « Tout va bien ? » (littéralement : « Y a-t-il du cœur ici ? »). Un vieillard édenté, coiffé d'un fez noirci, s'extirpe de sa cabane, sorte de cocon en brindilles surmonté d'un toit habilement tissé, pour dire que oui, qu'il y en a, sauf en hiver lorsqu'ils doivent « nourrir les rats ». Il éclate de rire à sa propre plaisanterie, sa pomme d'Adam fait des bonds hystériques et bouscule les tendons épais de son cou de dindon. C'est le membre le plus âgé de la colonie (mais il n'a aucune idée de son âge) ; il nous dit qu'avant de venir travailler à la ferme il y a trente ans, son peuple itinérant fabriquait des paniers. De fait, on retrouve une trace de cet artisanat dans sa misérable demeure, même si elle n'est ni assez haute pour lui permettre de se tenir debout, ni assez large pour qu'il s'y étende de tout son long. Lorsqu'il nous a assez vus, il se recroqueville à l'intérieur et nous disons au revoir à ses pieds.

Gimi, de son vrai nom Palumb Furtuna, est ordinairement un homme sensible et tolérant, mais il refuse de pénétrer dans la colonie, tout comme O Babo. Assis dans la voiture, il me dit que ces Tziganes sont en fait bien plus riches que ceux de Kinostudio, mais qu'ils « ne savent pas vivre ». C'est un point de vue répandu (évidemment erroné, en l'occurrence), mais normal, chez les *gadje* pauvres qui soupçonnent toutes les Gitanes de cacher des sacs d'or dans les plis de leurs jupes crasseuses.

Nous nous arrêtons dans un autre village, Yzberish, également pauvre mais moins désolé. Les habitants, membres du groupe des Chergari, entretiennent avec un soin atypique leurs barrières en branches ; contrairement à la plupart des Gitans, qui accueillent les intrus avec suspicion ou même hostilité, ils sont chaleureux et détendus, et ne nous accablent pas de jérémiades à transmettre au

« gouvernement ». D'une élégance exceptionnelle, ces Chergari sont grands, ils ont le teint noir comme du chocolat, le visage mince, les traits longs et les cheveux raides. Comme à Fushë-Krujë, ils ignorent tout du vaste monde des Gitans, et même des autres groupes présents en Albanie (ils sont stupéfaits lorsque Jeta, petite et basanée, leur parle en romani. De son côté, elle est abasourdie lorsqu'ils la comprennent). Les Chergari ne connaissent guère mieux leur propre histoire, dont ils ne peuvent rien dire (leur nom signifie « habitants des tentes », même s'ils ne vivent plus sous la tente depuis longtemps). Leur condition actuelle est vite résumée : comme il n'y a pas de travail, ils se nourrissent des œufs de leurs canards et de leurs poules, auxquels s'ajoutent les tournesols et les abricots qui poussent alentour.

Quand nous quittons Yzberish, une vieille femme, si maigre que ses pommettes saillantes semblent traverser son visage, s'accroche à ma manche. Elle veut me montrer quelque chose. Elle fouille dans la poche de son tablier et me présente un vieux lambeau de papier blanc, de la taille d'un emballage de chewing-gum, mais tellement plié qu'il ne paraît pas plus grand qu'un ongle. Les autres sont déjà dans la voiture, mais j'attends tandis qu'elle le déplie d'une main tremblante. Elle le tient tout près de mes yeux, et je ne vois rien, à part peut-être une infime trace de saleté. Je prends le papier et je le retourne. Rien sur l'envers, excepté les marques de crasse. Déçue, elle le récupère, le replie en hâte et le remet tout au fond de sa poche.

Qu'y a-t-il donc que je n'ai pas su voir ? Elle affirme que sur ce morceau de papier est inscrit le numéro de téléphone d'un de ses fils, réfugié en Italie. Cela a dû être vrai il y a longtemps, mais les chiffres griffonnés au crayon ont disparu avec l'usure. Etant vraisemblablement illettrée, elle est incapable de *lire* l'inscription, qu'elle a toujours considérée comme un message abstrait. En tout cas, je suis sûre qu'elle y voit toujours ce numéro de téléphone. *« Te xav ka to biav ! »* me lance la vieille tandis que je remonte dans la voiture : « Puissé-je manger à ton mariage ! »

Je me sens au bord des larmes quand nous partons ; je voudrais retourner à Tirana. Mais nous poursuivons notre longue route jusqu'à Mbrostar. Les paysages sont vides. Au milieu de nulle part, nous passons devant un panneau neuf, portant un slogan rédigé dans une langue ancienne : « La démocratie est une lutte pour le progrès, pas une force de déstabilisation et de destruction. »

Les Albanais vivent dans un pays fantôme : fermes abandonnées, champs délaissés, hangars effondrés aux fenêtres aveugles, villes oubliées. Sur des kilomètres, les tournesols fleurissent et se fanent inutilement tandis que tout le monde se précipite en ville pour acheter l'huile de tournesol envoyée par le gouvernement italien, qui a fini par échouer sur le marché noir de Tirana. Dans la campagne, on voit des chèvres, mais pas un seul être humain, comme si tout cet espace avait été évacué, idée que rend d'autant plus plausible la présence de blockhaus éparpillés.

Depuis la fin du communisme, ce n'est pas seulement le rapatriement des candidats à l'émigration qui confirme les Albanais dans leur conviction que le monde extérieur leur est essentiellement hostile. Les milliers d'affreux dômes en béton qui décorent tout le paysage albanais le rappellent. Ces étranges igloos, qu'on rencontre non seulement sur la côte et le long des routes principales, mais aussi, de manière inexplicable, dans les champs les plus reculés, étaient une idée d'Enver Hodja. Le dictateur avait su détourner les Albanais de leurs haines tribales en les unissant dans la haine des étrangers, qui étaient autant d'envahisseurs en puissance. Les bunkers ont l'air tout à fait ridicules, mais le massacre des musulmans en Bosnie voisine (les Albanais, en majorité musulmans, ne s'en émeuvent guère) justifie en partie leur présence. Pourtant, avec un humour typiquement albanais, les dômes sont si minuscules que seuls des soldats de plomb, ou des enfants pourraient s'y abriter. Dans les villes, ces édifices servent de toilettes publiques ; ici, sous le soleil d'été, ils offrent peut-être une ombre recherchée.

Je m'étonne du désir de voir ce « frère » qui semble démanger Bexhet. Durant mes premiers jours chez les Duka, O Babo m'a dit qu'il avait jadis eu un frère, qui était mort, et il a plusieurs fois répété cette histoire. Lorsqu'il était bébé, Bexhet était toujours malade, alors que son *binak*, son frère jumeau, se portait comme un charme, engraissait et grandissait. Un jour, sa mère était partie en ville et, ne voulant laisser seul ni l'un ni l'autre, elle avait emmené les deux bébés. En route, elle avait rencontré une paysanne sans enfants qui, la voyant pourvue de jumeaux, lui avait demandé de lui donner le plus robuste des deux. Bien entendu, la mère lui avait dit d'aller au diable, et la paysanne avait jeté le « mauvais œil » sur le frère de Bexhet. Deux jours après, il était mort.

Mais rappeler cette histoire à Bexhet, c'est le réduire à verser des sanglots bruyants à l'idée de la malédiction qui pèse sur sa famille. Bien qu'il la raconte comme une fable, sur un ton larmoyant, Bexhet a vraiment l'air d'y croire. Ce qui donne sa force à cette histoire, c'est qu'elle reflète bien l'opinion de son peuple sur les paysans parmi lesquels ils vivent. On y retrouve le mythe *gadjo* typique sur les Gitans et leurs malédictions ; des deux côtés, la preuve incontestable des mauvaises intentions est ce même désir de voler les enfants de l'autre.

Il est clair qu'Aziz Cici (prononcer « tchitchi »), à qui nous rendons visite à Mbrostar, n'est pas un frère mais un cousin ; Bexhet utilise ce terme par solidarité. Cette camaraderie, et même l'histoire des jumeaux séparés, tout s'explique lorsque est révélée la raison de notre visite : Aziz Cici a assassiné un *gadjo* et son procès aura lieu la semaine prochaine.

La tristesse de tout ce que nous avons vu depuis le début de la journée suffirait à réduire au silence l'assistante sociale la plus zélée ; c'est la misère anonyme des contrées les plus pauvres au monde, un univers toujours peuplé principalement d'enfants. A Mbrostar, la tragédie prend en outre une dimension raciale : un crime a été déformé, aggravé par la tension qui règne entre le groupe et la communauté blanche, plus nombreuse, qui l'entoure. Cela montre aussi à quel point les Gitans desservent systématiquement leur propre cause, du point de vue *gadjo*.

Nous franchissons le plus grand pont d'Albanie, pont suspendu reproduit sur les billets de dix leks. Non loin de là, nous trouvons la maison d'Aziz Cici, bâtisse blanche à trois pièces, qui surplombe une voie ferrée. Il n'y a personne. Les pièces ensoleillées sont nues, et seules quelques chaises brisées suggèrent une présence humaine. Quelques chaises brisées et une lugubre voix de femme : derrière, face à une fenêtre ouverte, une vieille femme nous tourne le dos, agenouillée, vacillant dans une sorte de transe par laquelle son corps exprime son chant plaintif et comme désincarné. Elle s'adresse au *mulo*, à l'esprit des morts. Serions-nous arrivés trop tard ?

Dans la maison voisine, une famille de Tziganes qui connaît Bexhet nous accueille avec soulagement et nous incite vivement à entrer. Il serait facile de surestimer le nombre de gens entassés dans cette petite maison. Comme d'habitude, une kyrielle d'enfants écrasent leur visage contre la fenêtre ; selon une habitude embarrassante, nos hôtes nous serrent la main à l'extérieur de la maison, puis de nouveau à l'intérieur. « Dieu bénisse vos jambes », me dit le mari, en me prenant la main comme pour l'embrasser. Je souris timidement et je lance un regard vers Marcel ; une fois assis (tous les cinq en rang, sur un lit d'enfant), Marcel développe : « Dieu bénisse vos jambes pour vous avoir amenée ici. »

Le mort, Fatos Gremi, était un voleur bien connu et un ivrogne méprisé ; pourtant, depuis l'incident survenu il y a trois mois, la communauté, jadis bien intégrée, s'est irrémédiablement divisée en deux camps. Toute la population rom a été ostracisée. Personne ne peut plus acheter de nourriture au magasin local ; ils ont peur de sortir quand il fait noir. On étouffe dans cette pièce remplie d'amis du pauvre Aziz, qui sont tous d'accord dans leur façon de décrire les événements. Mais cette grande famille de Mechkari n'a pas besoin d'être exclue pour avoir le sentiment de l'être : les proches parents d'Aziz, et le cercle plus large de ses cousins et connaissances partagent sa honte. Eux aussi sont considérés comme *mahrime*. La sœur d'Aziz, par exemple, habite le village, mais elle ne participe pas à la discussion, et Bexhet n'a pas l'intention d'aller la voir ; c'est aussi sa cousine mais, pour le moment, elle est aussi contaminée que son frère.

Que s'est-il réellement produit ? C'est le sujet du procès à venir, mais cela ne suscite que confusion et indifférence parmi les intervenants du débat. Gremi, ivre, est censé avoir lancé des cailloux dans la fenêtre d'Aziz en pleine nuit (à 19h selon l'un, à minuit selon l'autre, juste avant l'aube selon un troisième). Effrayé, Aziz aurait alors couru vers la porte (dans la pièce bondée, un ami nous offre une pantomime des faits, malgré le manque de place) et aurait tiré dans le noir, ce qui n'est peut-être pas si rare de nos jours en Albanie. Mais la balle a atteint Fatos Gremi qui en est mort. Encore plus effrayé, Aziz a traîné le corps à l'intérieur de la maison.

Puis il a été pris de panique. Cette nuit-là (ou le lendemain matin, ou plusieurs jours après), avec sa femme, il a cousu Gremi dans un sac en toile d'emballage et l'a chargé dans le coffre de sa voiture ; il est allé au pont des Billets, a rempli le sac de pierres et l'a jeté par-dessus bord. Mais la rivière était à sec ; le lendemain matin, on a découvert que Fatos Gremi avait été assassiné et qu'Aziz Cici était un assassin.

Aucun des amis rassemblés ne tente de nier le crime, aucun ne s'interroge sur la signification de ses actes après coup (il s'est aussitôt enfui vers la ville de Pluk). Ils préfèrent consacrer leur énergie à imaginer diverses versions de la chronologie des événements ; ils s'interrompent sans cesse et chacun veut faire mieux que l'autre, comme pour dire : « Attendez, qu'est-ce que vous dites de celle-ci ? »

Très vite, je suis convaincue qu'ils mentent tous. Et ils le font par plaisir. Puis je commence à comprendre. Ils n'ont aucune notion du temps (et ne se soucient guère de détails comme l'impossibilité de s'enfuir dans le noir à cinq heures de l'après-midi, un jour d'été). Mais surtout, ils ne font absolument pas intervenir la mémoire dans leur reconstitution des faits. Ils préfèrent raconter l'histoire telle qu'ils la ressentent à cet instant. Sous nos yeux, comme pour la première fois, ils se plongent dans le drame et retrouvent les émotions qui conviennent à un acte aussi terrible. Pour eux, la version la plus authentique, la version gagnante, sera la plus convaincante, la plus haute en couleur. Ils vivent dans un présent héroïque.

Cette impression se confirme lorsque Marcel tente de leur expliquer ce que signifie « faire appel » ; il serait possible que des observateurs internationaux considèrent le cas d'Aziz d'un œil favorable lors du procès (dans une semaine à peine). Au milieu de ces explications exceptionnellement claires, un poulet apparaît dans l'espace étroit qui séparent nos doigts de pieds de ceux des amis, assis en face, sur des chaises. Tous les Tziganes se mettent à glousser comme des enfants, comme si quelqu'un avait fait un pet durant le sermon à l'église. Puis, avec un sérieux profond et bruyant, ils se mettent tous à parler du poulet : d'où il vient, à qui il appartient. Faut-il le mettre à cuire avant qu'on vienne le réclamer ? Ces taches sur le bec sont-elles la marque d'une maladie dont quelqu'un se met à décrire les ravages avec jubilation, tandis qu'un autre explique avec une précision de guide touristique que « la peste des poulets » s'est répandue dans plusieurs villes et villages avant d'arriver à Mbrostar. Le pauvre Aziz a disparu de la conversation.

La communication fragmentée et l'approche naturellement théâtrale de sujets graves sont la norme chez tous les Gitans : c'est leur énergie qui les rend séduisants, mais c'est aussi ce qui fait d'eux des voisins difficiles. Selon Marcel, ils sont incapables d'établir des priorités. En fait, leurs priorités sont simplement différentes : ils accordent un même intérêt à tous les événements, mais l'instant présent passe avant tout. Ni le procès d'Aziz, ni le poulet égaré ne peuvent les occuper durablement. Ils s'intéressent surtout aux incidents et aux individus dotés des plus fortes possibilités dramatiques, que l'imagination peut prolonger et enrichir à l'infini ; c'est une forme de mémoire.

Epuisés, impatients de partir, nous nous laissons pourtant convaincre qu'il est trop tard pour traverser la campagne obscure et pour reprendre la route non éclairée qui mène vers Tirana à travers les montagnes. Nous restons donc, nous mangeons un délicieux poulet et nous passons une nuit agitée sur des matelas étalés dans la maison du condamné. Bexhet dort dehors, car il ne veut pas s'attarder dans un lieu qui porte malheur. Il s'avère que sa sollicitude n'avait rien à voir avec Aziz Cici mais avec la mère du meurtrier, la vieille femme que nous avons vue entonner son chant funèbre. C'est la femme la plus âgée de la famille et de la communauté tzigane de Mbrostar et, en tant que telle, elle jouit d'une autorité considérable. Pour tout ce qui concerne la mort et les esprits, elle a même plus d'autorité que son mari, plus âgé encore.

Les Tziganes de Mbrostar, comme la plupart des Gitans, craignent les *mule*. On a l'impression que les hommes commandent, et l'autorité leur appartient en effet dans le domaine laïque (ils choisissent la punition destinée aux membres fautifs, ils traitent avec les autorités *gadjo*), mais ce sont les femmes qui possèdent les pouvoirs les plus obscurs et les plus impressionnants. Leur légitimité réside dans la connaissance des esprits et de la médecine traditionnelle, et surtout dans leur capacité à polluer les hommes. La mort, autorité suprême, est un homme, comme l'a signalé Anne Sutherland, mais seule une femme peut lui faire peur et le chasser.

Ce ne sont pourtant pas uniquement les esprits qui inquiètent. Une femme peut « polluer » un homme simplement en lui jetant ses jupes par-dessus la tête, ou même en menaçant de le faire, ce qui rendrait le témoin impur et l'obligerait à se purifier avant de pouvoir fréquenter d'autres Gitans. La femme a ce pouvoir parce qu'elle est *mahrime* par nature, si elle est mariée, c'est-à-dire sexuellement active. Elle doit prendre de grandes précautions pour ne pas risquer de contaminer les autres. Ces codes de pureté sont le véritable langage universel des Gitans, compris à défaut d'être toujours respectés dans toutes les régions et tous les dialectes.

Les vieilles femmes sont peut-être les mieux placées dans la société gitane. En tant que femmes, elles sont investies de pouvoirs mystiques. Mais parce qu'elles sont vieilles, leur sexualité n'est pas une menace, et elles cessent d'avoir à respecter les rituels de pureté ; elles peuvent manger et fumer avec les hommes. Au contraire des femmes d'Occident, qui souffrent de dépression à la ménopause lorsque leur séduction physique décline, les Gitanes d'un certain âge gagnent en statut. En devenant physiquement plus proches des hommes, elles surmontent l'infériorité sociale de leur sexe. Les personnes âgées sont généralement très respectées parmi les Gitans et, pour leur expérience et leur savoir, les vieilles Gitanes, en Albanie comme en Amérique, ont souvent leur mot à dire dans les affaires temporelles.

Je ne sais pas trop pourquoi la mère d'Aziz chante son hymne funèbre (en tout cas, elle ne chante pas pour Fatos Gremi). C'est peut-être par superstition : les gens que la mort ou le déshonneur (comme celui d'Aziz) a privés du respect dû à l'âge risquent de devenir des esprits malfaisants. Comme toute mère, elle essaye d'arranger les affaires de son fils. Quoi qu'il en soit, Bexhet se tient soigneusement à l'écart de la *puri daj*, la vieille mère d'Aziz.

Jeta n'est jamais restée si longtemps absente de Kinostudio, et elle a envie de se mettre en route de bonne heure. Il fait encore nuit lorsque nous partons, à travers d'incroyables montagnes crayeuses et des passes vertigineuses qu'il vaut mieux ne pas trop regarder. Je dors, puis je feins le sommeil, pour qu'on me laisse tranquille. A la sortie de Tirana, la route principale cesse d'être goudronnée lorsqu'on entre dans Kinostudio ; les nids-de-poule familiers me disent que nous arrivons. La voiture balance au gré des dénivellations, et les cinq passagers rebondissent sans joie sur les sièges collants. Puis tout à coup nous nous arrêtons, la voiture mord la poussière. Nous sommes bloqués à un angle de 30°, par 35° à l'ombre, en plein embouteillage.

Quand la poussière retombe, elle découvre une scène pharaonique : une douzaine d'hommes, torse nu, soulèvent l'énorme câble torsadé d'une grande poulie. Une carcasse de cheval est suspendue par une grande lanière de cuir au point d'interrogation renversé que forme le crochet en fer forgé. Le cheval glisse, ses jambes restent coincées dans la lanière, ses fanons figés dans une sinistre attitude de prière. Puis l'animal mort tombe à terre, les yeux ouverts, des yeux bleus, embrumés par la cataracte ; il est plus lourd, plus attaché au sol que de son vivant.

Le cheval est encore luisant de sueur ; des zones entières de sa robe sont hérissées, comme du velours brossé à rebrousse-poil. Des centaines de mouches bourdonnent et plongent à tout hasard. Sur la route, une dépression sombre et peu profonde a dû être creusée par le cheval lors de son ultime combat.

Certains hommes se tiennent à l'écart et rafraîchissent leurs paumes brûlées par le câble. Une nouvelle équipe s'est formée de chaque côté de l'animal encombrant ; la moitié pousse les hanches osseuses, l'autre moitié tire les jambes raides et maigres. Je ne vois aucune blessure, mais leurs mains et leur poitrine sont maculées de sang noir. Des enfants accourent du voisinage, munis d'autres outils, planches, pelles ou brouette. Finalement, la poulie est soulevée, hissée, montée aussi haut que possible, et le grand cadavre couvert de mouches est jeté dans une carriole. De ma place, je ne vois pas les hommes qui l'accueillent, je ne vois qu'une rangée de poings qui agrippent la crinière.

Ce soir et les jours qui suivent, il n'est plus question du cheval. Dans un geste de prévention tacite mais claire, Jeta a coupé court à mes questions ; non parce que l'animal a eu une mort sinistre, mais par respect pour un animal honoré.

Quelques jours avant de quitter les Duka et l'Albanie, Nicu, Dritta et leurs enfants déménagent : leur nouvel appartement est prêt. Pendant un après-midi, Dritta, tout enthousiaste, pilote tous les enfants et les frères dans un convoi à double sens, elle déballe des paquets en chemin s'ils deviennent trop lourds pour les frêles épaules qui les portent. Nicu et Nuzi enlèvent les divans polonais. Liliana est chargée de la table peinte. Dritta rayonne aux yeux des badauds. Avoir un chez-soi : c'est le plus grand jour de leur vie.

Bien sûr, Dritta n'est plus une *bori* : elle devient vraiment une *romni*, une épouse. Cela n'arrive normalement que lorsqu'on a une *bori* sous ses ordres ; ce sera le cas dans quelques années, quand Djivan épousera la petite-fille de Berat. Mais Dritta a saisi l'occasion, car il était temps de partir.

A la maison, les *boria* qui restent feignent l'indifférence et reprennent leurs tâches habituelles. Dritta a libéré une grande chambre où Viollca et Nuzi emménageront bientôt. Mais ils sont sous le choc : la cour va devenir beaucoup plus calme. Bexhet garde le silence, il astique sa bicyclette. Jeta, incapable de se mettre à ses occupations routinières, s'invente des missions imaginaires. Il ne lui incombe pas d'aller chercher l'eau au puits commun, mais c'est là que je la vois, perchée sur le rebord, une main par-dessus les yeux et l'autre suivant Dritta et Nicu qui font leur dernier trajet autour du virage bien connu, transportant à deux un four d'Istanbul contenant le précieux oranger en plastique de Dritta. Les yeux humides et le seau vide, Jeta revient à la maison en criant *nash !* (« conne ! ») à l'une des poules qui traînent dans la cour.

2

Hindoupen

« Dis-moi, d'où viennent les Gitans ? » demande-t-il. Sur un chiffon de papier slovaque, je trace une carte de pirate et j'esquisse le parcours emprunté par les Gitans lors de leur exode hors de l'Inde il y a un millier d'années. « Et nous sommes ici. » Je dessine un X sur la carte, juste à gauche du centre. Ce X, c'est la pièce unique qui forme la maison de Geza Kampuš, à mi-hauteur de la grand-rue anonyme du quartier tzigane de Krompachy, dans l'est de la Slovaquie, au sud de la Pologne, à l'ouest de la frontière ukrainienne, tout près de la Transylvanie roumaine, et qui faisait encore partie de la Hongrie il y a quelques générations. Nous sommes en plein cœur de la Mitteleuropa, région du monde d'où les gens viennent (Robert Maxwell, beaucoup de Gitans américains, les parents d'Andy Warhol, ma grand-mère) plutôt que destination de voyage. Krompachy, jadis siège d'une usine de cuivre où travaillait Geza, ne figure dans aucun guide touristique. J'y suis depuis déjà quinze jours, mais j'hésite avant de tracer mon X. Curieusement, le fréquent bouleversement des frontières fait que seules les étendues d'eau paraissent solides dans la géographie imaginaire. Les pays et les capitales ne correspondent pas à la carte politique imaginaire (la Pologne a la même taille que l'Allemagne ; Prague est à l'*ouest* de Vienne). Je dessine les frontières de l'Europe centrale telles qu'elles sont aujourd'hui ; je laisse le reste de la carte, la route de la migration, dans les formes vagues d'un passé lointain.

La migration gitane a été comparée à une arête de poisson étalée par-dessus la carte de l'Europe. Si l'on inclut chaque groupe, réel ou supposé, parti dans sa propre direction, on obtient peut-être cette forme. Mais j'essaye de rester simple, avec deux lignes principales qui indiquent le parcours : de l'Inde vers la Perse et l'Arménie, puis une fourche, d'une part vers la Syrie et ce qui allait devenir l'Iraq, d'autre part vers la Grèce byzantine, les Balkans, l'Europe occidentale et le Nouveau Monde. En maintenant un doigt sur le X, je tourne la carte vers Geza. Il l'observe, lève les yeux et sourit, d'un air compatissant mais ferme.

« Ça ne marche pas, dit-il en découvrant quatre ou cinq dents parfaitement blanches. Je suis désolé, mais ça ne peut pas être vrai. »

On devine les origines indiennes de Geza. Si on le voyait dans un autobus à Bombay ou dans le métro de Londres, on n'hésiterait pas : peau sombre, silhouette frêle et bien proportionnée, cheveux noirs et raides, yeux en amande, c'est l'archétype de l'Indien. Même s'il n'a jamais entendu parler de l'Inde, comme je le soupçonne, Geza a dû remarquer qu'il ne ressemble pas à ses voisins slovaques, grands, blancs, aux épaules arrondies, avec leurs yeux gris, leurs dents jaunes et leur moustache décolorée par le tabac. Mais Geza se sent tellement bien dans sa peau qu'il ne pense pas instinctivement que ce pays est *leur* pays.

« Alors, qu'est-ce qui s'est passé, d'après toi ? » Je retourne la carte. « Les Gitans viennent d'où, à ton avis ? »

Geza lève les mains au ciel, écarquille les yeux et fait la moue ; il réfléchit. Après un moment, il retrouve son sourire.

« De Krompachy ? » Il hausse les épaules. « Je ne sais pas. Je pense que nous venons de Krompachy.

— Et toi, d'où viens-tu ? me demande l'une de ses filles, qui a suivi notre conversation.

— D'Amérique. » Et elle réplique :

« Ah oui, j'y suis allée.

— Vraiment ?

— Oui, c'est tout près de Michalovce. » Il s'agit d'une ville située à quarante kilomètres de Krompachy.

Geza m'a peut-être interrogée sur les origines de son peuple pour engager la conversation. Je n'ai guère rencontré de Gitans qui s'intéressent à ces questions ; pour beaucoup, l'histoire ancienne se résume aux souvenirs les plus lointains des plus âgés d'entre eux. Mais au cours de mes voyages, je pense souvent à Geza et je le croise régulièrement. En quatre ans, j'ai rencontré les communautés tziganes de l'ex-bloc soviétique, en Albanie, mais aussi en Pologne, en Bulgarie, en Tchécoslovaquie, en Yougoslavie, en Roumanie, en Moldavie et en Allemagne. Que les Gitans parlent ou non d'identité nationale ou ethnique, ils sont entourés en Europe de l'Est par des gens qui n'ont apparemment que ça à la bouche. Et ce désintérêt les distingue, même s'ils en ont à peine conscience. J'en suis arrivée à croire que c'est un attribut qui définit l'identité gitane. Si vous êtes incapable de dire d'où vous venez, vous n'êtes personne, et les autres peuvent dire ce qu'ils veulent sur votre compte.

Mais Geza a fait une bonne réponse : on peut être chez soi n'importe où, partout. Les origines n'ont peut-être pas grande importance. Avec leur présence quasi mythique, ce sont des gens qui ont toujours été là mais qui ont toujours dû recommencer, où qu'ils soient. Et avant d'arriver là, ils ont toujours dû faire un voyage long et pénible.

L'origine indienne des Gitans est connue des savants depuis le XVIIIe siècle, lorsque quelques linguistes européens s'intéressèrent à ces individus qui parlaient une langue orientale. Istvan Vali, pasteur hongrois, fit le lien en 1753, durant une année passée à l'université de Leyde. Vali avait rencontré et interrogé trois étudiants venus de Malabar, sur la côte sud-ouest de l'Inde. Grâce à eux, il établit un lexique d'un millier de mots (cette liste a disparu) et lorsqu'il rentra dans son pays, il découvrit que la population gitane comprenait ces termes.

Mais durant la moitié de cette migration millénaire, on trouve à peine une mention utile des Gitans, et ils n'ont laissé eux-mêmes aucun témoignage. La peau sombre ne désignait pas l'Inde comme patrie d'origine dans l'esprit de ces premiers chroniqueurs qui s'interrogeaient sur les Gitans, même s'ils pensaient régulièrement à des pays orientaux et « exotiques ». Depuis leur première apparition dans un livre — dans l'*Histoire des rois de la terre* du Persan Hamza al-Isfahani, en 950 —, les Gitans ont reçu beaucoup d'appellations, presque toutes insultantes : Tartares, païens, Sarrasins, Grecs, Turcs, Juifs, Jats ; Athingani, Atzinganoi, Romiti, Bohémiens, « ces fous qu'on nomme Bohémiens grecs », le peuple du Pharaon, Egyptiens, Luri, Zingari, Zigeuner, Zotts.

Dans son livre de 1783, *Die Zigeuner* (traduit en français en 1787, puis en 1810 sous le titre *Histoire des Bohémiens*), Heinrich Grellmann, de l'université de Göttingen, faisait le bilan sur la confusion qui régnait sur les origines de ce peuple.

Un grand nombre de conjectures ont été mises en avant, et l'on a cherché à faire coïncider plusieurs faits disparates pour parvenir à la solution de ces questions. Quelques-uns ne se sont arrêtés qu'à tel ou tel nom donné aux Bohémiens, sans avoir songé à d'autres circonstances ; de sorte que d'après la dénomination de *Cingani*, ils les ont fait descendre directement des hérétiques grecs appelés *Athingans* ; tandis que d'autres les font venir d'une province d'Afrique, connue autrefois sous le nom de *Zeugitane*. Il y en a encore qui supposent que ce sont des fugitifs chassés de *Singara*, ville de la Mésopotamie, par Julien l'Apostat ; d'autres les placent sur le mont Caucase, en leur donnant pour ancêtres les *Ziches*. [...] Mais un autre encore dit que la Mauritanie doit être leur pays natal ; et pour fortifier cette opinion par un nom, les appelle *Enfans de Chus* ; [...]

Quelques personnes se sont imaginé avoir entendu dire que les Bohémiens s'appeloient Mores entre eux, et qu'ils se servoient souvent du mot *amori* (non *amori*, mais *discha-more*, c'est-à-dire sors d'ici maraud) ; et de là ils ont conclu que c'étoient des *Amorites*. [...]

De là est venue l'idée d'en faire tantôt des torlaques [les torlaques sont des moines mahométans qui, sous le voile de la sainteté, commettent les plus grands excès], des fakirs ou des calenders ; tantôt les restes des Huns d'Attila, tantôt encore les Avares que soumit Charlemagne ; d'autres fois des Petschenegers, qui cessèrent d'exister au douzième siècle ; ou finalement un ramas de bandits de plusieurs nations qui, pris collectivement, n'avoient point de patrie déterminée, ainsi que l'indique la dénomination de *Zigeuner*, qui signifie errer çà et là ; c'est pourquoi les anciens Allemands donnoient à tout vagabond le nom de *Ziehegan*.

Grellmann n'était pas le seul à établir un lien avec l'Inde, mais il fut le premier à appliquer une analyse philologique rigoureuse à la question des origines, ouvrant la voie à la nouvelle science qu'un historien a nommée « paléontologie linguistique ». En quinze pages, Grellmann propose un catalogue de mots bohémiens, chacun étant comparé à son équivalent « hindou » et « françois » ; il établit un taux de synonymie de un sur trois, ce qui dissipe définitivement tout doute quant à la provenance des Gitans d'Europe.

Puis, comme pour rendre la théorie des origines exotiques plus attrayante, Grellmann contribua également à fixer certains stéréotypes : femmes légères, mangeurs de charogne, et même « amateurs de chair humaine », calomnie qu'il faudrait plus d'un siècle pour anéantir. Dans *Die Zigeuner*, il accorde beaucoup de place aux événements survenus l'année précédente (1782) dans la région de Hont, alors située en Hongrie, aujourd'hui en Slovaquie. Sur plus de cent cinquante Tziganes, quarante et un furent torturés pour qu'ils avouent leur cannibalisme. Quinze hommes furent pendus, six furent brisés sur la roue, deux furent écartelés et dix-huit femmes furent décapitées, avant qu'une enquête ordonnée par l'empereur Joseph II révèle que toutes leurs victimes prétendues étaient encore vivantes.

Mais le reproche de cannibalisme devait perdurer : en 1929 encore, en Slovaquie, une bande de voleurs tziganes fut soupçonnée de dévorer ses victimes, et même si cette accusation fut abandonnée, elle continua pendant plusieurs semaines à faire la une des journaux à sensation.

Toute spéculation par les *gadje* sur la patrie des Gitans prenait principalement la forme d'exégèse biblique, de ces interprétations auxquelles les Ecritures semblent se prêter à l'infini. On put ainsi affirmer que les Gitans étaient les descendants maudits de Caïn, condamnés à errer à la surface de la terre (dans les langues sémitiques, hébreu, araméen et autres, *cain* signifie « forgeron », la profession avec laquelle on associe le plus fréquemment les Gitans). « Quand vous l'aurez cultivée, elle ne vous rendra point son fruit. Vous serez fugitif et vagabond sur la terre » (Genèse 4, 12). Ce texte a été utilisé pour expliquer que les Gitans ne se soient jamais beaucoup attachés à cultiver la terre, ce qu'ils désignent (non sans ruse) comme leur « malédiction ». De nos jours, les discours des leaders gitans se terminent souvent par une allusion à la malédiction biblique à l'encontre de leur peuple. Mais ces « preuves » révèlent surtout combien il est regrettable que les Gitans n'aient pas leurs propres Ecritures, même si une autre légende atteste de leur existence. Je n'ai rien entendu de tel en Albanie mais, selon un récit venu de Bulgarie, lorsque Dieu remit aux hommes les différentes religions, les Gitans transcrivirent la leur sur des feuilles de chou, qui furent bientôt grignotées par un âne. Une autre histoire curieuse de blasphème alimentaire vient de Roumanie : les Gitans avaient construit une église en pierre et les Roumains avaient bâti une église en jambon. A force de marchandages, les Gitans parvinrent à obtenir un échange, et ils eurent tôt fait de dévorer leur église. La version serbe parle d'une église en fromage, et explique pourquoi les Gitans mendient : s'ils vont de porte en porte demander de l'argent, c'est parce que les Serbes ne leur ont jamais payé leur église, et les mendiants ne font que collecter ce qui leur est dû.

Les Gitans n'ont pas de héros. Ils n'ont pas de mythe de libération, de fondation d'une « nation », de terre promise. Ils n'ont ni Romulus ni Remus, ni Enée errant et guerroyant. Ils n'ont ni monuments ni sanctuaires, ni hymne, ni ruines. Ni Ecritures. A part une centaine de mots et d'expressions notés par trois non-Gitans au XVIe siècle, il n'existe aucune trace du romani d'autrefois. Mais ils ont des mythes sur leurs ancêtres et leurs migrations. Ou du moins, on leur attribue de tels mythes.

Comme dans beaucoup de nations, les contes gitans retracent leur lignée jusqu'à la Bible, mais de façon assez peu glorieuse. S'ils furent condamnés à l'errance, c'est pour avoir refusé d'accueillir Joseph et Marie lors de la fuite en Egypte, pour avoir conseillé à Judas de trahir le Christ, pour avoir participé au Massacre des Innocents à Bethléem (tuer les bébés reste le crime suprême lorsqu'on calomnie un groupe haïssable ; les juifs et les gnostiques en furent également accusés), pour avoir forgé les clous de la Crucifixion. Ces contes furent propagés par les Gitans eux-mêmes, peut-être pour renforcer le mythe d'une patrie égyptienne qui put sembler d'abord bien utile.

Le récit qu'on va lire fut transcrit par Konrad Bercovici dans les années 1920, en Macédoine. La traduction ne reflète pas particulièrement l'art des conteurs gitans, mais je veux le citer ici intégralement. Pendant une bonne partie de l'histoire, aucun Gitan n'apparaît (et à la fin, il ne s'agit que d'un personnage ajouté après coup, hors des portes de Jérusalem) mais c'est peut-être, sous ses diverses formes, la plus connue des antiques légendes, et la seule que reconnaissent parfois les Gitans que j'ai rencontrés.

Quand Yeshua ben Miriam, que le monde appela ensuite Jésus, fut confié aux gardiens de prison romains pour qu'ils le crucifient, parce qu'il avait dit du mal de l'Empereur de Rome, deux soldats furent envoyés chercher quatre gros clous. Pour chaque homme à crucifier, les soldats recevaient 80 kreutzers pour acheter des clous à un forgeron. Et donc, quand ces soldats reçurent leurs 80 kreutzers pour acheter des clous, ils s'arrêtèrent d'abord dans une auberge et dépensèrent la moitié des pièces à boire le vin doux-amer que les Grecs vendaient alors à Jérusalem. L'après-midi était déjà avancé lorsqu'ils se souvinrent des clous, et ils devaient rentrer à la caserne avant la tombée de la nuit. [...]

Bientôt ils sortirent en hâte de l'auberge, pas tout à fait sobres, et en arrivant chez le premier forgeron, ils lui dirent d'une voix forte, pour l'effrayer et le forcer ainsi à accomplir la tâche même s'il n'y avait pas assez d'argent pour payer le fer et le travail :

« Homme, nous voulons quatre gros clous tout de suite, pour crucifier Yeshua ben Miriam [...]. »

Le forgeron était un vieux juif qui avait vu le long visage pâle et les yeux brun clair de Yeshua ben Miriam, le jour où celui-ci avait regardé dans son échoppe. L'homme sortit donc de derrière la forge où il travaillait, et dit :

« Je ne forgerai pas de clous pour crucifier Yeshua ben Miriam. »

Alors, l'un des soldats présenta les 40 kreutzers et hurla :

« Voici l'argent pour les payer. Nous parlons au nom de l'Empereur ! » Et ils approchèrent leurs lances de l'homme [...]. Les soldats le transpercèrent avec leurs lances après avoir mis le feu à sa barbe.

Le forgeron suivant habitait un peu plus loin. L'après-midi avançait lorsqu'ils arrivèrent chez lui, et ils dirent à l'homme :

« Fabrique-nous quatre gros clous et nous te payerons 40 kreutzers.

— Pour ce prix-là, je ne peux forger que quatre petits clous. J'ai une femme et des enfants.

— Juif, crièrent les soldats, fais-nous ces clous et tais-toi ! » Puis ils mirent le feu à sa barbe.

Terrifié, le juif alla à la forge et se mit à fabriquer les clous. L'un des soldats, qui essayait de l'aider, se pencha et dit :

« Fais-les solides et robustes, juif ; car à l'aube nous crucifions Yeshua ben Miriam. »

Quand ce nom fut prononcé, la main du juif resta suspendue en l'air avec le marteau. [...] « Je ne peux pas forger les clous avec lesquels vous voulez crucifier Yeshua ben Miriam », s'exclama le juif, avant de se redresser de toute sa hauteur. « Je ne peux pas, je ne peux pas. »

Furieux, ivres, les deux soldats le transpercèrent avec leurs lances à plusieurs reprises.

Le soleil se couchait derrière les collines et les soldats étaient très pressés. Ils coururent jusqu'à un troisième forgeron, un Syrien. Quand ils entrèrent dans la boutique, il s'apprêtait à arrêter de travailler pour la journée. Leurs lances étaient encore sanglantes lorsqu'ils arrivèrent chez lui :

« Khalil, fabrique-nous quatre gros clous, et voici 40 kreutzers pour les payer. Et dépêche-toi ! »

Le Syrien regarda les lances sanglantes et retourna à son soufflet. [...] L'homme détourna son marteau. Et lui aussi, les soldats le transpercèrent avec leurs lances.

Quand j'essaye de raconter cette histoire à des Gitans de Macédoine, ils me corrigent à ce moment-là : « Khalil » est albanais, bien sûr, et en Bulgarie, il s'appelle Todor, comme Todor Jivkov, l'ex-dictateur.

Si les soldats n'avaient pas bu la moitié des 80 kreutzers, ils auraient pu retourner à la caserne et raconter ce qui s'était passé, et ils auraient ainsi sauvé la vie de Yeshua. Mais il leur manquait 40 kreutzers, donc ils coururent jusqu'aux portes de Jérusalem ; à l'extérieur de la ville, ils rencontrèrent un Gitan qui venait de planter sa tente, et ils présentèrent les 40 kreutzers.

Le Gitan empocha d'abord l'argent, puis se mit au travail. Quand le premier clou fut fini, les soldats le mirent dans un sac. Quand le Gitan eut fait un autre clou, ils le mirent dans le sac. Quand le Gitan eut fabriqué le troisième clou, ils le mirent dans un sac. Quand le Gitan commença à forger le quatrième clou, l'un des soldats dit :

« Merci, Gitan. Avec ces clous nous allons crucifier Yeshua ben Miriam. »

A peine avait-il fini de parler que la voix tremblante des trois autres forgerons qui avaient été tués se mit à supplier le Gitan de ne pas faire les clous. La nuit tombait. Les soldats avaient tellement peur qu'ils s'enfuirent avant que le Gitan n'ait terminé le dernier clou.

Le Gitan, heureux d'avoir empoché les quarante pièces de cuivre avant de se mettre au travail, termina le quatrième clou. L'ayant fini, il attendit qu'il refroidisse. Il versa de l'eau sur le fer rouge mais l'eau s'évapora, et le fer resta aussi chaud qu'il l'était lorsqu'il était maintenu dans le feu par les pincettes. Il versa donc plus d'eau, mais le clou rougeoyait comme si le fer était un corps vivant et saignant, comme si le sang faisait jaillir du feu. Il jeta encore plus d'eau. L'eau s'évapora et le clou continua à rougeoyer.

Pendant la nuit, toute une partie du désert fut illuminée par le flamboiement de ce clou. Effrayé, tremblant, le Gitan replia sa tente, la chargea sur son âne et s'enfuit.

A minuit, entre deux grandes vagues de sable, fatigués, harassés, le voyageur solitaire replanta sa tente. Mais là, à ses pieds, se trouvait le clou brûlant, alors qu'il l'avait laissé aux portes de Jérusalem. Etant près d'un puits, le Gitan passa le reste de la nuit à porter de l'eau pour tâcher d'éteindre le feu du clou. Lorsqu'il eut versé la dernière goutte d'eau du puits, il jeta du sable sur le fer rouge, qui ne cessa jamais de flamboyer. Fou de peur, le Gitan s'enfuit plus loin encore dans le désert.

Arrivé dans un village arabe, le forgeron planta sa tente le lendemain matin. Mais le clou rouge l'avait suivi.

Puis quelque chose se produisit. Un Arabe vint lui demander de réparer le cerclage en fer d'une roue. Bien vite, le Gitan prit le clou brûlant et le fixa dans le cerclage de fer. Puis il vit de ses propres yeux l'Arabe repartir.

Une fois l'Arabe parti, le Gitan s'en alla sans oser regarder alentour. Après plusieurs jours sans oser regarder alentour, craignant d'ouvrir les yeux à la nuit tombée, le Gitan atteignit la ville de Damas où il installa sa forge. Des mois plus tard, un homme lui apporta la garde d'un sabre à réparer. Le Gitan alluma sa forge. Le sabre commença à rougeoyer, à partir du clou de fer planté dans la garde. Le Gitan remballa ses affaires et s'enfuit une fois encore.

Et ce clou apparaît toujours dans la tente des descendants de l'homme qui forgea les clous de la crucifixion de Yeshua ben Miriam. Et quand le clou apparaît, les Gitans s'enfuient. Voilà pourquoi ils se déplacent constamment. Voilà pourquoi Yeshua ben Miriam a été crucifié avec seulement trois clous, les deux pieds fixés ensemble par un seul clou. Le quatrième clou se promène d'un bout du monde à l'autre bout.

Contrairement aux apparences, cette histoire ne décrit pas le Gitan comme un opportuniste, car il ne fait que son travail, sans se poser de questions (s'il termine le quatrième clou, c'est par une légitime fierté d'artisan, les Romains étant déjà partis). Quelle que soit la justification qu'elle apporte à l'errance des Gitans, cette histoire montre le personnage à son travail dans tout le Moyen-Orient. On ignore comment il est arrivé là, d'où il venait ou pourquoi il a quitté l'Inde.

Personne ne sait avec certitude quand ni pourquoi les ancêtres des Gitans européens ont quitté l'Inde pour la Perse. Mais la langue fait office de mémoire, et la présence de ces ancêtres est marquée par les nombreux mots persans présents dans le romani moderne. *Baxt*, « chance », vient du persan ; *sir* signifie « ail », *mom*, « cire », *zor*, « force », et *zen*, « selle ».

Beaucoup admettent que l'exode a commencé au Xe siècle. En 950, pourtant, l'historien perse Hamza écrit (en arabe) l'histoire de Bahram Gur, shah de 420 à 438, qui, « plein de sollicitude pour ses sujets », importa 12 000 musiciens « Zotts » pour le plaisir de leurs oreilles (« Zott » est le terme utilisé en arabe pour désigner les Indiens). Soixante ans après, en 1011, un récit semblable apparaît dans le *Shah Nameh*, « Livre des rois », épopée du poète persan Firdausi. Celui-ci développe l'histoire pour donner une explication du sort réservé ensuite à ces musiciens « gitans ».

> Tous les gouverneurs locaux de Bahram Gur lui signalèrent que la colère montait parce que les riches buvaient au son de la musique alors que les pauvres ne le pouvaient pas [...]. Dans sa sagesse, le shah envoya aussitôt par dromadaire une lettre à [son beau-père] Shengil, en Inde, pour lui demander 10 000 Luris, hommes et femmes, experts dans l'art de jouer du luth. Quand les Luris arrivèrent, le shah les reçut, donna à chacun un âne et un bœuf, et à tout le groupe mille bâtées de blé, le tout dans l'espoir qu'ils s'installeraient et se mettraient à cultiver la terre dans son royaume. Les Luris eurent tôt fait de manger le blé et les bœufs, puis ils quittèrent la capitale [...]. Les joues creuses, ils revinrent à la fin de l'année et le shah les accueillit avec ce reproche : « Vous n'auriez pas dû dépenser le blé. Maintenant il ne vous reste que vos ânes. Préparez vos instruments, attachez-les à un fil d'argent et chargez-les sur vos ânes. » Ces Luris errent encore aujourd'hui de par le monde. Ils mendient pour vivre, dorment avec les loups, vivent comme des chiens, toujours sur la route, volant jour et nuit.

Cette histoire, sans doute apocryphe, a particulièrement intéressé les gitanologues parce que en Europe de l'Est, les Roms jouent encore des instruments à cordes comme le gudulka, qui ressemble au luth mais dont on joue verticalement, avec un archet. Pourtant, je n'ai jamais vu un seul de ces instruments en forme de poire. Les Gitans ont toutes sortes d'instruments à vent, notamment le long zurla conique à anche double, ainsi que des guitares et des violons, sur lesquels ils raclent l'air de la Lambada, ce tube brésilien qui semble avoir effacé tout folklore local dans les Balkans (il existe au moins un chercheur que cette mode ravit : Svanibor Pettan, géant croate roux, inscrit en thèse à l'université du Maryland. Il étudie les rapports entre les Tziganes du Kosovo et la Lambada).

La plupart des spécialistes estiment que les Gitans ont quitté l'Inde vers le Xe siècle. Une date bien antérieure est préférée par ceux qui veulent brosser un tableau héroïque des premiers Gitans : un groupe de « Zotts » arrivé vers 700 en Perse (alors appartenant à l'empire arabe). Selon cette théorie, qui s'appuie sur les travaux d'un historien néerlandais du XIXe siècle, M.J. de Goeje, les Gitans sont arrivés non par la terre mais par la mer. Et on les fit venir par la force.

Les nouveaux dirigeants arabes, dit-on, firent franchir la mer d'Oman, en remontant jusqu'au golfe Persique, à plusieurs milliers de paysans indiens du delta de l'Indus. Ceux-ci durent s'installer sur les rives marécageuses du Tigre, en compagnie de quelques milliers de buffles. Ces Zotts étaient captifs, mais un siècle après, ils prélevaient leur propre taxe sur tous les marchands qui empruntaient leurs canaux et leurs routes. De toute évidence, Bagdad considérait cette communauté comme une menace car, en 820, le Calife leur envoya ses troupes. Les Zotts lui résistèrent pendant quatorze ans, et c'est peut-être la seule fois de leur histoire où les Gitans (ou proto-Gitans) eurent leur propre mini-royaume ou même colonie indépendante. En 834, le nouveau Calife réussit à faire des barrages sur leurs canaux et à inonder leurs champs, et donc à éliminer le « Zottistan ». Après une sinistre bataille au cours de laquelle plus de cinq cents combattants furent décapités, vingt-sept mille habitants du Zottistan furent capturés. Ils passèrent trois jours exposés aux sarcasmes de la foule, à Bagdad ; puis toute la population zott fut déportée au nord-est. Selon Donald Kenrick, c'est un groupe issu de ces déportés qui partit plus au nord, en Arménie, avant de gagner les Balkans et l'Europe. Ces Indiens sans qualification particulière durent croiser d'autres Indiens, dotés d'activités traditionnelles, qui avaient quitté la Perse pour se diriger vers l'ouest ; ensemble, ils deviendraient les Roms européens. Selon cette version des événements, les premiers Gitans auraient donc quitté l'Inde dès le début du VIIIe siècle de notre ère.

En étudiant leur langue, on peut constater que les Gitans n'ont pas séjourné très longtemps dans l'empire arabe ; c'est pourquoi les historiens plus conservateurs n'incluent pas les Zotts du Zottistan parmi leurs théories. Il existe de nombreux mots persans dans la langue romani, mais moins de dix mots d'origine arabe ont survécu (sans compter les mots turcs appris plus tard, dans les Balkans). Seuls deux mots romanis proviennent incontestablement de l'arabe : *kis*, sac et *berk*, poitrine.

La langue est pourtant pimentée d'arménien : *dudum*, une gourde, *bov*, un four, *chovexani*, une sorcière, *grast*, un cheval, et *mortsi*, cuir. Les Gitans ont donc dû traverser l'Arménie au cours de leur périple vers l'Europe. Mais l'influence majeure de l'arménien sur le romani concerne la prononciation. La syllabe « bh », avec b aspiré, en vint à être prononcée « ph ». En romani « asiatique », moyen-oriental, « sœur » se dit *bhen* (comme en hindi), alors qu'en Arménie, et plus tard en Europe, le mot est *phen*. C'est sur la base de ce changement de prononciation que, dans les années 1920, le linguiste et gitanologue anglais John Sampson fut le premier à classer les dialectes romanis, et donc la migration rom, en deux groupes principaux.

Selon les vestiges linguistiques, cependant, l'invasion des Turcs Seldjoukides au XIe siècle déracina les Arméniens autant que les Gitans qui vivaient parmi eux. Ils gagnèrent les territoires byzantins de Constantinople et de Thrace, zones de fort peuplement gitan encore aujourd'hui, et la première référence apparaît en 1068, dans une hagiographie écrite au mont Athos. De là, les Gitans se répandirent dans les Balkans au XIIIe siècle et, très vite, dans le reste de l'Europe.

La période d'influence byzantine fut décisive. Le romani contient de nombreux éléments grecs ; c'est le mot grec signifiant « Gitans », *Atzinganoi*, qui servit de base à l'italien *zingari*, au français *tzigane*, à l'allemand *Zigeuner*, au hongrois *ciganyok*, au roumain *ţsigani*, au tchèque *cikan* et à bien d'autres noms courants et généralement hostiles. La calomnie n'est pas un développement récent : *Atzinganoi* dérive du nom d'une secte hérétique appelée Athinganoi (ce surnom infamant fut donné aux Gitans parce qu'ils prédisaient l'avenir). A la fin du XIVe siècle, les Gitans eux-mêmes étaient considérés comme l'une des raisons du déclin de l'empire byzantin.

Fuyant les Turcs ottomans, ils passèrent dans les Balkans ; une commande faite par deux Gitans chez un orfèvre de la République de Raguse (c'est-à-dire Dubrovnik) est datée de 1378 (divers indices montrent qu'ils étaient présents dans les principautés roumaines dès le XIIe siècle). Plus que n'importe où ailleurs, et malgré le caractère inhospitalier de cette région aujourd'hui, les provinces balkaniques servent de patrie aux Gitans, depuis leur première apparition au Moyen Age. C'est des Balkans qu'ils partirent pour leurs principales migrations vers l'ouest, au XVe siècle, au XIXe siècle, et de nouveau aujourd'hui, dans l'ère post-communiste. Et c'est vers l'Europe de l'Est et l'Europe centrale qu'ils devaient revenir plus d'une fois.

Dès le début de leur vie dans les Balkans, les Gitans occupaient une position étrange dans la société : ils étaient à la fois plus puissants et, au XIXe siècle, moins libres que jamais auparavant. Cette situation ambiguë tient à la structure de la féodalité rurale. Les Tziganes étaient *recherchés*, non à cause de leurs crimes, mais de leurs talents. On appréciait leurs services en tant que ferblantiers, chaudronniers, serruriers, maréchaux-ferrants surtout, ainsi que les musiciens estimés qu'ils comptaient parmi leurs rangs ; on se les disputait.

Capables de côtoyer toutes les classes d'une société à la hiérarchie stricte, et de servir aussi bien le paysan que le propriétaire terrien, ils parvinrent à se trouver un créneau économique. Ils conservèrent leurs structures familiales et sociales, sans doute parce qu'ils étaient exclus, mais aussi (ou finalement) par choix. De fait, ils ont toujours préféré vivre à l'écart en préservant leur solidarité de groupe ; au même titre que leur langue, les emplois qu'ils exerçaient sont la clef de leur survie culturelle (c'est en vain que les régimes communistes ont essayé de les convertir en une nouvelle force prolétarienne anonyme). De manière significative, les groupes gitans sont encore aujourd'hui identifiés grâce à leurs activités traditionnelles, même s'ils ne sont plus maçons, fabricants de peignes ou cueilleurs de simples depuis plusieurs générations.

Dans le jargon des sociologues, toute cette main-d'œuvre, qui arrive par migration plutôt que par conquête, est désignée comme « minorité d'intermédiaires ». Culturellement marginaux, ils peuvent se sentir mal à l'aise tant dans leur nouveau lieu de résidence que vis-à-vis de leurs « parents » également isolés, à l'autre bout du territoire couvert par la diaspora.

En ce qui concerne les relations entre Gitans et paysans dans les Balkans, on pourrait y trouver un parallèle avec la situation des juifs d'Europe centrale partis pour le sud des Etats-Unis après la guerre de Sécession, et qui gagnaient leur vie en faisant du porte-à-porte chez les esclaves récemment affranchis. Dans son livre sur les juifs d'Atlanta, *Strangers Within the Gate City*, Steven Hertzberg s'interroge :

> ... les activités commerciales s'enracinaient dans la marginalité du vendeur comme de l'acheteur. Le juif avait un petit capital, parlait un mauvais anglais, connaissait mal les mœurs du pays et, dans certains cas, était perçu comme un intrus par les Blancs. De même, l'esclave libéré était méprisé et redouté par les ex-Confédérés. Fait plus important, peut-être, rares étaient ceux qui, parmi les nouveaux venus, avaient rencontré des Noirs avant leur immigration, et cela les rendait « plus disposés à réagir sans préjugés face au Nègre indépendamment du complexe mélange de culpabilité et de haine pathologique lié à l'histoire de l'esclavage... »

Hertzberg cite l'ouvrage d'Eli Evans, *The Provincials : A Personal History of Jews in the South* : « Quand le Nègre souriait au juif [...] le juif souriait en retour. » Mais si beaucoup de juifs considèrent désormais l'image du marchand comme un stéréotype insultant, la plupart des Gitans conservent fièrement cette attitude face aux non-Gitans : leurs relations avec les « autres » se limitent essentiellement au commerce. En période de crise, les Gitans, comme les juifs, sont toujours considérés comme l'ennemi présent à l'intérieur du pays ; comme les juifs, leur indépendance économique leur vaut le mépris de ceux qui sont liés aux tâches routinières de l'agriculture, ou qui travaillent en tant qu'employés, pour un salaire.

En Bulgarie comme en Roumanie, les gens décrivent l'activité des Tziganes depuis 1989 comme « du travail de juif », *biznitsa*. Ce mot désigne tout travail autre que manuel, tout travail qui rapporte beaucoup d'argent sans beaucoup de peine et qui est donc, par définition, corrompu. Par exemple, sur les trottoirs de Bucarest, certains Gitans vendent, sur le trottoir, dans des valises ouvertes, les Carpati, les cigarettes les plus primitives et les moins chères de Roumanie. Leur « truc » est de se lever très tôt le jour où arrive en ville une quantité limitée de Carpati, d'acheter tout le lot et de le revendre avec un fort bénéfice. Ils peuvent aussi partir en camion pour la Turquie, d'où ils reviennent avec un chargement de jeans délavés qu'ils revendent au prix fort. C'est du commerce de juif, du commerce de Gitan ; le mot « capitalisme » est encore associé aux importations et à l'aide américaine. Mais ce n'est pas seulement le concept de profit qu'ont du mal à admettre les locaux imprégnés d'idéologie communiste. C'est la peur du travail même. Les Tziganes, comme les juifs, sont coupables d'esprit d'initiative, chose étrange, suspecte et menaçante pour des gens qui, sous le régime stalinien, exprimaient leur mépris et leur désespoir en en faisant le moins possible dans le cadre d'emplois qu'ils considéraient comme leur étant dus.

Dans l'Europe médiévale, les Gitans avaient du travail : ils accomplissaient dans leur coin les tâches que personne ne voulait ou ne pouvait exercer, ils vendaient leur marchandise et leur talent de porte à porte. Mais c'est là que s'arrête la comparaison entre les Gitans et les juifs en tant qu'intermédiaires migrateurs. Loin d'être le début d'une brillante carrière, leur situation dans les Balkans les rapproche des Noirs américains. Leur travail était estimé et ils payaient des impôts, mais à partir de la fin du Moyen Age jusqu'au milieu du XIXe siècle, ils furent aussi esclaves.

Malgré l'importance de leur population (environ 12 millions, par rapport aux quelque 13 millions de juifs qui vivent aujourd'hui dans le monde), la véritable histoire des Gitans, leurs origines, leur diaspora et leur remarquable cohésion interne, tout cela reste un domaine presque confidentiel. Même l'image romantique des Gitans que véhiculent les peintures, les romans et les opéras du XIXe siècle ne fit rien pour susciter des études sérieuses. Et l'on chercherait en vain une flèche représentant les Gitans dans les atlas historiques retraçant les mouvements des peuples. Il faut se pencher sur des ouvrages spécialisés, à tirage modeste, comme le *Journal of the Gypsy Lore Society*, et, avec des résultats extrêmement intéressants, vers la linguistique.

En plus d'un point de départ et d'un itinéraire de migration, l'étude du romani fournit également une origine ethnique controversée. Lorsqu'ils parlent d'eux-mêmes, les Gitans utilisent un mot qui signifie littéralement « homme » ou « mari » : *rom* en Europe, *lom* en Arménie, *dom* en dialecte perse et syrien. On voit ainsi que le terme « rom », comme dans « romani », n'a aucun rapport avec la Roumanie, où les Gitans vivent nombreux depuis plusieurs siècles. Cela ne vient pas non plus du verbe anglais *roam*, errer, contrairement à l'explication fournie par des Gitans britanniques à l'anthropologue Judith Okely. *Rom*, *dom* et *lom* sont tous rattachés phonétiquement au sanscrit *domba* et à l'indien moderne *dom* ou *dum*, qui désignent un groupe de tribus bien particulier.

En sanscrit, *domba* signifie « homme de caste inférieure qui gagne sa vie par son chant et sa musique ». Dans les langues indiennes modernes, les mots correspondants ont un sens similaire ou voisin : en lahnda, « serviteur », en sindhi, « caste de musiciens errants », en penjabi, « musicien ambulant », en pahari occidental, « homme de caste inférieure à la peau noire ». On trouve des références aux Doms comme musiciens dès le VIe siècle. Les Doms existent encore en Inde ; ce sont des nomades qui exercent divers métiers : vanniers, forgerons, chaudronniers, éboueurs, musiciens. Rien d'étonnant si beaucoup de gens attribuent aux Gitans une origine dom.

Beaucoup, mais pas tous. Dans son étude sur l'errance en Grande-Bretagne, Judith Okely s'oppose à cette idée d'une origine indienne, où elle voit une façon de rendre exotique et marginal un peuple qui a parcouru le monde mais qui réside en Europe depuis longtemps. En même temps, de nombreux écrivains et activistes gitans sont intrigués mais ils proposent une généalogie plus flatteuse : les Gitans descendraient par exemple des Kshattriyas, la caste des guerriers, juste en dessous des Brahmanes. L'ambiguïté de ces origines a un point positif, après tout : on peut être tout ce qu'on veut. C'est en se réinventant constamment que les Gitans ont pu survivre, mais cette ignorance de leur propre origine a bien sûr des conséquences terribles : à la fin des années 1980, en Bulgarie, ils furent obligés de changer de nom. Beaucoup de Tziganes bulgares ont déjà oublié leur vrai nom. Ou du moins (est-ce vraiment mieux ?), ils feignent de l'avoir oublié. De telles expériences ont accru le besoin d'établir une identité spécifiquement gitane. Pour certains, il s'agit là simplement de faire hurler jour et nuit la musique gitane autrefois interdite. Pour d'autres, une nouvelle identité, qu'on pourrait appeler « Hindoupen », est en train de naître de la fierté sans précédent qu'ils tirent de leurs origines.

Geza Kampus vit dans la partie chic du quartier gitan de Krompachy ; le chemin pavé qui mène à sa porte est bordé de roses. Mais au bas de la route, la scène devient tellement sordide que, malgré sa banalité, j'en suis toujours choquée. Une famille, qui semble constituée d'un père perpétuellement ivre et de trois enfants qui louchent, vit en sous-sol dans un bunker en ciment abandonné. La plupart des autres familles manquent d'hommes, plus souvent en prison qu'au travail (comme en Albanie et dans les pays voisins, les licenciements se multiplient en Slovaquie, et les Tziganes sont toujours les premiers à qui l'on donne congé). Ils semblent vivre plus ou moins en plein air. Devant leurs cabanes piteuses, s'étendent sur plusieurs mètres la boue, les détritus et les meubles cassés, étendue que labourent sans cesse les enfants qui jouent et les *rikono* faméliques. Ces chiens gitans omniprésents, sans être vraiment des animaux de compagnie, semblent tous boiteux, borgnes ou sans queue, comme si leur principale activité n'était pas de protéger ou de paraître fidèle, mais d'inspirer à leurs maîtres un sentiment de supériorité. Dans cette région, où une étude a révélé le plus fort taux de consanguinité en Europe, les handicaps sont légion : strabismes convergents ou divergents et tics faciaux passent presque inaperçus.

Les intérieurs gitans, même dans les quartiers les plus pauvres de Krompachy, sont propres, mais l'extérieur est invariablement un dépotoir (apparemment, ce choix a toujours été celui des Tziganes : deux auteurs britanniques, S.G.B. St Clair et Charles A. Brophy, qui ont vécu trois ans en Bulgarie dans les années 1860, font la même remarque). La crasse forme un contraste étonnant avec les habitations voisines des paysans fiers et bien mis, qui ont une piètre opinion des Gitans, comme on peut s'y attendre et, dans le cas présent, le comprendre. Les Slovaques ont beau mettre des grillages très hauts et surmonter leurs murs de tessons de bouteille, ils passent leur temps à cultiver pour les Tziganes autant que pour eux-mêmes. En Afrique, dit-on, les Masaïs croient que tout le bétail leur appartient ; les Gitans de Slovaquie ont apparemment la même opinion au sujet des pommes de terre.

Même lorsqu'ils ont renoncé au nomadisme depuis plusieurs siècles, comme c'est le cas en Slovaquie, les Tziganes ne sèment pas. C'est seulement en Albanie et dans certaines parties de la Roumanie que j'ai vu des Gitans qui travaillent la terre, ou dont les ancêtres l'avaient fait. Les Gitans peuvent participer à la cueillette saisonnière, mais ils ne font rien pousser eux-mêmes ; soit parce qu'ils jugent qu'ils sont au-dessus de cela (et c'est assurément ce qu'ils pensent), soit parce que, dans leur esprit ou dans les faits, ils pourraient partir avant l'époque des récoltes, soit parce qu'ils n'ont jamais possédé la moindre terre. Durant la période communiste, ils travaillaient dans les fermes coopératives, mais ils ont fini comme ils avaient commencé, les mains vides, chassés de terres jadis communautaires à mesure que la propriété collective revenait entre des mains privées.

Une autre explication m'est proposée par Milena Hübschmannova, linguiste et gitanologue de Prague avec qui je voyage dans l'est de la Slovaquie : dans leur caste indienne d'origine, personne n'avait jamais touché une bêche. De même, comme le note V.S. Naipaul, « la réforme agraire ne convainc pas le brahmane qu'il peut mettre la main à la charrue sans déchoir ».

Mme Hübschmannova est allée plusieurs fois en Inde et ne manque jamais une occasion de signaler les parallèles culturels et sociaux qui, pour elle, en plus de la langue, sont la preuve incontestable d'une origine indienne. Il y a, par exemple, le système *jati* d'organisation économique, dans lequel la classe est liée à la profession. Le mot *jat* signifie simplement « caste », mais chez les non-spécialistes, les castes se limitent à quatre *varnas*, Brahmanes, Kshattriyas, Vaishyas et Shudras, plus les intouchables (alors qu'en fait il existe environ deux mille *jats*). Le système a visiblement été reproduit parmi les Gitans, et sarcler n'est pas considéré par eux comme un emploi. L'interdit qui pèse sur certains travaux pour tout le groupe, ou uniquement pour les femmes, n'est pas la seule survivance de la hiérarchie et des lois indiennes ; tout aussi importante est la manière dont on exécute une tâche, avec un grand souci de pureté rituelle.

Milena est si absorbée dans ses complexes explications du système *jati* (elle compte les différentes castes sur un doigt maigre) qu'elle ne remarque même pas la paysanne qui aboie pour nous chasser : « Dehors, les amateurs de Gitans ! » « Pourquoi vous ne les ramenez pas à votre institut, vous les savants de la ville, pourquoi vous ne les envoyez pas en Afrique ! » Nous adressons un dernier signe de la main à la meute d'enfants qui nous a suivies jusqu'à la Lada orange de Milena ; en partant, je l'interroge sur toute cette crasse. Les maisons sont si propres, à l'intérieur, si bien entretenues... mais les cours ! L'espace commun est inutilisable à cause de l'odeur.

Je n'oublierai pas de sitôt les tas de pneus crevés couverts de chaux, le pâté végétal d'ordures en putréfaction, les boîtes de conserves, les os et les têtes de poisson, les vieux ustensiles abandonnés, aussi déglingués qu'après une explosion de dessin animé. Je ne vois là que le désespoir ordinaire et la misère de certains dépotoirs habités à Bombay. Pourtant, la communauté tzigane est pleine d'adolescents coquets (tatoués, maquillés, pomponnés) ; les adultes sont loin d'être résignés, à en juger par leurs jérémiades perpétuelles et bruyantes. Les enfants sont tout sauf inertes : c'est une immense troupe de petits oiseaux boueux, qu'on n'a pas lavés depuis si longtemps qu'on les distingue à peine lorsqu'ils grimpent dans les ruines ou qu'ils jouent gaiement à ces jeux que partagent tous les enfants. Ils poussent des roues avec des bâtons, ils fabriquent des jeux de puce avec des couvercles rouillés et des capsules de bouteille. « Ce n'est pas sale, explique froidement Milena. Ça a juste l'air sale. »

Les spécialistes voient souvent ce qu'ils savent être vrai plutôt que ce qui se trouve sous leurs yeux. Debout dans un bidonville puant, Milena désigne d'un air admiratif « la vraie culture gitane ». Elle ne voit jamais rien à reprocher chez aucun Tzigane ; un voleur n'est pas un voleur mais, disons, quelqu'un qui, privé de son créneau économique traditionnel, s'est adapté à une relation nouvelle mais toujours symbiotique avec le *gadjo*, grâce auquel il gagne sa vie en échange d'un statut en période de crise économique et politique, statut conféré au *gadjo* par le Gitan qui, lorsqu'il le déleste, s'offre comme bouc-émissaire sacrificiel, etc... Elle ne plaisante pas ; elle n'a pas non plus tout à fait tort.

Selon Milena, les Gitans laissent l'extérieur de leur maison se transformer en dépotoir parce que, « comme en Inde », ils considèrent les ordures *des autres* comme particulièrement impures ; tout contact entraînerait une contamination symbolique, danger plus grave que les maladies qu'ils pourraient sans doute également contracter.

De leur côté, les Gitans sont aussi aisément stupéfaits par des exemples de saleté *gadjo* dont les *gadje* n'ont pas même conscience. Le fait d'avoir des chiens à la maison et, pire encore, d'y tolérer des chats, et même de voir en eux des animaux exceptionnellement propres. Chez les Gitans, le chat est généralement considéré comme *mahrime* parce qu'il lèche son pelage et ses organes génitaux, et fait ainsi entrer la saleté dans son corps. De même que les Gitans gardent propre l'intérieur de leur demeure, ceux qui n'ont pas totalement perdu leur culture veillent scrupuleusement à ne pas souiller leurs entrailles par une cuisine ou une toilette impure ; par analogie, comme le montre Judith Okely, ne peut être consommé ou choyé qu'un animal qui respecte la distinction cruciale entre intérieur *zuhho* (pur) et extérieur *mahrime*. La chair des hérissons, dont les épines assurent la propreté, est donc très appréciée par certains Gitans. Partout les chevaux sont aimés, en partie parce qu'ils ne se souillent pas en se léchant.

Parmi les Gitans d'Angleterre, certains animaux comme les serpents et les rats (qu'on appelle souvent « longues queues ») ne sauraient même être mentionnés sans risque de souillure. Les *saps*, les serpents, sont particulièrement dégoûtants et dangereux parce qu'ils muent, transformant ainsi leur intérieur en extérieur, et parce qu'ils mangent d'autres animaux tout entiers, dévorant leur peau sale. Ces tabous sont respectés avec plus ou moins de rigueur, mais ils ne sont jamais absents, ni chez les Gitans assimilés, ni chez les habitants des bidonvilles les plus déracinés. Ces coutumes sont-elles la trace du système oriental des castes, comme le prétend Milena ? Ou ne sont-elles que les vestiges superstitieux de pratiques hygiéniques qui étaient très raisonnables à l'époque du nomadisme ?

De nombreuses coutumes semblent pouvoir prétendre à une origine indienne, non seulement chez les Gitans d'Europe de l'Est mais partout où les a menés la diaspora, de l'Australie à l'Argentine. Les spécialistes nous mettent en garde contre la tentation des théories de monogénèse culturelle et affirment que les non-Gitans partagent aussi parfois ces activités. Mais la thèse reste à démontrer et elle en fascine plus d'un. L'historien et activiste Ian Hancock souligne que les musiciens gitans utilisent la gamme *bhairavi* indienne, ainsi qu'un type de « musique buccale » connue sous le nom de *bol*, qui consiste à imiter le son du tambour par des syllabes rythmiques. La danse traditionnelle que les Tziganes hongrois appellent *rovliako khelipen* a des parallèles en Inde (et elle ressemble aussi à ce que pratiquent les *Morris dancers* britanniques). La coutume hindoue consistant à brûler les biens du décédé se prolonge chez les Gitans d'Europe occidentale ; en Angleterre, on met le feu à la caravane du défunt (il y a très longtemps, les veuves montaient aussi sur le bûcher, ce qui n'est pas sans rappeler le *sati* indien). Le mécanisme traditionnel qui permet de résoudre les querelles entre Gitans est le tribunal nommé *kris* en grec, qu'on peut comparer avec le *panchayat* indien, qui prend à peu près la même forme et remplit les mêmes fonctions.

En Inde, on reconnaît Shiva à son trident ou *treshul*. De nos jours, en Europe, les Gitans utilisent ce mot pour désigner la croix chrétienne. Chaque année, en mai, le culte de celle qui est devenue la déesse du destin attire de nombreux pèlerins en Camargue, aux Saintes-Maries-de-la-Mer. Sainte Sara était la servante égyptienne des deux tantes Marie de Jésus ; elle est aussi identifiée à l'épouse de Shiva, la déesse noire Kali (aussi nommée Bhadrakali, Uma, Durga et Syama).

« Comme en Inde » (expression affectueuse de Milena), seuls certains groupes ont le droit de manger ensemble sans risque de contamination. Parce que l'on ne peut deviner à quelle *jati* vos relations appartiennent, certains ustensiles peuvent être hors-la-loi. Le contact entre la bouche et les objets partagés est scrupuleusement évité même dans les foyers les plus pauvres ; très souvent, chaque personne transporte sur soi son couteau personnel, au cas où il faudrait manger hors de la maison. Dans la culture gitane conservatrice (Romipen ou Romanipen), on verse les liquides dans la bouche au moyen d'un récipient qu'on tient loin des lèvres, pour ne pas en toucher le bord ; la fumée d'une pipe partagée est inspirée (et en romani « bue » plutôt que « soufflée ») à travers un poing fermé autour du tuyau de la pipe (Anne Sutherland raconte que, dans un restaurant de l'Illinois, des amis gitans ont préféré manger avec les mains plutôt que de se risquer à utiliser les couverts du restaurant). Comme le veut la coutume indienne, les Gitans divisent les maladies en catégories rituelles. Il y a celles qui affectent le groupe « naturellement » (et de plus en plus fréquemment), les maladies de cœur et la tension nerveuse, qui peuvent être traitées par la médecine gitane traditionnelle. Il y a celles qui viennent d'ailleurs, qui naissent d'un contact indu avec les *gadje* (pour lesquelles il faut consulter le praticien approprié, c'est-à-dire un médecin *gadjo*) ; ces dernières incluent bien sûr toutes les maladies sexuellement transmissibles.

Dans leur quête d'une identité positive, les Gitans ne devraient plus tarder à reconnaître leur indianité et à s'en prévaloir.

En mai 1991, je suis allée à Skopje, capitale de la Macédoine, au sud de ce qui était alors la Yougoslavie. La ville a été reconstruite après le gigantesque tremblement de terre de 1963. Je suis arrivée au début des trois jours d'Erdelez, la Saint-Georges, fêtée avec enthousiasme par les musulmans et les chrétiens, au sein de la plus vaste colonie gitane d'Europe, les 40 000 habitants d'une véritable ville séparée, Šuto Orizari ou Šutka (prononcer « Choutka ») par abréviation.

Je rends visite à Šaip Jusuf. C'est un Tzigane Djambas, ce qui veut dire que ses ancêtres vendaient des chevaux ou, selon lui, qu'ils étaient acrobates. Šaip (prononcer « Chaïp ») était jadis un sportif, « professeur de gymnastique », jusqu'au jour où il a perdu une jambe. Šaip a également écrit l'une des premières grammaires gitanes ; en 1953, il a fondé le premier *pralipe* (fraternité) ou club tzigane en Yougoslavie.

Le chauffeur de taxi du Grand Hôtel de Skopje (toutes les capitales d'Europe de l'Est ont leur Grand Hôtel) me dépose à la lisière de Šutka. Il refuse d'entrer dans le quartier tzigane. Mais je suis complètement perdue. Il s'avère que Šaip n'habite pas à Šutka, comme je l'avais bêtement supposé, mais plutôt dans un quartier résidentiel non loin de là, comme me l'indique un jeune Tzigane sympathique en déchiffrant l'adresse que j'ai notée sur un morceau de papier. C'est une banlieue informe et délabrée, dotée de cours plantées d'arbres, d'allées pavées de galets et de grilles rouillées devant des maisonnettes familiales blanchies à la chaux, qui bordent de larges rues sinueuses.

Finalement, malgré les mauvaises indications pour lesquelles j'ai remercié une joyeuse troupe de Gitans âgés de 9 ou 10 ans, pieds nus, qui poussent des brouettes et de petits moutons bêlants, je trouve la demeure des Jusuf.

Keti, l'épouse de Šaip, une grande femme rieuse, à la forte poitrine, est dans la cour, en train de danser sur un tapis roulé et imbibé d'eau. Erdelez est l'époque du grand nettoyage de printemps et il faut, en vue d'un arrosage, sortir tout ce que contient la maison, de la collection de figurines indiennes jusqu'aux bois de lit. Le ciment de la cour est luisant d'eau.

En plus de Keti (une Erlije, ou Gitane turque), je vois Šaip assis à une table où sont posés deux livres, une cafetière turque conique, en cuivre poli, et une tasse assortie, grande comme un dé à coudre. Il ne me voit pas arriver. Il est en train d'enlever sa jambe, une prothèse en plastique rose fabriquée en Europe de l'Est. Après y avoir fixé sa chaussure et avoir rattaché la jambe, Šaip me propose un Sok. On apporte cette boisson non alcoolisée fabriquée en Macédoine, d'un vert vif, et nous nous apprêtons à l'une de ces charmantes conversations-monologues dont Šaip est spécialiste.

« *Aksha, ak, yak. Khan, khan, kan. Nak, nak, nak. Jeep, cheep, cheeb...* » commence-t-il, en exigeant que je répète après lui chaque groupe de mots, ponctuation faciale comprise. Je transcris phonétiquement ces mots qui signifient, en sanscrit, en hindi et en romani, œil, oreille, nez, langue. J'en viens bientôt à partager son excitation car les correspondances sont nombreuses, et toutes évidentes pour un amateur. « Eau » se traduit par *paniya, pani* et *pani* ; en sanscrit, « cheveux » se dit *vala*, et *bal* en hindi et en romani. « Les gens » sont *manusha* dans les trois langues. Soleil est *gharma* en sanscrit, et devient *gham* en hindi et *kham* en romani.

« Me pina pani », dit Šaip. « Je bois de l'eau » en hindi (ou, littéralement, « Je boire eau »). *« Me piav pani »* en romani. Je propose *« Me piav Sok »*, pour apporter ma modeste contribution.

En 1948, Šaip a voyagé parmi les Chergari, Gitans turcs nomades (dont j'ai rencontré les parents lointains en Albanie), pour collecter leurs récits et leurs mots pour sa grammaire. De retour à Skopje, il s'est mis à raconter ces histoires à des groupes de Tziganes. Ce qui a dû les surprendre le plus, ce ne sont pas les histoires en elles-mêmes, mais le fait qu'il les ait déclamées publiquement d'une voix forte car, dans la Yougoslavie de l'après-guerre, on n'avait *pas le droit* d'être gitan. Comme sous le règne de l'impératrice Marie-Thérèse, quand les Gitans furent « élevés » au statut de « Nouveaux Magyars », les Gitans de Tito deviendraient des « Yougoslaves » et, comme l'espéraient d'autres régimes communistes », les différences ethniques disparaîtraient.

Šaip encourage les gens à revendiquer leur identité gitane qui, pour lui, a seulement pris une valeur positive lorsqu'il a découvert les racines indiennes de son peuple. Alors qu'il servait dans l'armée turque, durant la Première Guerre mondiale, son oncle avait été emprisonné en Inde et il avait remarqué qu'il pouvait parler hindi grâce au romani. Šaip encourageait aussi les gens à écrire.

Son activisme a galvanisé ses pairs, même s'il a dû céder la place à des leaders plus jeunes et plus charismatiques, ou en tout cas plus militants, depuis l'époque où je l'ai rencontré. Mais il est toujours là, la ceinture plus serrée que son ventre ne le voudrait, ses cheveux blancs teints en roux par le henné. Il est encore honoré, et on dirait qu'à Šutka tout le monde le connaît.

Šaip s'est beaucoup investi dans l'organisation du premier Congrès mondial gitan, à Londres en 1971, en partie financé par le gouvernement indien. C'est grâce à ses relations avec l'Inde que l'Union internationale rom a fini par être accueillie, en 1979, aux Nations unies et reconnue en tant que groupe ethnique distinct. Lors du congrès de 1978, à Genève, la thématique indienne avait déjà pris un côté théâtral : l'un des ambassadeurs d'Indira Gandhi est arrivé les poches pleines de sel indien et de terre indienne, matières symboliques ; depuis, quelques voix se sont fait entendre pour demander la réunification des « Citoyens indiens du monde » et du Amaro Baro Them, Notre Grand Pays, la patrie ancestrale.

La nuit tombe sur Skopje ; nous ramassons le service à café cliquetant, maintenant sali par le marc, et nous nous replions à l'intérieur de la maison. Et là, à côté de la moto qui lui a coûté sa jambe, l'obsession de Šaip éclate.

Le salon des Jusuf est un bazar, un temple, ou les deux à la fois ; c'est une boutique-sanctuaire. On y voit des bas-reliefs, des figurines, des portraits de Ganesh, le dieu indien à tête d'éléphant. Šaip a un autel pour chacune des déesses-mères, Parvati et Durga, et pour Kali, la déesse noire, la plus populaire parmi les Gitans.

Kali est la furie qui louche, généralement représentée avec la langue pendante. Elle a parfois quelques centaines de seins.

Sous un drapeau indien satiné, au-dessus d'une barre de navire censée représenter une roue de chariot emblématique des Gitans, se trouvent les autels d'Indira : d'immenses photos couleurs de Mme Gandhi, Mme Gandhi seule, Mme Gandhi avec Šaip à peine reconnaissable derrière son épaule droite, Mme Gandhi avec Šaip de profil à côté d'elle. Enfin, un grand portrait de Tito, autre saint patron de la maison Jusuf (Šaip a traduit un livre sur Tito, qu'il refuse de me montrer mais qu'il appelle « un hommage »). Sur un sofa est assis un jeune homme rondouillard nommé Enver, un ami de la famille. Il retire la cellophane d'un nouveau paquet de cigarettes Alas et la tend délicatement sur un peigne à dents larges, qu'il porte ensuite à la bouche : en guise de bienvenue, il exécute sur ce kazoo artisanal une très bonne version de « El Condor pasa » : « J'aimerais mieux être un marteau qu'un clou. Oui, vraiment. Si seulement je pouvais, je le ferais sûrement... »

Pendant ce numéro, Šaip reprend : « En 1971... — il s'interrompt pour redisposer sur les étagères sa collection de poupées en plastique, vêtues de costumes traditionnels indiens —, 24 505 Yougoslaves se sont déclarés gitans (j'imagine 24 000 Tziganes rassemblés pour se « déclarer »). En 1981, ils étaient 43 125. »

Mais les poètes de Šutka, l'intelligentsia locale, ont dépassé ce stade. Un jeune homme, Ramche Mustapha, éboueur le jour et poète la nuit, me montre son passeport : il est considéré comme « citoyen yougoslave », mais sa nationalité est « indienne ». *Ramche Mustapha, Hindu !*

Ils n'essayent pas de faire oublier qu'ils sont gitans, contrairement aux nombreux Roms de Bulgarie qui veulent se faire passer pour turcs. Ils ne nient pas non plus être musulmans ; ils n'y voient aucune contradiction. De même Šaip, musulman converti à l'hindouisme, et sa femme musulmane n'ont rien contre l'idée d'assister à un office orthodoxe le jour de la Saint-Georges. Quand je lui demande pourquoi ils sont allés à la messe, Šaip répond, d'une voix lente et claire, comme s'il s'adressait à un individu particulièrement stupide : « C'est la Saint-Georges. » Les poètes préfèrent embellir ou simplement étaler leur Romipen, leur « gitanité », apparemment superficielle, mais bien réelle en profondeur, ici rattachée à son pays d'origine.

Šaip ne veut pas entendre parler des dangers qu'ont fait jadis courir aux Gitans ces prétentions à une identité étrangère. Par exemple, je lui affirme que les premiers Gitans signalés en Grande-Bretagne, qui se présentèrent en 1505 à Jacques Ier comme des pèlerins venus de Petite Egypte, furent tout bonnement déportés comme les étrangers qu'ils affirmaient être.

En tout cas, Šaip considère ces événements comme « de l'histoire ancienne », plus ancienne apparemment que l'exode loin de l'Inde. Je lui raconte qu'en 1983, un Gitan de Radom, en Pologne, s'est vite transformé en exclus parmi ses pairs à cause de sa campagne de « rapatriement » en Inde de tous les Gitans européens. Šaip proteste : il n'envisage pas un retour *permanent*. « Dans ce cas-là, nous ferions mieux de prétendre que l'Amérique est notre patrie. » Il faut avouer que, comme la plupart des Gitans et contrairement au reste de l'humanité, Šaip ne rêve pas d'un foyer national, un Romanistan. Ces aspirations pourraient certainement être contre-productives ; en Allemagne, par exemple, certains activistes gitans exigent la double nationalité (à laquelle les Allemands n'ont pas droit), et cela fait l'affaire des autorités qui cherchent à se débarrasser d'eux.

En partie à cause d'autres réserves, la douzaine de jeunes poètes que Šaip réunit lorsqu'il tient salon est vue avec un certain mépris, notamment par les Gitans plus âgés de Šutka (les jeunes poètes sont curieux d'apprendre l'histoire de Papusza, ostracisée par les Tziganes polonais conservateurs dans les années 1950). Ils écrivent, et commencent à publier ; cela les sépare de la culture gitane traditionnelle, qui met l'accent sur le collectif et évite l'introspection, culture essentiellement *vivante*, comme si la transcription était l'équivalent littéraire de vendre les roues pour acheter la caravane.

Les poètes ne sont pas les seuls jeunes du quartier à s'intéresser à l'Inde. La musicologue américaine Carol Silverman l'a remarqué : « Des airs comme "Ramo Ramo" et "Sapeskiri" (le serpent), tous deux inspirés par des films indiens, sont aussitôt devenus des tubes » à Skopje. Beaucoup de jeunes femmes de Šutka, lasses des pantalons à la Turque qu'elles sont censées porter (chaque paire requiert douze mètres de tissu), se sont mises à porter le sari. Cette mode peut aussi s'expliquer par le succès d'un festival du film indien ; même si les jeunes Gitanes ne comprennent pas parfaitement ce qui les rattache aux actrices qu'elles voient à l'écran, une identification spontanée a lieu.

Bien sûr, tout cela est absurde, en un sens, comme si les Américains d'aujourd'hui adoptaient le costume national du pays qu'ils habitaient mille ans auparavant. Il est clair qu'au cours de leur diaspora, les Gitans ont absorbé diverses coutumes et valeurs, mais sans composante religieuse et sans espoir d'une terre promise, tout cela semble totalement incongru. La collection de Ganesh en plastique de Šaip, toutes ces figurines au corps de petit garçon et à tête d'éléphant, pourrait être des jouets. En fait, peu importe : c'est leur fonction symbolique qui compte.

On pourrait souhaiter un héros gitan, un Gilgamesh, un Gauvain ou même un Zapata, un guerrier ou un poète et non ce Dumbo puéril. Mais à y regarder de plus près, Ganesh n'est pas une mauvaise mascotte pour ce groupe de jeunes bardes gitans : selon la tradition hindoue, Ganesh est un amateur de poésie, il reste assis aux pieds de Vyasa et raconte tout le *Mahabharata*. Surtout, Ganesh honore le sentiment naissant d'une identité rom-hindoue, car le dieu éléphant est le protecteur des commencements.

3

Antoinette, Emilia et Elena

J'ai évité la guerre en Yougoslavie, mais j'ai visité des champs de bataille dans toute l'Europe de l'Est : les camps tziganes brûlés ou détruits. Tout en suivant la torche nationaliste, de la Roumanie rurale jusqu'à la Bohême industrielle, j'ai pris conscience de violences plus subtiles, moins visibles, souvent commises par des Gitans contre d'autres Gitans.

En Bulgarie, j'ai découvert ce pouvoir destructeur à travers l'histoire de deux femmes totalement différentes. De même que la Tchécoslovaquie, la Bulgarie est le pays où les Gitans ont été le plus coupés de leur culture traditionnelle. Beaucoup ne parlent plus le romani. La saleté misérable dans laquelle ils vivent, tant en ville que dans les campagnes, à l'intérieur comme à l'extérieur des habitations, est comparable aux pires *favelas* du Brésil, et témoigne de leur perte du Romipen. Mais l'acculturation peut prendre des formes diverses, et on la rencontre même chez les privilégiés. Antoinette est une femme instruite et intelligente ; dans son enfance, les autorités l'ont arrachée à la destinée qui attendait la petite Tzigane. Emilia, au contraire, est victime du système de valeurs très strict en vigueur chez les Gitans, qui s'oppose précisément à la mobilité sociale, dans l'intérêt de la survie du groupe.

C'est lors de mon tout dernier séjour en Bulgarie que je rencontre Emilia, grâce à son amie Elena Marushiakova, ethnographe bulgare qui a elle-même été punie pour avoir défié le statut officiel réservé aux Gitans. Elena est squelettique. Elle fume sans arrêt des cigarettes BT (« Tabac Bulgare ») et s'habille comme une étudiante, en jean et pull informe. Avec ses taches de rousseur et ses cheveux en bataille, on lui donne 16 ans ; c'est une gamine qui fume pour se donner une contenance. En fait, elle a une trentaine d'années et elle est mère de deux enfants, de quatre et dix ans.

Nous parcourons la Bulgarie ensemble et, inévitablement, nous allons à Sliven, ville de 100 000 habitants, généralement considérée comme « la capitale des Gitans » (ils représentent plus de la moitié de la population). La veille du départ, une autre amie bulgare dit sans réfléchir : « Faites attention, à Sliven. Il y a beaucoup de Gitans. » Elena est exceptionnellement dépourvue des préjugés ordinaires.

Le long trajet en train nous fait découvrir toute la chaîne des Balkans et nous traversons la Bulgarie presque d'un bout à l'autre. Les différentes nuances de vert des champs et les carrés jaunes de tournesols cèdent la place aux vergers : de petits arbres fruitiers bien taillés, abricotiers, pruniers et cerisiers. Dans ce paysage prospère et coloré, nous sommes très loin des étendues calcinées qui bordent les routes d'Albanie. La différence la plus frappante ne réside pourtant pas dans le paysage en soi mais dans la détermination qu'il révèle chez les habitants. La Bulgarie est un patchwork d'étendues cultivées ; dans le train, les Bulgares sont récompensés par ce spectacle pastoral bigarré, digne d'un livre pour enfants, entre les grandes usines chimiques dont les cheminées crachent une fumée tout aussi colorée. Ce détail excepté, la Bulgarie ressemble à un paradis : rivières, montagnes, vieux monastères peints ; vignobles, vergers et stations balnéaires, le tout sous un climat méditerranéen. Mais pour les Gitans, toutes ces ressources et cette diversité ne veulent pas dire grand-chose ; peu leur importe. L'idée qu'ils se font d'un endroit n'a guère de rapport avec le paysage humain et, compte tenu de son importante population tzigane, la Bulgarie est un espace stérile, un désert en matière de tolérance.

Elena raconte comment elle s'est mise à s'intéresser aux Gitans. Elle appartenait encore à une équipe de pionniers : « Tu sais, l'une de ces petites communistes très heureuses, avec un foulard rouge autour du cou. » Elena était chargée d'un groupe de petites Tziganes lors d'une excursion en mer Noire (la ségrégation raciale était respectée ; comme personne ne voulait se charger des Gitanes, Elena étant la plus jeune, elle fut désignée comme « volontaire »). A la fin des vacances, un bracelet appartenant à une autre accompagnatrice avait disparu. Le groupe d'Elena fut accusé (la coupable était forcément une Tzigane) et le directeur lui demanda de dénoncer la coupable. Elena répondit qu'aucune des fillettes n'aurait pu voler le bijou, car elles avaient passé la journée à Varna, à l'intérieur des terres. (« Aucune des Gitanes ne savait nager. Elles ne s'amusaient pas beaucoup à la plage. Cela ne faisait que montrer à quel point elles étaient différentes. »)

Le directeur insista. Elena imite son air furibond lorsqu'il exigeait une coupable, « sinon... ». « Je m'en suis tenue à la vérité, parce que je ne voyais pas ce que j'aurais pu dire d'autre. Les petites avaient peur à cause du bracelet. Ou peut-être qu'elles avaient toujours peur. Elles n'avaient pas d'autres vêtements que ceux qu'elles avaient sur le dos, elles faisaient très attention à leurs affaires, elles lavaient leurs robes sans qu'on le leur dise, même les plus petites. Sept ou huit ans. Bien plus propres que les enfants bulgares.

— Alors qu'est-ce qui leur est arrivé ?

— Je ne l'ai jamais su. Rien, peut-être. Moi, j'ai été chassée des Komsomol [les jeunesses communistes]. En 1975, c'était grave. J'ai compris que je n'aurais aucune chance d'entrer à l'université. Le fait que mes parents n'étaient ni l'un ni l'autre membre du Parti n'avait pas posé de problème, mais maintenant, les autorités s'en servaient pour prouver que nous étions des gens subversifs. C'était une période troublée. Pourtant, cet épisode m'a transformée. Et tu n'imagines pas, j'avais été si fière quand on m'avait remis le foulard rouge ! »

La petite Emilia était l'une des fillettes du groupe d'Elena ; ses parents ont invité Elena chez eux lorsqu'ils ont appris l'histoire du bracelet. « Sa famille vit dans l'un des plus vieux (et des pires) quartiers tziganes de Sofia, dans un endroit où je ne serais *jamais* allée avant. On disait que c'était tellement dangereux. » Malgré les protestations de sa famille, Elena commença à fréquenter le quartier gitan à 17 ans, ce qui était bel et bien dangereux à l'époque, moins à cause des Tziganes qu'à cause des autorités. Dès lors, le courrier de la famille fut intercepté (ils n'avaient pas le téléphone) : des hommes en long manteau gris se présentaient pour interroger Elena et ses parents sur ses activités.

« Mais c'était toujours un peu comique », dit-elle. Rétrospectivement, peut-être. « Non, vraiment, c'était ridicule. La police venait et faisait du bruit. Ils parlaient de tout sauf de ce qu'ils étaient venus chercher. Ils ne posaient jamais de questions directes. Ils n'avaient pas le droit de parler des Gitans parce que, officiellement, les Gitans n'existaient pas ! » Et c'est vrai : malgré la présence, encore aujourd'hui, d'une minorité tzigane parfaitement visible, jusqu'à 800 000 personnes dans l'ensemble du pays (près de 10 % de la population), ils ne figurent jamais dans les recensements, sauf dans ceux du ministère de l'Intérieur, autrement dit de la police.

Elena me donne le contexte de ce qui est devenu l'obsession de sa vie. Dans la Constitution de 1947, les Tziganes avaient le statut de minorité nationale, ce qui leur permettait au moins de parler leur propre langue, mais ce statut fut supprimé lors de la révision de la constitution en 1971. Tous les Bulgares, de gré ou de force, « deviendraient égaux ». Cela signifiait que la différence ne serait plus tolérée. En même temps, à partir de 1978, une loi non écrite mais connue de tous interdit les rapports entre « Bulgares ethniques » et Gitans, notamment toute mention dans la presse nationale ou à la télévision (d'où les euphémismes comme « nos frères bruns », encore employés dans la presse « libérée »). Bientôt, les Tziganes, comme les Turcs, furent obligés de « bulgariser » leur nom : Ali devint Ilia et Timaz devint Todor. Ils n'avaient plus le droit de parler le romani, de jouer leur musique, de porter des vêtements « folkloriques ». En outre, répète Elena l'ethnographe, de nombreux Gitans ont perdu leur emploi traditionnel, fabricant de paniers, de cuillers ou de brosses, cueilleur de simples, musicien, forgeron, etc. Je suis d'accord avec Elena : ces éléments constitutifs de leur identité sont évidemment plus important pour un groupe dépourvu de territoire ou d'archives écrites. Aujourd'hui, beaucoup de Gitans bulgares ne savent pas quelle était l'activité de leurs ancêtres, et ignorent quel nom portait leur famille quelques générations auparavant.

A Sliven, je me sépare d'Elena (nous ne voulons pas être un fardeau pour les familles auxquelles nous rendons visite) ; nous nous retrouverons quelques jours après, dans le train qui nous ramènera à Sofia. Une amie anglaise m'a présentée à Antoinette et à Gyorgy, et ils m'ont invitée chez eux.

Antoinette prend entre deux doigts la rose que j'ai apportée et la jette dans un long vase, tout emballée, avec la cellophane et le ruban du fleuriste de la gare. Elle pose le vase sur le poste de télévision, entre deux tours Eiffel : l'une en cuivre, garnie d'un thermomètre, l'autre en porcelaine.

« Eh oui », soupire-t-elle, en penchant la tête, les mains serrées contre la poitrine. Antoinette collectionne les cartes de vœux représentant des femmes dans ce genre de posture « féminine ». Ensemble, nous parlons français, langue qu'elle a apprise au Frenskata Gimnazia, au lycée français. Elle est ravie d'avoir de la visite. Elle n'a personne avec qui parler français et, semble-t-il, personne avec qui parler bulgare. Nous parlons de Paris, où elle est allée un jour et qu'elle considère comme sa patrie spirituelle.

« Georges et moi, nous y sommes allés il y a cinq ans.

— C'est vrai ? » Cette réaction attendue déclenche une longue séance pendant laquelle nous feuilletons l'album-photo familial : Antoinette en pied devant la tour Eiffel, Gyorgy devant la tour Eiffel, Antoinette et Gyorgy devant la tour Eiffel...

Les Tziganes de Sliven sont sédentarisés depuis longtemps. Ils se divisent en deux groupes : les Gitans chrétiens, plus riches, anciens ferronniers, et les Xoraxane, les Gitans « turcs » ou musulmans, qui n'ont jamais été identifiés à une activité particulière. Ces derniers vivent misérablement, de l'autre côté de la voie de chemin de fer, derrière un grand mur construit dans les années 1960 pour les rendre invisibles, dans des mini-ghettos baptisés « Bengladesh » ou « Que ça vous plaise ou non ». Antoinette et Gyorgy n'habitent dans aucune des deux colonies ; ils ont un appartement dans un grand immeuble en ciment qui semble à peine rattaché à la ville et dont les locataires mêlent Gitans et *gadje*.

J'essaye d'éviter les stéréotypes, et Antoinette fait de même. Assise à côté de moi sur le tapis en patchwork, les jambes délicatement repliées sous elle, Antoinette ne ressemble à aucune des Gitanes que je connais ; elle est grande, pâle et blonde, d'une coquetterie enfantine, excessive. On la croirait sortie d'un numéro de *Modes et travaux* des années 1950. Sa robe à fleurs rouge et jaune se déploie en éventail, et son tablier à volants est retenu par un grand nœud dans le dos pour mettre en valeur sa taille. Ses cheveux brillants et permanentés forment un bloc, comme une meringue ; un feston jaune s'incurve au-dessus de son front. Ses grands yeux marrons sont très beaux. Elle n'est pas jolie, mais aucune de ses imperfections n'est irrémédiable ; il y a quelque chose de touchant dans toute la peine qu'elle se donne, toujours souriante.

Je demande à Antoinette pourquoi ils ne vivent pas dans le *mahala* (quartier) des Gitans chrétiens.

« Je n'ai pas envie de vivre entassés les uns sur les autres, à l'italienne. » Aussi souvent que possible, elle émaille ses propos de références au reste de l'Europe pour prendre ses distances par rapport au monde des Gitans (qui, en fait, vivent bien plus entassés que les Italiens).

Elle me raconte le début de son histoire d'amour avec « Georges ». « Donka, ma grand-mère, elle était contre lui. Elle disait : "Mais ma petite fille, il est un peu paysan." » En manière d'explication, Antoinette ajoute : « C'est vrai qu'il a la peau très sombre. » Puis elle baisse les yeux et pose doucement la main sur sa clavicule : « Mais comme cet homme sait bien danser ! »

Le premier soir, dans un restaurant du quartier, j'ai l'occasion de juger moi-même. Les trois frères cadets de Gyorgy ont un excellent orchestre, très demandé pour les mariages. Gyorgy ne joue pas (c'est un homme d'affaires) mais il danse beaucoup avec Antoinette, et sur la piste, ils forment un couple remarquable. De temps en temps, Gyorgy chante aussi, des chansons d'Engelbert Humperdinck ou de Tom Jones. Son plus grand succès est « Laisse-moi te quitter ». « Oooooh, je t'en prie, laisse-moi, ooooh laisse-moi te quitter... Tu ne m'aimes plus. » Antoinette sanglote en l'écoutant.

« Ma famille était déçue, tu vois. J'étais allée au lycée ; j'étais la seule Tzigane là-bas, et personne n'était au courant. »

Les rares écoles étrangères installées en Bulgarie sont considérées comme les meilleures, et leurs seuls élèves sont généralement les enfants des apparatchiks de haut niveau. Le cas d'Antoinette est unique à tous points de vue. Avec sa choucroute blonde et son costume moderne (la plupart des Gitanes de Sliven portent encore des jupes longues, à défaut d'être traditionnelles), elle me rappelle une fille que j'ai connue en Amérique (pour ses 16 ans, on lui avait offert l'opération nécessaire à lui refaire le nez ; son nouveau visage avait quelque chose de bizarre, mais le changement le plus spectaculaire résidait dans son expression : elle aurait désormais toujours ce secret à porter). Quant à la métamorphose d'Antoinette, elle ne s'explique que par un quelconque lien avec le Parti, mais elle nie en vain. C'est comme si je lui demandais si sa blondeur est naturelle.

Nier ses origines, se faire passer pour autre : c'est ce que font beaucoup de Gitans, surtout en Bulgarie. Ici, ils peuvent se fondre parmi les membres, plus nombreux encore, de la population turque, ce qui s'est avéré utile, surtout sous la domination ottomane (ce n'est pourtant pas toujours par opportunisme que bien des Gitans bulgares se sont identifiés avec les Turcs : c'est aussi un exemple rare d'authentique assimilation). Dans l'ex-bloc soviétique, cependant, *tout le monde* avait l'habitude du mensonge éhonté et du mensonge officiel ritualisé. Les Bulgares, comme les autres « Blancs », ne cachaient du moins pas leur haine des Gitans. Mais leur réaction était plus prévisible que celle des Gitans bulgares. A une époque où, dans le monde entier, l'appartenance ethnique remplaçait l'argent ou la classe sociale comme facteur de socialisation dominant, les Gitans rêvaient d'anonymat racial.

A Sofia, Elena m'a présentée à Gospodin Kolev, le seul Tzigane membre de l'ex-comité central du Parti communiste (section Propagande et Agitation). Il y avait jadis plus de 3 000 gitans membres du PC bulgare, mais ils appartenaient à la base. J'ai appris seulement par la suite que Kolev, plutôt haut placé dans la hiérarchie, était l'oncle d'Antoinette.

Gospodin (c'est-à-dire « monsieur ») Kolev est particulièrement fier d'avoir autrefois défendu la cause des pensionnats spécialement destinés aux Tziganes, où « on leur apprenait à être civilisés comme les Bulgares », ainsi qu'à faire la cuisine et à mettre la table. A Sliven, je visite un établissement « technique » réservé aux Gitans. Les enfants sont censés y apprendre un métier, ce qui est vrai, dans un véritable décor d'atelier clandestin (des enfants de dix ou onze ans posent les roulements à billes dans des chaises de bureau qui sont ensuite essentiellement vendues, me dit-on, aux entreprises hongroises). Ces écoles existent encore dans toute la Bulgarie ; elles ne ressemblent guère au Lycée français, et ressemblent plus à des orphelinats ou des maisons de redressement.

J'interroge Kolev sur l'interdiction de la langue et de la musique tziganes, interdit imposé en 1984 par le Parti communiste bulgare, puis levé en 1989 lors de la chute de Todor Jivkov.

« Les Bulgares ne voulaient pas des chansons gitanes parce que, à l'époque, la musique serbe et bulgare avait plus de succès.

— Et le changement d'identité ?

— De même que, dans tous les pays, les Gitans adoptent la religion locale, de même ils prennent des noms locaux. Ils ont toujours eu des noms bulgares. Quant à ceux qui avaient des noms turcs, ils ont été changés pour la première fois en 1940, sous la *monarchie*. C'est vrai que nous avons repris cette campagne en 1962, en commençant par les Tziganes, pour qu'ils deviennent vraiment bulgares. »

Les Pomacks, les musulmans bulgares, furent le second groupe à être rebaptisé, en 1970 ; enfin, dans les années 1980, ce fut le tour des Turcs. Quelque 3 000 d'entre eux furent envoyés en Turquie pour une « excursion » en aller simple ; cet épisode a suscité l'indignation internationale qui contribua à chasser le dictateur au règne le plus long dans les Balkans.

« En tout cas, les Tziganes n'ont pas résisté. Pourquoi ? Parce que les noms turcs qu'ils portaient n'étaient pas typiquement turcs. Un Suliman gitan s'appelait Sulio ; ils avaient *déjà* pris leurs distances par rapport aux Turcs, vous voyez, et donc ils *voulaient* devenir bulgares. Dans le monde entier, les Gitans évitent de montrer qu'ils sont Gitans. »

Il a raison sur ce point, même si, en Bulgarie, ils le font surtout en se prétendant turcs... Deux ou trois Tziganes devenus députés après 1989 ont refusé de revendiquer ou même d'admettre leur origine ethnique.

A la fin des années 1950, l'oncle d'Antoinette a rejoint un comité du Parti chargé de résoudre « le problème gitan ». Ils ont commencé par interdire le nomadisme en 1958. Trente-cinq ans après, Kolev n'a pas changé de point de vue. « Dans une société industrielle technologique, le Gitan errant n'a plus sa place. » Kolev a de quoi être fier : il n'y a pas de Gitans « errants » en Bulgarie. « Qu'y a-t-il à sauver ? poursuit-il. Quels sont les prétendus métiers gitans ? Le cuivre a été remplacé par le plastique. On a donné aux Gitans la chance de devenir bulgares, les différences ne pouvaient être permises. » Dans son triomphe, Kolev semble ignorer que, depuis la fin du règne de son parti, ces différences se sont réaffirmées avec violence. Il s'en tient à la version en vigueur du temps de sa gloire, et il maîtrise à la perfection l'idiome du Comité central : « L'assimilation est un processus historique objectif. »

Mais pas inéluctable, apparemment. « Encore aujourd'hui, les Gitans qui vivent parmi les Bulgares conservent leurs attitudes attardées. Ils sont malpropres. Ils doivent apprendre au contact de leurs voisins bulgares. Le ghetto gitan est noir comme l'Inde. »

Bel homme à la mine sévère, le frère d'Antoinette, Stefan, vient déjeuner un jour à l'appartement. Il a les gestes calmes du médecin qu'il est ; sa peau est noire comme celle d'un Indien. La couleur de la peau est le critère clef par lequel Antoinette décrit les gens, mais elle ne m'avait pas indiqué celle de son frère. Nous nous apprêtons à manger des rouleaux de salami fourrés de fromage au concombre. Garni de cure-dents colorés, disposé en étoile sur une assiette en carton rouge, orné d'œufs durs au curry saupoudrés de paprika, ce mets délicat ne ressemble nullement aux repas copieux mais sans originalité que j'ai pu manger chez de nombreux Tziganes ; une fois encore, on dirait plutôt une recette tirée de *Modes et Travaux*. Antoinette m'examine avec attention. Je sens qu'elle est à l'affût du moindre signe de préjugé racial.

Stefan se met à parler d'une épidémie de polio à Sliven, qui frappe particulièrement le quartier gitan le plus pauvre, derrière la voie ferrée. Il est l'un des six médecins tziganes de Sliven, et la majorité de ses collègues bulgares, dit-il, « refuse de s'approcher du *mahala*. Ils font le strict minimum. Dans cette communauté [les Gitans], le taux de mortalité infantile est de 23 pour 1 000. Et voilà qu'arrive cette épidémie. Bien sûr, c'est un problème même pour les médecins de bonne volonté. Les Tziganes refusent la vaccination parce qu'ils imaginent que l'inoculation va stériliser leurs bébés ».

Je lui raconte une histoire semblable tirée du *Livre de Boswell*, du Gitan anglais Gordon Boswell. « Je refuse de me laisser empoisonner », déclare Boswell à une infirmière militaire qui tente de l'inoculer. Il craint la pollution rituelle, et peut-être aussi physique par laquelle l'intérieur du corps entre en contact avec les instruments et la culture impurs des *gadje*. Antoinette a sa propre explication de l'épidémie : « Les Gitans turcs sont plus sales que nos Gitans chrétiens. » Elle a raison. Pourtant, je ne sais pas vraiment de quel type de saleté elle parle : la crasse ou l'impureté morale.

J'ai envie de visiter le *mahala* défavorisé, et je m'y rends un peu plus tard, mais sans Antoinette : ni elle ni son frère médecin ne veulent y aller, en tout cas avec moi. Antoinette propose plutôt une promenade dans un quartier gitan plus charmant. « Ce ne sont pas tous des barbares, tu sais ! » Antoinette parle toujours des Gitans à la troisième personne.

Cet après-midi-là, avant que Stefan reparte travailler, nous nous arrêtons dans un petit café familial, au coin d'une rue située à la limite du *mahala*. Antoinette espère le convaincre de passer la soirée avec nous : elle promet de la musique, une fête de mariage. C'est un échec : il reste lugubre, mais pas seulement à cause de l'épidémie et des injustices qu'elle révèle. Comme sa sœur au teint clair, Stefan se sent mal dans sa peau.

On ne voit pas de chevaux autour des immeubles en ciment de Sliven, mais leur image est omniprésente dans les foyers gitans. Ils sont partout dans ce café, au mur, dans les assiettes, comme une allusion à un mode de vie perdu. Comme les photos que collectionnent les Anglaises et les Américaines passionnées d'équitation, les animaux ont tendance à avoir la robe brune. En fait, ce qu'on appelle le « cheval gitan » est pie : noir et blanc, bariolé. Ces créatures, douteuses sinon maquillées, ont toujours été les plus appréciées parmi les Gitans.

Quand Stefan va chercher nos cafés, un autre homme s'approche et, au vif déplaisir d'Antoinette, s'invite à notre table. Mitko Tonchev a besoin de parler. C'est un homme agité, au long visage sombre et sans rides. Il est venu à Sliven parce qu'il sait souder ; il paraît qu'on embauche « dans l'industrie ». Il est désespéré plutôt qu'amer à l'idée d'être relégué, en tant que tzigane, au bout de la file d'attente. « Avant, ça n'était pas comme ça. Nous ne savions même pas que nous étions gitans. Tout le monde avait du travail. Maintenant, nous ne sommes pas libres en nous-mêmes. »

Antoinette est agacée par cette remarque et c'est à contrecœur qu'elle m'en propose une traduction, en ajoutant que Mitko Tonchev n'est « ni futé ni intelligent ». Elle exprime son mépris pour lui et pour ses idées en se regardant dans son poudrier pendant tout le temps qu'il parle, en ouvrant et en refermant d'un geste compulsif le sac à main qui l'accompagne partout, orné de l'inscription « Paris Elégance » en lettres chantournées.

Plus tard, quand Stefan a disparu, Antoinette avoue que, selon elle, c'est la fête de mariage qui lui a déplu. « Pauvre Stefan, il n'arrive pas à trouver une épouse gitane parce qu'il est si intelligent. » Et il ne peut épouser une Bulgare parce qu'il est si noir de peau.

Les rues du *mahala* résidentiel, où les Gitans sont installés depuis plus d'un siècle, sont noires de monde en ce samedi après-midi de mai. Un flot de promeneurs, principalement des jeunes femmes qui tournoient dans leurs longues jupes à taille basse, descendent la rue principale en sens inverse. Quelques-unes mènent un orchestre de joueurs de zurla, dont les extrémités flûtées pointent vers le ciel, émettant une Lambada stridente. Certaines zurlas sont pleines d'argent, d'où leur son de mirliton et peut-être aussi leur position. La foule ne vient pas d'un mariage mais d'un *čeiz* (prononcer « tchëiz ») : la dot d'une jeune fille est exposée chez ses parents pendant quelques jours avant la noce.

Antoinette me prend la main et m'entraîne dans la maison du *čeiz*. « *Amerikanka, Amerikanka* », murmure la foule sur notre passage. J'ai donc été annoncée. On dirait que je suis une tour Eiffel ambulante, la preuve vivante qu'Antoinette est une grande voyageuse.

A l'intérieur, on se croirait le jour des soldes dans un bazar. Le sol et les murs des trois pièces de ce pavillon au plafond bas sont couverts de tapis « persans » neufs et scintillants, de serviettes, de tapis de bain, de bandes de moquette et de carpettes, représentant des scènes bibliques, des paons et des odalisques voluptueuses dans un décor de harem. Ils sont accrochés comme des toiles de maîtres, bien séparés les uns des autres, avec un éclairage spécifique sur les plus beaux. Y sont épinglées les pièces d'une garde-robe de mariée : nuisettes à dentelles et sous-vêtements coquins, soigneusement déployés comme si le vent les gonflait tout à coup.

Une autre pièce est devenue le temple de la vaisselle : plats lustrés couleur abricot, verres à vin bordés d'or, services à thé rose bonbon ornés de scènes pastorales, tasses grandes comme un dé à coudre, le tout empilé en équilibre instable sur un autel duveteux couleur pêche. Il y a des pantoufles partout : pour la mariée, pour le marié, à carreaux, en satin brodé, en feutre, images d'une vie domestique modeste. Après le mariage, apparemment, on n'a plus besoin de chaussures.

Dans la pièce suivante se trouve le lit couvert de satin, semé de roses en plastique et d'autres chemises de nuit. Sur l'oreiller, une grande poupée en plastique est assise, vêtue d'une robe de communiante tout en dentelle. Cette poupée est un ex-voto, à la santé des (nombreux) enfants, et elle sera perchée sur le capot de la voiture klaxonnante quand sera écoulée la semaine entière de cérémonies. Le couple ne passera jamais à l'église ni à la mairie, il n'y aura aucun document officiel. Ils sont déjà mariés selon la coutume tzigane, et la preuve en est le *čeiz* (les Gitans de Sliven, sédentarisés depuis longtemps, n'achètent plus leurs épouses). Il y a tant d'objets étalés sur le lit que les jeunes mariés, encore adolescents, exposés au même titre que leur butin, sont à peine visibles. Ils sont assis, bras-dessus bras-dessous, tous deux vêtus de chemises blanches à jabot boutonnées jusqu'au cou. Elle est mignonne, toute timide, gênée par les bikinis violets transparents accrochés au mur juste au-dessus de sa tête. Le couple sourit constamment, comme si on les prenait en photo, ce qui arrive de temps en temps.

En revenant à la maison, Antoinette décrit son propre *čeiz*. « Il y avait tant de cadeaux que toute la famille a dû quitter la maison et dormir dans la voiture ! Et attention, c'était une grande maison. J'ai reçu des choses importantes », dit-elle pour me rassurer : on n'allait pas refiler une ribambelle de petites culottes fantaisie à une étudiante du Lycée français. « Par exemple, ma bibliothèque », meuble vitré dans lequel sont entreposés son service à thé scintillant et ses figurines en porcelaine.

« Je ne voulais inviter personne, j'étais honteuse, bien entendu. » Le *čeiz* est une tradition gitane, et aucune de ses amies du lycée n'aurait ainsi fêté ses fiançailles. « Mais mes parents ont insisté, et en fin de compte tout s'est bien passé parce que beaucoup de gens intelligents sont venus. » Ce qu'elle veut dire, je le comprends grâce à la suite de ses propos, c'est que beaucoup de *gadje* sont venus admirer le trésor nuptial.

C'est la saison des mariages. Le lendemain, nous allons à une autre fête, dans un restaurant souterrain. Antoinette est évidemment une invitée de marque parmi les Gitans, mais elle regrette aussitôt d'être venue. Une hystérique outrageusement maquillée se pavane sur notre table, vêtue d'une robe rose à paillettes ; mais pour Antoinette, ce n'est pas le pire. La fiancée est visiblement enceinte et, pire encore, c'est un mariage mixte. Antoinette est fière de ses amis bulgares, mais ce ne sont pas des gens qui épouseraient des Gitans, qu'elle considère évidemment comme des gens de peu. Tout cela est bien troublant.

Lors de mon dernier soir à Sliven, Antoinette et Gyorgy m'emmènent dîner avec quelques amis dans un restaurant en dehors de la ville, dans un ancien relais de chasse de Todor Jivkov. On dirait une station de ski un peu rustique, avec des lustres en bois de cerfs et de petits blocs de pierre en guise de tabourets autour d'une cheminée taillée dans le roc. J'ai peu vu Gyorgy durant ce séjour. Apparemment il est préoccupé par ses affaires (dont la nature reste un mystère). Ce soir, il est là, assis au bout de la table, entre sa secrétaire, Yuliana, et Antoinette, dont les cheveux jaunes empilés en 8 comme de la barbe à papa forment une crête laquée.

Yuliana est une jeune Bulgare qui a renoncé à l'enseignement pour travailler avec Gyorgy, et qui en a profité pour changer de look : minijupe en cuir rouge et talons-aiguilles assortis, corsage en cuir noir, rouge à lèvres foncé, les yeux entourés par une épaisse ligne de mascara noir. A Sliven, cela ne lui donne pas l'air d'une prostituée : c'est la mode. Et malgré son allure, Yuliana, en tant que Bulgare, est une belle prise, non seulement comme maîtresse (c'est visiblement son rôle), mais aussi comme secrétaire : commencez par engager une *gadji*, et les affaires viendront bientôt. Antoinette semble accepter la situation.

Vers la fin du repas, Gyorgy se penche vers moi et me demande, mi-ironique, mi-hostile, et surtout très saoul : « Tu crois en une aristocratie gitane ? » Il ne s'agit pas du mythe du Bon Sauvage, mais d'une noblesse fondée sur le caractère, non sur la caste. Surtout, Gyorgy « le paysan » a besoin de respect. Sa question reflète l'insécurité et les accusations qui resurgissent à l'improviste, dans des questions comme : « Et toi, tu épouserais un Gitan ? »

Le lendemain matin, curieusement, je n'arrive pas à dissuader Antoinette, Gyorgy et Yuliana de m'accompagner à la gare ; je suis impressionnée en les voyant apparaître tous les trois à 5 heures du matin, dans leurs tenues les plus chics. Antoinette me fait signe jusqu'à ce que je disparaisse, en serrant contre la poitrine son sac « Paris Elégance ».

Dans le train, Elena, qui participait au dîner d'adieu, n'est pas étonnée d'apprendre que je n'ai guère été convaincue par cette femme aimable, intelligente, mais un peu perdue. « Ils seraient mieux à Sofia », dit-elle. Ou à Paris. En Bulgarie, explique-t-elle, les mesures de « confinement », d'assimilation des minorités, ont été particulièrement sévères, surtout à partir du milieu des années 1980. Et ces mesures ont également affecté Elena.

Finalement, le scandale du bracelet de la mer Noire n'a pas empêché Elena d'aller à l'université. Mais lorsqu'elle a voulu choisir un sujet de recherches, on lui a dit que les Gitans ne méritaient pas son intérêt, même au département d'ethnographie ; Elena a dû se rendre en Tchécoslovaquie pour sa thèse. Lorsqu'elle est revenue à Sofia, elle est bizarrement devenue membre de l'Institut ethnographique national. « Je ne sais pas pourquoi ils m'ont acceptée. » Sa thèse avait été rejetée comme une pure fiction romantique. « Peut-être pour me surveiller. Au début, pendant environ deux ans, tout était calme. Et puis, à partir de 1985, le directeur s'est mis à me menacer. Ce qui avait changé, c'est que ça se faisait ouvertement. C'était très bien vu de menacer les gens. Il m'a simplement dit qu'une directive était arrivée du Comité central, selon laquelle je devais cesser toute agitation dans les milieux gitans clandestins. » Elena éclate de rire, sans avoir besoin de me préciser que la loi obligeait justement les Gitans à la clandestinité. « Si j'avais refusé de coopérer aussitôt, j'aurais été chassée de l'Institut, et bien sûr de tout poste d'enseignement... J'ai essayé de voir la chose du bon côté : si je devenais balayeuse, au moins je pourrais côtoyer les Gitans. » De fait, dans l'ex-bloc de l'Est, tous les balayeurs sont des Gitans, apparemment.

Le train passe devant un vaste et bourbeux élevage de poulets. J'essaye d'expliquer à Elena à quoi ressemblent les usines de poulets en batterie à l'Ouest. Elle est stupéfaite à l'idée qu'on puisse vouloir défendre les droits des animaux, surtout les droits des poulets, et elle s'étonne plus encore qu'on puisse opposer la moindre objection à des poulets spécialement engraissés.

« Tu n'as jamais vu un poulet bulgare plumé, c'est clair », conclut-elle. Et elle me raconte comment, l'hiver précédent, lors d'une pénurie alimentaire particulièrement grave, elle a écumé les quartiers tziganes de Sofia : elle a acheté un poulet à une de ses connaissances et l'a rapporté, triomphante, chez elle pour le dîner.

« J'ai dû le tuer dans la baignoire. Vesselin [son mari] était horrifié devant tout ce sang. Mais moi non plus je ne voulais pas regarder, je n'arrêtais pas de rater le bon endroit et le poulet ne voulait pas mourir. Tu sais, ce n'est facile de tuer un poulet, même un poulet bulgare tout maigre. Mais ce qui s'est passé, c'est que mon père est arrivé et qu'il a fini le travail, en nous disant qu'on aurait pu écraser la bête avec un de nos gros manuscrits inédits. Ce qui est sûr, c'est que je n'aurai jamais le droit de publier mes recherches. C'est drôle, non, de penser que ce qui était simplement interdit avant est à présent totalement impossible... » Sa voix s'éteint et elle part fumer une cigarette dans le couloir.

Elena fait allusion au problème habituel et inévitable, évident dans tout l'ancien bloc soviétique : les restrictions économiques se sont substituées aux interdits politiques. Il n'y a pas d'argent pour publier, pas de papier et pas de marché pour les obscurs volumes « scientifiques » que produisait jadis tout institut, toute académie (sous l'ancien régime, tout le monde, critique littéraire ou professeur de gymnastique, était baptisé « scientifique »). Elena calcule qu'il lui faudrait dix ans pour faire publier un livre en Bulgarie, à condition de le faire accepter par un éditeur. Un article peut attendre trois ans, et si l'on retire son texte provisoirement, même pour le réviser, on perd sa place dans la file d'attente.

Le gros de sa recherche reste inédit, même si elle a réussi à faire paraître un article dans le magazine ethnographique *Kontakti*. C'est une nouvelle revue, dirigée par les gens qui rejetaient jadis ses textes pour l'ancienne revue. Elle s'appelait alors *Rodno-Lyubie*, « Amour du Clan ».

Je rappelle à Elena qu'elle m'a promis de me présenter à Emilia, son amie depuis l'excursion à Varna il y a près de vingt ans. Pendant le temps qu'il nous faut pour la retrouver, Elena me met au courant des ennuis qu'a rencontrés ensuite la fillette, entièrement liés à la hiérarchie interne à la communauté tzigane, bien plus solide que tous les projets gouvernementaux visant à la faire disparaître. Après quelques essais, nous trouvons Emilia chez elle : un appartement dans un immeuble moderne mais délabré, à Sofia. Contrairement à Antoinette, Emilia est détendue, résignée et très franche. Elena lui dit que je voudrais connaître son histoire, et elle s'exécute en haussant les épaules. Elle parle en bulgare, et Elena traduit.

« C'est la seule nuit que j'aie jamais passée seule avec mon mari », dit Emilia à propos de sa fugue. En 1978, à treize ans, elle s'est enfuie avec Plamen, qui l'emmenait chez sa grand-mère, deux kilomètres plus loin, dans un autre quartier gitan de Sofia.

« Quand ma grand-mère s'est enfuie, mon grand-père est venu la chercher et l'a emmenée sur un cheval. » Du point de vue d'Emilia, la situation s'est bien améliorée : « Plamen a loué un taxi. C'était un taxi de l'Ouest. »

La fugue n'a rien de scandaleux en soi. C'est un incident fréquent chez les Gitans, surtout parmi les groupes sédentarisés comme celui d'Emilia ; ils vivent serrés depuis des générations dans le même quartier de Sofia (lorsque je l'ai visité, il n'y avait toujours pas d'eau courante, seulement une rangée de cuves avec des robinets). Il est devenu trop onéreux d'acheter les fiancées, selon l'ancien système, et cela favorise les aspirations rigides, voire dynastiques, que ne partagent guère les jeunes. La fugue est en plein essor, car c'est le seul moyen d'éviter un mariage arrangé. C'est en fait un euphémisme pour désigner les relations sexuelles, qui équivalent au mariage. Pourtant, le système a parfois des ratés, du moins pour les filles. De plus en plus de jeunes hommes ont recours à la méthode simple de l'enlèvement qui, avec ou sans la complicité de l'intéressée, fait figure de fiançailles, à moins que les choses tournent mal. Au sommet de la liste des incidents possibles, la question de la virginité. La fille peut ne pas être vierge, ou elle peut être incapable de le prouver.

Tôt le matin, le lendemain de leur fuite, Emilia et Plamen sont revenus dans leur quartier, en tramway cette fois, avec le drap taché de sang emballé dans un sac en plastique. « Le tram était plein de gens à moitié endormis qui partaient travailler. Je me rappelle que nous étions les seuls à être vraiment réveillés. Nous étions si heureux. » Cette traversée de Sofia à l'aube fut le dernier moment de calme pour les jeunes mariés. Du jour au lendemain, Emilia et Plamen étaient entrés dans le monde des tabous, hérissé de transgressions potentielles, qui forme le décor de la vie d'un Gitan adulte, cadre conçu pour « restreindre » les femmes. Ce n'est pas le mariage en soi qui condamne la femme : c'est à l'âge des premières règles (même si d'habitude les deux coïncident) qu'elle devient susceptible de polluer l'homme. Mais si la femme est la cible de la plupart des tabous et lois coutumières, elle est aussi, bien sûr, chargée de les faire respecter.

Une fois revenus dans leur quartier, ils ont fait un premier arrêt chez les parents de Plamen. Les adolescents ont remis le sac en plastique à la mère du marié, chargée de l'indispensable expertise scientifique. Le sang ne suffit pas à prouver la vertu de la jeune Emilia ; une fois Plamen et tous les hommes chassés de la maison, on a étalé le drap taché sur la table de la cuisine et on l'a arrosé de *rakia*, l'alcool de prune qui est l'eau-de-vie locale. Les femmes ont formé un cercle et ont attendu.

« Ça a été la demi-heure la plus effrayante de ma vie », se rappelle Emilia. Pour que tout se passe bien, il faut que le *rakia* fasse prendre au sang la forme d'une fleur. « Le sang de cochon ne fleurit pas bien », explique-t-elle, faisant allusion aux méthodes désespérées par lesquelles un couple peut tenter de masquer une virginité déjà perdue ou, plus vraisemblablement dans cette atmosphère tendue, dissimuler l'incapacité du marié à accomplir son devoir.

« Après le test au *rakia*, je suis rentrée chez mes parents, et le lendemain Plamen est venu demander ma main à ma mère. Je n'ai pas eu le droit de le voir avant que tout soit réglé, mais ça ne me dérangeait pas ! » Emilia a vingt-sept ans et elle en paraît dix de plus, sauf quand elle rit.

Il revient aux *babas* et aux *dajs*, aux grand-mères et aux mères, d'arranger tous les mariages ; quand Plamen est venu faire sa demande, la mère d'Emilia a d'abord refusé. Bien entendu, le problème finirait par être résolu. Plamen n'était pas un gendre idéal, mais Emilia s'était enfuie avec lui et, une fois le test réussi, elle devrait se marier. « Baba est furieuse après moi. »

Le couple avait déjà fugué, mais la famille d'Emilia ne voulait pas laisser partir pour rien un tel trésor, avec ses immenses yeux verts, ses épais cheveux noirs et son ample jeune corps. Plamen a dû revenir plusieurs fois pour refaire sa demande, ce qui fit comprendre à ses parents que leur future bru méritait leur estime. Quand

Emilia nous quitte pour aller chercher son album-photo, Elena complète le tableau : « Le délai a donné à la famille de Plamen le temps d'aller “à la chasse au lapin”, c'est-à-dire de rassembler les cadeaux, de l'or en fait, pour le *čeiz.* »

Comme pour Antoinette, le visage d'Emilia s'illumine au mot *čeiz.* « Je suis restée assise toute la journée entourée de tous mes cadeaux, au beau milieu du lit. » On imagine aisément Emilia en reine accueillie en triomphe (dans son appartement actuel, elle dort dans un lit à baldaquin, drapé d'étoffes lilas diaphanes et duveteuses). De l'album de mariage, Emilia tire une photo qui la montre dans toute sa splendeur, devant un empilage bigarré de fête foraine où alternent les cadeaux luisants et veloutés. Elle porte une robe blanche et un chapeau assorti qui ressemble à un bol renversé, garni de pompons qui pendent de chaque côté de son visage.

« Qu'est-ce que tu as sur les mains ? » Je n'arrive pas à croire que ces griffes parcheminées sont celles d'une fillette de treize ans. C'est du henné, qu'on utilise par intervalles pour « nettoyer » la mariée durant la semaine de rituels, qui inclut danses, siestes, changements de tenues et enfin un « baptême » entre femmes dans l'un des établissements de bains municipaux.

« Plus longtemps le henné reste sur tes mains, plus longtemps ton mari t'aimera. C'est ce qu'on dit », explique Emilia en haussant les épaules. Les mains tachées font écho au drap maculé de sang, transformé en drapeau et agité dans le quartier par une sœur cadette de Plamen, fier propriétaire d'une vierge garantie. Le drapeau sanglant semble contredire la pudibonderie gitane. Je crois volontiers le vieil homme rencontré dans le quartier d'Emilia lorsqu'il me dit qu'il n'a jamais vu nue son épouse, mère de leur cinq enfants. Ce même homme a le ventre couvert d'un tatouage représentant une femme nue très sensuelle. Au grand ravissement des gamins du voisinage, il peut animer ce personnage en faisant bouger son torse, et transforme sa muse tatouée en véritable danseuse du ventre.

En revoyant les photos, Emilia est transportée. Elle nous offre une démonstration, avec Elena et moi dans le rôle de demoiselles d'honneur. Menés par Emilia, nous tournons solennellement autour de la table de la cuisine, en mettant avec soin un pied devant l'autre, formant la procession des grâces (en réalité, il faudrait trois vierges, bien sûr). Emilia a trop de tact pour me poser la question, mais elle interroge ensuite Elena sur mon propre statut marital et maternel. Bien qu'infiniment plus raffinée que les Albanaises de Kinostudio, elle aussi suppose que je suis stérile.

En revenant à l'album-photo, Emilia montre son portrait à la fin de la semaine de mariage : cette fois, elle est déguisée en mariée occidentale typique, vêtue d'une étincelante robe à dentelles achetée dans un magasin. Elle tient ses chaussures à la main. Remarquant ma surprise, Elena explique : « Après le bal, les filles font la quête. » Ces escarpins précieux (photographiés à part) seraient bientôt pleins de billets neufs.

La photo suivante représente la petite mariée assise dans une roulotte remplie de cadeaux et tirée par deux chevaux, suivie par une procession d'hommes. Tandis que je contemple l'album, Emilia raconte : « Alors, on nous a conduits chez les parents de Plamen, où nous devions habiter. » On voit ensuite Emilia franchir le seuil, frontière symbolique, mais au lieu d'être portée par son mari, c'est elle qui tient un enfant dans les bras ; Elena m'apprend que c'est une manière traditionnelle d'attirer la fécondité. Plus tard, elle ajoute un détail que la photo ne dévoile pas. Les prières d'Emilia avaient déjà été exaucées : en parfaite mariée, elle a déjà un enfant dans le ventre... Les dernières images montrent Emilia lors du banquet final. Elle disparaît presque complètement derrière l'argent, les billets que des invités bienveillants ont épinglés à la robe de la mariée.

Il n'y a plus de photos, mais Emilia continue à raconter ces noces qui semblent interminables. « Le lendemain, ma belle-mère m'a lavée et m'a donné un petit verre de *rakia* » (« pour fêter sa virginité », commente Elena, l'experte). Emilia se rappelle chaque détail de son mariage et décrit les événements avec tendresse et fierté, peut-être parce que, très vite, les choses ont commencé à mal tourner.

Une semaine après, à seize ans, Plamen est entré dans l'armée. Au cours des deux années que devait durer son service militaire, ils ne se sont vus que quatre fois. Puis, en 1980, moins de six mois après son retour, Plamen fut de nouveau envoyé bien loin : pris la main dans le sac alors qu'il volait un électrophone à un touriste polonais dans la cafétéria d'un supermarché, il fut condamné à deux ans de prison.

Arrivée à ce moment de l'histoire, l'excitation d'Emilia change de nature (son rire nerveux disparaît). « J'ai attendu longtemps, et même si j'avais Rumen (le fils qu'elle avait eu avec Plamen, aujourd'hui un garçon de quatorze ans, aux joues de hamster, aux yeux immenses et au menton creusé d'une fossette, tout comme sa mère), je n'étais pas heureuse. La mère de Plamen était une vraie sorcière. Je travaillais jour et nuit, je faisais la lessive pour toute la famille, même quand j'allaitais encore. Finalement, je suis retournée chez ma mère, ce qui a provoqué une scène terrible. Le père de Plamen a essayé de récupérer l'argent qu'il avait dépensé pour le mariage. »

Peu de tabous sont aussi vigoureusement respectés chez les Gitans que celui qui interdit de trahir un homme alors qu'il est en prison. Plamen n'avait pas de casier judiciaire lorsqu'il fut incarcéré pour deux ans ; le jugement fut sans doute influencé par son origine ethnique, même si les crimes commis par les Gitans sont généralement les plus bénins. Une attitude résignée se reflète dans les innombrables chansons consacrées à la vie en prison et dans les différents interdits qui pèsent sur ceux qui attendent le retour des détenus. A quinze ans, Emilia n'était pas partie pour un autre homme ; pas encore. Mais il n'était pas convenable de quitter sa belle-mère, et si ses parents l'ont protégée, c'est en partie parce qu'ils sentaient qu'elle avait fait une mésalliance.

Quand Plamen est revenu, en liberté conditionnelle, au bout de six mois, il était méconnaissable. « Il était bleu. De la tête aux pieds : il était *couvert* de tatouages. Il avait même... ». Emilia ne peut pas prononcer les mots et Elena, qui connaît toute l'histoire, termine à sa place : « un *rat* tatoué sur le pénis ».

Un Gitan peut abandonner sa femme, en ne lui laissant que la honte d'avoir été quittée, et donc presque dépourvue de valeur sur le marché matrimonial. Car même si la « divorcée » est encore adolescente, elle risque de ne pouvoir attirer qu'un divorcé ou un veuf. Alors que c'est elle qui quittait son mari, Emilia, à quinze ans, était une marchandise usagée. Et elle connaissait la chanson. Après l'épisode des tatoutages, Emilia perd tout enthousiasme pour cette conversation, et elle laisse à Elena le soin de me raconter la fin.

Avec Emilia, nous parlons d'autre chose pendant un moment, puis nous revenons à l'appartement d'Elena, chez qui je séjourne. Elle est ravie de me voir captivée par ce récit, comme elle l'a elle-même été bien des années auparavant.

« Il y a un autre aspect intéressant dans cette histoire », continue Elena, sans la moindre pause ; nous sommes assises par terre, nous fumons des BT et nous mangeons des cerises au sirop dans un bocal. « Tu vois, Emilia a une sœur aînée, Nadja. Je ne l'ai jamais rencontrée, mais on l'appelle toujours "l'affreuse". Elle s'est mariée bien avant, vers l'époque où Elena a fait le voyage à Varna avec moi. Et après Boiko, son mari, l'a laissé tomber. » Il devient clair qu'Elena, ethnographe avant tout, veut illustrer par-là un point important des mœurs tziganes. « Et pourquoi Nadja a-t-elle été chassée ? Parce qu'elle n'avait toujours pas d'enfant au bout d'un an. Selon leur coutume, c'était une cause normale de divorce. Boiko agissait selon ses droits en tant qu'homme. » Tandis qu'Elena parle et que je prends des notes, Vesselin fait la vaisselle et s'occupe des enfants avant qu'ils aillent se coucher.

« Nadja, une fois mise à la porte, n'avait pas le choix : elle a quitté Sofia. Elle a pris le bus pour Varna, et quand ça a commencé à se savoir dans le quartier, le père des filles a carrément interdit qu'on prononce son nom ! Sous peine de pollution, tu vois. » Il n'y a pas énormément de prostituées gitanes, mais Varna, la station balnéaire où Elena fut initiée, est connue pour être leur lieu de rassemblement. « Mais Emilia ne s'est pas laissé intimider par l'exemple de sa sœur. Dès que Plamen s'est retrouvé à nouveau derrière les barreaux, elle a avoué à ses parents qu'elle aimait Branko, un grand garçon de dix-neuf ans, de Kostenbrau », village voisin de Sofia. Et Branko appartenait à une autre tribu, les Grastari ou Lovara.

Elena est dans son élément : « Les Lovara sont [ou étaient] des marchands de chevaux. Parmi nos Gitans bulgares, ce sont eux qui sont restés nomades le plus longtemps, et ils le sont encore, du moins de façon saisonnière. Ils restent à l'écart des autres Tziganes, ils vendent des voitures et bien d'autres choses, de l'or, des produits du marché noir. Certains sont incroyablement riches. Ils se considèrent comme l'aristocratie et les autres groupes gitans ont l'air d'accord. La nouvelle liaison d'Emilia était une grande nouvelle pour ses parents ambitieux, et même s'ils en connaissaient les dangers, ils ont remisé le petit Rumen à l'arrière-plan et fait sortir Emilia par la grande porte. »

Branko a emmené Emilia à Kostenbrau pour la présenter à sa famille. Elena tente de reconstituer le raisonnement du jeune homme : en la voyant, on oublierait peut-être ses origines modestes (« rien de honteux, les ancêtres d'Emilia étaient fabricants de brosses », mais rien de très prestigieux). « Elle n'a pas été reçue dans la maison, on l'a laissé attendre dehors, sur le chemin de terre, avec sa valise à fleurs. »

Je n'ai aucun mal à persuader Elena de m'accompagner à Kostenbrau, où la famille en question vit encore. Après un parcours d'une demi-heure en autobus, nous arrivons chez Stanka, la grand-mère de Branko, officiellement pour me faire dire la bonne aventure (Stanka est une célèbre voyante). Brune et élancée, elle a le teint bis des Indiens d'Amérique, et ses nattes noires arrivent à la hauteur de son tablier. Cette visite chez Stanka m'en apprend bien peu sur moi-même. Mais Elena arrive à la faire parler du « mariage » malheureux d'Emilia et de Branko. « Le problème, ce n'était pas la fille en elle-même. C'était son éducation. » Tout au long de notre visite, les belles-filles ou petites-filles de Stanka déambulent alentour, chargées de lessive et indifférentes à notre présence, dans leur affairement. Ce sont des gens qui utilisent cinq cuves pour le linge sale, soit deux de plus que les trois obligatoires : non seulement on sépare les vêtements des hommes de ceux des femmes, mais le tri se fait aussi selon qu'on les porte au-dessus ou au-dessous de la ceinture (les sous-vêtements sont lavés à part, en séparant ceux des hommes de ceux des femmes). Cette tribu est farouchement hostile à l'exogamie : il est interdit d'épouser non seulement les *gadje*, mais aussi tous les autres Gitans.

« Comment peut-on savoir qu'elle sera pure ? » nous lance Stanka. « Qu'est-ce qu'elle en sait elle-même ? Ces gens-là vivent en ville, dans des appartements. Ils sont installés. » Stanka n'a pas l'air de s'en rendre compte, mais son peuple à elle est également sédentarisé. Le voyage est un élément de leur culture, alors qu'ils n'ont plus bougé depuis des siècles. La famille dirige le seul restaurant de Kostenbrau, le premier établissement privé à des kilomètres à la ronde. Et ils ont une grande maison en ville, peinte de couleurs vives. C'est la plus grande sur la rue principale. Mais ils ne l'habitent pas. Nous rencontrons Stanka là où ils vivent réellement, à l'arrière, à moitié en plein air, tout ce clan d'une bonne douzaine de personnes qui s'empilent dans deux petites caravanes, entourées de voitures à divers degrés de dissolution : épaves privées de leur carrosserie, réassemblées, repeintes.

Cette scène, qui suggère une vie errante, indique pourquoi les Gitans nomades exaspèrent les gouvernements et les populations sédentaires partout et depuis toujours. Contrairement aux Gitans « installés », qui ont besoin d'entretenir une relation régulière avec les *gadje* parmi lesquels ils vivent, les nomades prennent ce dont ils ont besoin puis s'en vont (l'escroquerie n'est une profession valable que si elle est itinérante). A Kostenbrau, les voitures sont retapées et vite revendues, comme Stanka le confirme fièrement. Autrefois, on déguisait les défauts des chevaux (on les graissait, on les retouchait au goudron, tout comme aujourd'hui on trafique le compteur), pratique dont témoignent non seulement les folkloristes gitans mais aussi les ethnographes.

Nous sommes assises en tailleur sur un matelas, à l'extérieur, et Stanka joue avec sa pipe, qu'elle finit par abandonner pour se mettre à mâcher du tabac. Je suis venu me faire tirer les cartes parce que je voulais la rencontrer. Je sais que, chez les Gitans, la bonne aventure n'est qu'une comédie, exclusivement destinée aux *gadje* crédules. Aucun Gitan n'aurait recours à la cartomancie ou à la divination qu'on pratique dans les rues ou dans les salons. Je l'admets donc à contrecœur, Stanka a su évaluer ma situation avec une précision invraisemblable. Du moins doit-elle être experte en l'art de lire les visages. Mais par exemple, elle me décrit en détail la maladie d'un proche. Lorsqu'elle termine, je la paie et elle range ses cartes. Elles rejoignent les billets, sous sa chemise, dans la poche cachée qui y est suspendue comme une musette, sous la couche supérieure de vêtements (cette pochette s'appelle *posoti*. « Conçue pour le vol », commente Elena avec admiration).

Devant nous s'étend un grand champ plat. Le regard fixé au loin, Stanka ressemble plus que jamais à une squaw. Elle tourne les yeux vers une sorte de pavillon. Je demande si je peux aller voir et elle secoue la tête pour faire signe que oui (on est toujours surpris en

Bulgarie, où leur « oui » est notre « non »). Je me dirige à pas feutrés vers une apparition curieusement classique. C'est un petit bâtiment en ciment, un Parthénon miniature, avec fronton, portique et colonnes en bas-relief. L'entrée est barrée par un gros cadenas. C'est la tombe du mari de Stanka. Dans le temple, sa tombe consiste en deux sièges de voiture, un morceau de tapis épais, un assortiment d'alcools et liqueurs et une petite télévision. On n'y a pas touché depuis qu'il a été enterré deux ans auparavant.

Pourquoi n'habitent-ils pas leur maison en ville ? Stanka hausse les épaules. « C'est pour nos invités. » C'est-à-dire pour le prestige, comme ce sépulcre tout équipé, qui montre qu'ils ont les moyens de gaspiller des meubles et un téléviseur. « Ce qui compte, c'est la vue », continue-t-elle en mettant un terme à mes questions impertinentes. Je lui demande si elle a voyagé lorsqu'elle était jeune. « Oh, à travers des milliers de champs dans toutes les directions : les Carpathes, la mer, l'océan à l'ouest » (l'Adriatique). Elle ne désigne jamais les pays par leur nom.

Souhaite-t-elle voyager de nouveau, maintenant que ce n'est plus interdit ? « Non », réplique-t-elle en crachant une grosse boulette de tabac pour souligner son propos. « C'est impossible, maintenant : la pollution est épouvantable. Ce ne serait pas agréable. Maintenant quand je voyage, c'est en voiture. » Sans tourner la tête, elle désigne de son pouce une vieille Mercedes marron encore luisante, garée dans l'allée, la seule voiture complète aux alentours.

C'est dans cette Mercedes que, à peine un an après être arrivée à Kostenbrau, Emilia et sa valise à fleurs sont reparties vers le vieux quartier de Sofia. Stanka avait fait plaisir à son petit-fils. Elle avait autorisé Branko à épouser Emilia, mais seulement à la mairie, ce qui représente encore moins chez les Lovara que chez les autres Tziganes. Il n'y aurait pas de noces, et on n'achèterait certainement pas la mariée (dont le cours est indexé sur le prix d'une voiture neuve).

Dans le bus, tandis que nous regagnons Sofia, Elena complète l'histoire une fois de plus. « Emilia est à nouveau devenue enceinte ; elle, Branko et le petit Rambo se sont installés dans la grande maison. » Je comprends à présent : la maison est en effet pour les « invités ». « Dès qu'elle a eu fini d'allaiter, Emilia a été renvoyée. Moins de six mois après, Branko s'est bien sûr remarié, un grand mariage tzigane. Et sa famille a gardé Rambo. Emilia a essayé de le récupérer. Elle est allée chez eux avec son père, elle a pris l'enfant mais, quelques jours après, les Grastari sont venus dans la Mercedes marron et l'ont repris. »

Pour avoir la garde de l'enfant, Emilia s'est battue devant les tribunaux bulgares (qui ne reconnaissent que son mariage avec Branko) et elle a gagné son procès. « Et la famille de Branko est revenue lui voler Rambo. » Contre ces Tziganes, Emilia ne peut pas gagner, et elle le sait. Elle a encore Rumen, mais elle a perdu Plamen, Branko et Rambo. « Même ses parents n'ont pas protesté lorsqu'elle a quitté la maison pour la troisième fois. Ils ne peuvent plus rien faire pour elle. »

Emilia a habité un moment chez Elena. Puis elle a vécu à Belgrade et elle est allée jusqu'en Slovénie. A présent, elle vit avec Rumen là où nous l'avons rencontrée ; elle a un petit ami *gadjo*, un homme marié, à ce que je comprends, qui paie le loyer et qui va et vient. Comme sa sœur aînée, Nadja, « l'affreuse », Emilia est bannie.

Avant de quitter Sofia, je supplie Elena de m'emmener voir la famille d'Emilia, ces gens qui ont accueilli la « pionnière » en disgrâce. Elle ne les a pas vus depuis des années. La mère embrasse longuement Elena et éclate en sanglots quand on lui parle de sa « petite » fille. « C'est impossible pour nous de voir Emilia maintenant. Je ne sais même pas où elle vit. » Ce n'est pas vrai. Sa mère la voit, mais ces visites sont un secret honteux. Elena a-t-elle appris la bonne nouvelle, cependant ? La mère d'Emilia fouille dans sa poche et en tire une photo couleur, une photo de « l'affreuse ». C'est Nadja, la sœur aînée d'Emilia, « stérile » et en fait très jolie, sur la digue de Varna avec son nouveau mari, qui joue du trombone et, coiffés de bonnets assortis, leurs tout jeunes jumeaux.

4

Le peuple le moins obéissant au monde

Le 20 septembre 1993, en Transylvanie, dans le village rural de Hădăreni, une bagarre oppose deux frères gitans, Rupa-Lucian et Pardalian Lacatus, à un jeune Roumain, Chetan Craciun, et à son père. Chetan est mortellement blessé d'un coup de couteau. En représailles, d'autres Roumains tuent les deux Tziganes à coups de fourche et de pelle. Un troisième Tzigane, Mircea Zoltan, est « carbonisé chez lui » (selon le terme employé par les rapports roumains). Un groupe de villageois met ensuite le feu à quatorze maisons habitées par des Gitans et en saccage treize autres ; cette nuit-là, quelque 175 Tziganes sont chassés de la ville où leur famille réside depuis soixante-dix ans. Plusieurs policiers assistent aux événements sans réagir : les pompiers arrivent vers minuit, plusieurs heures après le début de l'incendie. Leurs voitures étaient retenues (selon les Gitans bannis) sur l'ordre du député-maire de Hădăreni, Gheorghe Bucur, venu assister au spectacle. Le lendemain, certains Tziganes tentent de regagner le village et ce qui reste de leurs maisons ; mais quelques semaines après, ils sont de nouveau forcés de partir. Une femme raconte qu'on l'insulte, qu'on lui crache dessus, et elle craint pour sa vie : « Ils sonnent les cloches chaque fois qu'ils voient l'un de nous, et nous savons ce que cela veut dire. » Un an après, la plupart des Gitans se cachent encore, personne n'a été traîné en justice, et l'enquête promise n'est plus qu'un lointain souvenir.

Pour les Gitans du centre et de l'est de l'Europe, le changement le plus spectaculaire survenu depuis les révolutions de 1989 est la brusque escalade de la haine et de la violence à leur encontre. La seule Roumanie a été le décor de plus de trente-cinq attaques graves menées contre leurs communautés, principalement dans les zones rurales écartées : on brûle, on bat, certains ont même été assassinés, des enfants ont été estropiés. En Transylvanie, par exemple, Istvan Varga, petit garçon de trois ans, a été brûlé vif dans une meule de foin.

Presque aussitôt après la révolution et l'exécution des Ceauşescu, les attaques ont commencé et se sont rapidement amplifiées ; les communautés tziganes sont tombées suivant une vaste réaction en chaîne, jusqu'aux confins de la Roumanie. En janvier 1990, à Reghin, dans le centre de la Transylvanie, les maisons appartenant aux Gitans sont incendiées, sans raison apparente, par des Hongrois et des Roumains agissant de concert. Le 11 février 1990, à Lunga, dans l'est de la Transylvanie, six maisons sont détruites et quatre Tziganes meurent au cours d'un combat avec des Hongrois. Le même mois, près de Satu Mare, trente-cinq maisons gitanes sont détruites par les habitants hongrois de la ville de Turulung. En avril, à Seica Mare et à Cîlnic, les quartiers gitans sont dévastés ; comme dans le cas précédent, les attaquants n'affichent aucun motif, pas même un prétexte.

En juin, des centaines de mineurs de la vallée de Jiu, dans le sud-ouest de la Roumanie, armés de gourdins, arrivent à Bucarest par train spécial. Ils répondent à l'appel urgent du nouveau président, Ion Iliescu, pour mettre un terme au premier grand mouvement de protestation contre son gouvernement. Alors que les « ennemis de l'Etat », parfois appelés « ennemis de la démocratie », sont officiellement identifiés aux étudiants, de nombreux Tziganes sont choisis comme victimes, à des kilomètres du parcours des manifestations. Des bandes de mineurs sont escortées (par la police, selon les déclarations ultérieures de certaines victimes) directement depuis leur train jusque dans les quartiers gitans. Ils les frappent dans la rue et dans les maisons. Les possessions de certains Tziganes sont dérobées par les mineurs, qui déclarent ensuite qu'il s'agissait déjà de biens volés. Une Gitane enceinte raconte à un journaliste roumain qu'elle a été violée par un mineur, ou par quelqu'un qui se faisait passer pour tel, à l'arrière d'un camion et en présence de sa petite nièce. Une vieille Tzigane est morte d'une crise cardiaque en voyant ses enfants et petits-enfants tirés de leur cachette sous les lits et dans les armoires avant d'être violemment battus. Ultime affront, beaucoup de ceux qui ont été attaqués ont ensuite été arrêtés et jetés dans la caserne Magurele de Bucarest, alors utilisée comme prison provisoire.

Après la première descente des mineurs à Bucarest (ils devaient revenir en septembre de l'année suivante, 1991), un camp gitan installé à la campagne, à Cuza Voda, près de la station balnéaire de Constanţa, sur la mer Noire, est pillé et détruit par la foule. Le mois suivant, un quartier gitan est rasé à Huedin, en Transylvanie. En octobre 1990, à Mihail Kogălniceanu, 32 maisons de Tziganes sont détruites par une foule de plus de 500 personnes, Tartares, Macédoniens et Roumains. Ces ethnies se considèrent comme distinctes mais sont unies dans leur haine des Gitans, minorité isolée installée dans des baraquements, sur un terrain vague entouré d'un chemin de terre.

Au printemps 1991, des incendies ravagent plusieurs villes, près de Bucarest ainsi que plus au sud, vers la frontière bulgare. En juin, la Transylvanie est de nouveau en flammes lorsque, dans une ville nommée Plăieşii de Sus, 27 maisons sont rasées par une foule de 300 personnes qui attaquent le quartier gitan. Non loin de là, des villageois lynchent un innocent, en représailles après un meurtre dont un autre Tzigane est soupçonné. Plus les attaques se multiplient, moins l'opinion semble s'en émouvoir et, pire encore, moins les médias s'y intéressent, même la presse roumaine libérée il y a peu. Il ne s'agit pas simplement d'« épuisement de la compassion ». L'incendie et le meurtre deviennent une tendance « compréhensible » et acceptable, dans une période de transition sociale douloureuse. Doina Doru, encore récemment journaliste au *România Liberă*, quotidien courageux à l'époque de la révolution, mais qui a depuis été récupéré par des forces politiques nationalistes plus tenaces, rejette le « feuilleton tzigane » et ses interminables rebondissements. « Comment pourrions-nous nous soucier de la minorité quand l'avenir de la majorité est si incertain ? » me demande-t-elle. Doina est déçue de voir son journal ainsi muselé, elle est frustrée par le peu d'influence accordé à ses semblables dans une Roumanie qui n'a pas encore réalisé les grandes espérances suscitées par l'euphorie de 1989. Ce grief est un lieu commun dans l'ancien bloc communiste. Mais en Roumanie, le cynisme et l'hypocrisie semblent atteindre des sommets. Tandis que les journalistes « dissidents » protestent et gémissent sur le sort de « la majorité », l'Etat fait en sorte de maintenir la minorité, Gitans compris, au premier plan de l'imagination publique.

Les Tziganes permettent de détourner efficacement l'attention d'autres conflits. La télévision nationale explique donc chaque attaque comme le résultat des « provocations des voleurs gitans », même quand les Tziganes n'ont aucun rôle dans ces tensions qui leur coûtent leur maison et parfois la vie. Les autorités locales répètent le message de Bucarest. Ainsi, à Tîrgu Mureş, en Transylvanie, la lutte entre Hongrois et Roumains débouche essentiellement sur la persécution des Gitans. En mars 1990, la population hongroise locale tente de rendre à un lycée magyar vieux de quatre siècles son statut d'avant Ceauşescu mais se heurte à une opposition concertée. Les Roumains de souche sont amenés en ville par bus entiers, afin de participer à l'attaque du quartier général de l'Alliance démocratique hongroise, dont quelque 70 membres sont assiégés. Lorsqu'ils sont finalement délivrés par la police roumaine, ils sont violemment battus, par « toute la foule furieuse », selon l'un des Hongrois pris au piège, l'auteur dramatique András Süto, devenu aveugle à la suite de cet assaut.

Sur les 31 personnes interpellées dans le cadre de l'enquête à Tîrgu Mureş, on trouve 5 Hongrois, 2 Roumains et 24 Tziganes (l'un des Gitans arrêtés, Arpad Toth, meurt en captivité. Après avoir parlé à un activiste des droits de l'homme venu de Genève, il est battu dans sa cellule le lendemain, bien que les autorités roumaines affirment que ce jeune homme de 24 ans est mort de « cause naturelle »). En outre, 16 autres Gitans sont accusés de délits tels que possession d'armes ou trouble de l'ordre public. Ils sont jugés dans le cadre du Décret 153, qui ne permet pas l'appel à une plus haute cour et, lors de sa parution en 1970, était destiné aux « parasites de l'ordre socialiste ».

En 1993, la Roumanie est accueillie au Conseil de l'Europe, étape préliminaire à son admission au sein de l'Union européenne, qui exige censément un bilan positif du point de vue du respect des droits de l'homme. La même année, on peut lire dans une déclaration officielle que les attaques contre les Gitans n'ont « aucune connotation ethnique » ; un rapport de la police roumaine explique les violences comme une réaction à « l'horrible situation créée par cette minorité ethnique ». Il n'y a aucune poursuite. Les enquêtes piétinent et n'aboutissent jamais, sauf quand les criminels sont tziganes ou lorsqu'il y a une chance qu'ils le soient.

Pendant quelque temps les choses se calment en Roumanie, mais la folie s'empare de la Hongrie, de la Bulgarie, et même de la Pologne, avec sa minuscule population gitane d'après-guerre. En Tchécoslovaquie, 28 Tziganes ont été tués dans des attaques raciales depuis la Révolution de Velours qui a rendu le pays à la démocratie. L'attitude de toute l'Europe de l'Est face aux Gitans est bien résumée par Magdalena Babička, l'une des participantes d'un concours de beauté organisé dans la ville industrielle de Ústí nad Labem. Alors qu'on lui demande ce qu'elle souhaite faire plus tard, Magdalena est ovationnée lorsqu'elle avoue son rêve de devenir procureur de la république, « afin de nettoyer notre ville de tous les gens basanés ».

Mais la difficile transition après le régime communiste n'explique pas toutes les violences, qui ne sont pas toujours spontanées, ni l'œuvre de foules déchaînées. En 1995, en Italie, plusieurs enfants gitans sont mutilés par des bombes jetées par la fenêtre d'une voiture. A Oberwart, à 120 kilomètres au sud de Vienne, quatre Gitans sont assassinés. Une bombe artisanale a été dissimulée derrière un panneau disant, en caractères gothiques, comme sur une pierre tombale : « Retournez en Inde, les Gitans. » La bombe leur explose au visage lorsqu'ils veulent décrocher le panneau. La première réaction de la police autrichienne est de fouiller le campement des victimes pour y trouver des armes. « Quatre gitans tués par leur propre bombe », pouvait-on lire dans la presse.

Pourtant, ces incidents, bien que violents, attisent rarement les passions autant qu'en Roumanie, où le mouvement reprend bientôt vigueur. Si seulement tout pouvait être mis sur le compte de la Transylvanie, contrée brutale et sanglante ! Mais depuis la Révolution, c'est tout le pays qui est atteint.

Pas besoin d'être roumain pour s'étonner : les Gitans ont-ils quelque chose qui les rend si détestés dans le monde entier ? En dehors de leur identité gitane, les victimes de ces attaques n'ont guère de points communs : ils appartiennent à des familles riches ou pauvres, ils sont ruraux ou citadins, criminels ou boucs émissaires désignés ;

il s'agit d'enfants, d'adultes et de vieillards. Aucune des victimes n'est un Gitan « traditionnel », nomade ; la plupart sont sédentarisés depuis des siècles, et certains sont assimilés au point de ne plus parler le romani. Est-ce leur réputation de voleurs qui joue contre eux ? Mais une enquête récente du ministère de l'Intérieur n'attribue que 11 % des crimes perpétrés en Roumanie (et uniquement des délits mineurs) aux Tziganes, qui représentent exactement 11 % de la population. Qu'ont donc les Gitans ? Et qu'ont donc les Roumains ?

Selon l'expression de l'écrivain roumain Norman Manea, ses compatriotes ont une « latinité enjouée » ; Bucarest est « une métropole scintillante d'ironie et d'élégance, où le malheur se déguise en paradoxe et le sarcasme en cordialité railleuse ». Je reconnais cet esprit chez les Roumains spirituels et instruits que je connais (et le Roumain « moyen » est instruit, voire lettré, du moins dans la capitale. A Bucarest, les gens achètent et vendent couramment les œuvres de Cioran, d'Ionesco et de Mircea Eliade, sur les mêmes étalages où l'on trouve des revues pornographiques ; il n'est pas rare qu'un magasin propose à la fois des chaussettes, des boissons, du salami, du porno et les œuvres complètes de Jean-Paul Sartre). En 1946, Ionesco, Roumain de naissance, formula une autre description judicieuse : « Dans la Roumanie légionnaire, bourgeoise, nationaliste, j'ai eu sous les yeux le démon du sadisme et de la stupidité obtuse incarnés. » En 1951, le poète polonais Czesław Miłosz publia *La Pensée captive,* texte véritablement fondateur ; un critique y a vu « l'exposé le plus subtil des tentations de la foi totale ». Miłosz nous raconte ce qui arrive à ceux qui tentent de s'adapter aux régimes totalitaires, les ravages de l'hypocrisie forcée. Il parle des habitants du bloc communiste, des intellectuels : « Ils voient autour d'eux des exemples lamentables : par les rues des villes errent les fantômes intransigeants de ceux qui ne veulent prendre part à rien, des émigrés intérieurs, rongés de haine. » C'était l'avenir réservé à la majorité. Le « feu sacré » ne s'est pas éteint, ce feu qui n'était que la « répétition d'un espoir stérile ». Après avoir visité l'un après l'autre plusieurs villages coupés en deux, je comprends que les attaques représentent avant tout un sursaut de vie pour une révolution mort-née (que beaucoup de Roumains appellent désormais « le coup d'Etat ») pendant laquelle, sous le regard du monde entier, Bucarest s'est embrasée.

Mais la frustration est apparue bien avant 1989. Les Roumains eux-mêmes subissent l'occupation étrangère depuis seize siècles, élément occulté par la brutalité des Ceauşescu. Un tel héritage me rappelle inévitablement le sinistre message que Primo Levi, prisonnier à Auschwitz, espérait faire passer aux hommes libres : « Veillez à ne pas souffrir chez vous ce qui nous est infligé ici. » Tel est le spectacle des Balkans au début de l'époque post-communiste : la violence des hommes violentés.

EMILIAN DE BOLINTIN DEAL

En avril 1991, à Bolintin Deal, ville rurale très ordinaire, à une soixantaine de kilomètres au nord-ouest de Bucarest, un étudiant en musique âgé de 23 ans est assassiné ; en représailles, 18 maisons sont brûlées en une seule nuit. Trois ans après, à part le meurtrier, un Tzigane, aucun des criminels n'a été poursuivi. Au contraire, le maire de cette petite ville est devenu un héros local : il est *un democrat nou*, qui défend avec éloquence le principe du gouvernement par la majorité, « la volonté du peuple » et son devoir de la protéger, et le « droit à l'autodétermination » des Roumains de souche, c'est-à-dire le droit de décider de la composition ethnique de la communauté.

Lorsque je visite Bolintin Deal, quelques mois après l'attaque, les villageois n'ont aucun remords. Au contraire, ils sont fiers que leurs efforts aient fait la une des journaux et, mieux encore, que la couverture médiatique ait inspiré des événements semblables à travers le pays. Les seuls mécontents sont les Gitans, encore que, même dans leurs rangs, certains essayent de prendre leurs distances par rapport aux victimes.

Privé de toit après les incendies, Emilian Nicholae, jeune Tzigane ardent, a quitté Bolintin Deal pour s'installer à Bucarest, où il change de logis chaque nuit. J'ai beaucoup de mal à le localiser, mais je ne me décourage pas : il est le seul à avoir su ranimer l'intérêt de la presse et provoquer une réaction officielle à la purge de Bolintin, plus ou moins oubliée au profit d'attaques plus récentes et plus violentes. Mais ayant appris qu'une journaliste américaine était venue fureter dans son village, c'est lui qui vient à ma rencontre. Dès lors, Emilian ne cesse d'apparaître sans prévenir dans l'appartement qu'on m'a prêté à Bucarest ; je l'entends monter les escaliers bruyamment, essoufflé, s'aidant de la rampe (il a une jambe plus courte que l'autre de quelques centimètres). Avec un peu de chance, Igor Antip, un ami commun, est là pour traduire du roumain, car je ne possède encore que de très vagues rudiments de cette langue. Emilian entre, l'air tellement sinistre qu'il en paraît menaçant, et il reprend la conversation là où il l'a laissée la fois précédente, tandis que je cherche partout un stylo en état de marche.

Les bras serrés contre la poitrine, il s'appuie au mur et dégorge le catalogue d'injustices qu'il a préparé mentalement depuis sa dernière visite. Mais il ne s'agit pas pour lui de s'apitoyer sur son sort : c'est la fureur qui le motive. Et il est toujours trop nerveux pour s'asseoir ou même pour décroiser les bras, même s'il s'interrompt parfois pour reprendre son souffle. Non seulement handicapé mais vaguement tuberculeux, Emilian semble toujours hors d'haleine ; sa voix est rauque, étouffée, et exprime la persécution plutôt qu'une malformation respiratoire. Ses handicaps semblent ne lui laisser d'énergie que pour les tâches essentielles ; peut-être le rendent-ils particulièrement sensible à la souffrance.

Il travaillait encore récemment comme éboueur, mais ce qui l'occupe réellement, c'est le collectage de souvenirs. Des dizaines de personnes âgées lui ont raconté leurs souvenirs de la guerre, quand environ 36 000 Tziganes roumains, nomades pour la plupart, furent déportés dans des camps de travail en Transdnistrie, ou au-delà du Dniestr, au nord d'Odessa, dans ce qui est aujourd'hui la Moldavie.

Leurs récits sont aussi présents à l'esprit d'Emilian que la vision de la maison familiale en flammes ; son intelligence vive les relie indissociablement. Il avait intégralement transcrit tous ces souvenirs sur des feuilles volantes. Mais cette nuit-là à Bolintin Deal, en même temps que les vingt-six maisons, dix années de témoignages ont disparu en fumée. Certains récits lui venaient de membres de sa propre famille. Ces Gitans nomades avaient été forcés de se sédentariser pour être libérés des camps ; d'abord dans une ville du Nord, puis à Bolintin Deal dans les années 1950.

Sous Ceauşescu et, avant lui, Gheorghiu-Dej, comme sous la plupart des régimes communistes des Balkans, on imaginait que l'existence même de la minorité tzigane serait « résolue » par leur dispersion à travers des communautés blanches réticentes. Du point de vue officiel, cette pratique semble avoir assez bien fonctionné, du moins tant que les gens avaient peur de manifester leur ressentiment.

Beaucoup de journalistes étrangers ont décrit les purges anti-gitans d'après 1989 comme l'expression de vieilles haines ethniques entre gens ordinaires, momentanément enfouies sous le régime communiste. C'est faux : à Bolintin, comme dans la plupart de ces villages, la purge apparaît plutôt comme la conséquence inévitable de la politique communiste. Il s'agissait de communautés factices. Comme à chaque fois qu'on tente d'imposer l'assimilation des Gitans, la réaction est violente.

Emilian est désespéré par la perte de ses archives. A sa connaissance, personne d'autre n'a tenté de rassembler ce genre de documents, et les personnes âgées meurent l'une après l'autre. Le pire est que beaucoup des survivants qu'il avait persuadés de raconter des souvenirs douloureux refuseraient de se livrer à nouveau à l'exercice, même ses propres grands-parents. Sur ce point, il est catégorique. Après les incendies de Bolintin, certains n'ont pas voulu lui parler, par crainte. D'autres ont refusé parce que ces crimes ne sont ni reconnus ni punis ; ce n'est pas la crainte mais l'amertume qui les pousse à se taire. Rien d'étonnant si la plupart des Tziganes roumains que je rencontre pleurent Ceauşescu, que certains appellent même Papa.

Fait inhabituel pour un Gitan, et pour un Roumain, Emilian croit que, même s'ils ne sont jamais entendus, parmi tous les mensonges qui sont encore monnaie courante ici, les témoignages des survivants ont une valeur intrinsèque ; s'ils sont préservés, leur version des faits triomphera. On croirait qu'il s'auto-interviewe, tant il a recours à un ton documentaire pour évoquer le meurtre. Il apporte des détails : on croirait entendre un « corbeau » au téléphone, en train d'observer le crime.

« Avril 1991. Il est près de minuit : la messe a lieu tard pour Pâques. Une fois le service terminé, les villageois rentrent chez eux à la lumière des lanternes, par une nuit sans lune. Quelques jeunes s'attardent sur la place. Juchés sur des motos, certains sur le capot des voitures, des berlines Dacia et des Trabant. Ils fument et plaisantent avant de suivre leurs parents à la maison. A une heure du matin, la petite place est déserte. Cristian Melinte, l'étudiant en musique, est le dernier à partir. Il a du mal à faire démarrer sa voiture. Lorsqu'il s'engage enfin sur la grand-route, qui mène de Bucarest à la Bulgarie, un autre jeune homme l'oblige à s'arrêter.

Dans le noir, Cristian Melinte ne distingue pas les trois silhouettes derrière l'homme : deux garçons et une fille. Tous sont des Gitans, sauf la fille. Le jeune homme qui l'a arrêté passe la tête à la fenêtre et sourit. » Emilian mime. Sa force théâtrale vient de ce qu'il mentionne « le Gitan » comme une force, une abstraction, énigmatique et convaincante pour lui en tant que narrateur. « Le Gitan salue Cristian Melinte qui, lui rappelle-t-il, était dans la classe de son frère à l'école primaire. L'étudiant en musique a reconnu le Gitan, mais il est nerveux : il sent l'odeur de l'eau-de-vie de prune dans l'haleine du Gitan. » Emilian s'interrompt pour lever les mains et les coudes, puis il baisse les doigts et les poignets, dans une sorte de danse moderne que je suis incapable de déchiffrer. Puis il explique : « Le Gitan s'accroche à la fenêtre ouverte, des deux mains, les dix doigts fixés à la vitre. » Bien sûr, Emilian ignore ce détail ; il invente un geste qui exprime à la fois la menace et la peur de tomber.

« Il est ivre. Il demande qu'on le ramène chez lui. Cristian Melinte refuse. Il dit que sa voiture n'est pas fiable ce soir-là, qu'il n'a pas assez d'essence, qu'il est déjà en retard. » Emilian s'interrompt encore une fois, dans une pose significative, comme un avocat qui présente aux jurés son ultime résumé des débats.

« La fille, après avoir d'abord dit qu'elle était ailleurs ce soir-là, a changé plusieurs fois sa version des faits durant le bref procès sans jury. Le témoignage des deux autres garçons a été rejeté d'emblée ; ils auraient apparemment défendu un autre Gitan, un des leurs, dans n'importe quelles circonstances. Tout ce qui est sûr, c'est que Cristian Melinte a été assassiné, par quatre coups d'un long couteau fait à la main. » Emilian trace un arc dans l'air, les doigts serrant une poignée imaginaire, puis il regarde sa main comme s'il y voyait le couteau. « La poignée et la lame sont faites du même morceau de fer. L'un des Gitans est à présent en prison, pour une sentence aussi longue que son existence jusque-là : vingt ans. »

Quelques jours après le meurtre de l'étudiant en musique, vingt-six maisons de Bolintin Deal sont détruites ou sérieusement endommagées. Ce n'est que le début de représailles qui vont prendre de l'ampleur, gagner les villages voisins et même de lointaines régions du pays. Un mois plus tard, tout près du lieu du crime, à Bolintin Vale, onze maisons sont détruites ; la même semaine, à peine plus loin, à Ogrezeni, c'est le tour de quatorze autres. Toutes ces maisons appartiennent à des Tziganes. A chaque fois, les attaquants roumains traversent le village en formation rangée, et la petite troupe devient bientôt si familière qu'elle paraît naturelle : une meute armée de torches, qui entonne des chants guerriers.

A Bolintin Deal, la foule agit méthodiquement : le groupe s'arrête devant chaque maison, comme pour interpréter une aubade, tandis que l'électricien local escalade la cheminée et sectionne proprement les câbles afin que le feu ne se propage pas. Ici, les Gitans sélectionnés sont ceux qui vivent parmi les Roumains, par opposition à la majorité isolée dans un quartier spécifique, à l'extérieur de la ville. C'est une purge qui n'a rien de spontané, comme si le meurtre de l'étudiant en musique avait été l'étincelle attendue depuis longtemps.

Trois mois après l'attaque, je grimpe sur les ruines de Bolintin Deal, laissées à l'abandon et je fouille dans les débris, à la recherche de traces des anciens habitants. Je décèle la présence d'enfants : une poupée avec un bras arraché, une petite chaussure rose, étrangement en parfait état. Je sens que des gens m'observent, généralement à la dérobée, mais l'un d'eux se tient immobile dans mon champ de vision, en attendant que je le remarque. C'est un homme au visage plat, chaussé de lunettes ; sous sa casquette officielle rayée, il affiche une expression méfiante, et il tient fermement une fourche. Il ne ferme jamais les yeux et son regard fixe, pâle, me dit qu'il m'interrogera sur ce qui s'est vraiment passé ici, dès que je lui aurai accordé toute mon attention.

Depuis 33 ans, Yuri Fucanu est l'unique facteur de Bolintin. Il s'est installé ici en 1956, la même année que les parents d'Emilian et la plupart des autres Tziganes qui ont perdu leur maison. J'y vois une façon de dire que, étant lui-même un nouveau venu, il n'a pas envers ses voisins les mêmes préjugés que la population locale. Il détaille son opinion : « Nous allions aux mariages les uns des autres. » Puis : « Après la révolution, ils sont devenus de plus en plus arrogants. » Il veut dire que les Gitans ont commencé à gagner de l'argent.

« Je travaille depuis cinquante ans et je ne peux toujours pas me payer une voiture. Ces gens-là ne sont pas humains. Ils ont quatre voitures. Ils abattent leur maison et en construisent une nouvelle, comme ça, une grande, au même endroit, en cinq semaines. Vous voyez ? Ils ont des voitures juste pour s'amuser. Ils passent tout leur temps à *démonter* les voitures. »

La plupart des Tziganes qui ont été chassés de Bolintin gagnaient en effet leur vie en vendant des voitures, évolution naturelle de leurs talents traditionnels dans le maquignonnage, et ce commerce a pris de l'ampleur depuis l'effondrement du bloc soviétique. Comme en Bulgarie, les Gitans sont aussi les premiers à avoir géré les premiers cafés privés en ville, deux établissements gais et pimpants : guère plus qu'un carré de ciment avec quelques tables en terrasse et un baraquement pour le service, mais décoré avec soin, d'une seule couleur (lavande pour l'un, jaune pour l'autre), jusqu'aux serviettes et aux fleurs artificielles dont sont chargées les petites tables. Ces cafés auraient dû être bien accueillis dans cette ville, qui ne disposait que d'un lugubre club de jeunes datant de l'ère communiste, mais ils ont été boycottés. Ce genre d'attitude est une source inépuisable de plaisanteries roumaines sur les Roumains. Pourtant, à Bolintin, la jalousie a été poussée au point de devenir un principe assez malvenu ; le vol, que tout le monde associait partout aux Gitans, a soudain et unanimement été associé ici au capitalisme. « La propriété, c'est le vol », disait Proudhon ; aujourd'hui, chaque fois que je trouve une référence au philosophe français, je vois un facteur roumain muni d'une fourche et coiffé d'une casquette rayée.

Si la propriété privée, la libre entreprise et la vie de café étaient nouveaux à Bolintin, le concept de vol ne l'était certainement pas. « Sous les communistes, tout le monde volait », me confie Mircea Oleandru, le chef de la police locale. « Si nous et le Parti n'avions pas fermé les yeux [car les mêmes policiers étaient déjà en fonction à l'époque], il y aurait eu un soulèvement. Mais en ce temps-là, il y avait des limites. » Oleandru est un gros homme, accompagné d'un adjoint maigre, nommé Dragusin. Ils forment un vrai couple de bande dessinée. « Oui, ajoute timidement l'adjoint Dragusin, quand les Roumains volaient, ce n'était que de la nourriture. » Et donc, semblent dire les deux acolytes, les crimes des Tziganes sont la cupidité, l'ambition, l'ostentation.

Une Roumaine occupée à cueillir des prunes le long de la route nous confirme que tout le monde volait avant la révolution. « Surtout la police. Et ils volaient surtout chez les Gitans. Ils acceptaient des cadeaux en échange de certaines faveurs, comme les passeports. Les autorités refusaient les pots-de-vin venant d'un Roumain ; ils avaient trop peur. Mais d'un Gitan ? Qui croirait un Gitan s'il les dénonçait ? Je le sais parce que j'avais une chaîne en or que mon mari m'avait donnée le jour de notre mariage. Elle a été volée, et je suis absolument sûre qu'elle a été volée par une Gitane qui vivait juste ici. » Par-dessus son épaule, elle désigne le bas de la route. « Et pour sûr, j'ai revu ma chaîne après, au cou de la femme du chef de la police. »

« Les Gitans sont malins », concède-t-elle, avec un égal degré de mépris et d'admiration. « Même exclus, ils profitent. Nous, les Roumains, on n'a pas leur culot. Je suis là en train de cueillir des prunes pour quelqu'un d'autre. Eux, ils cueillent les mêmes prunes pour les manger et le reste pour les vendre à leur bénéfice. Et qui peut les en empêcher ? les incendies n'ont servi à rien. Beaucoup de Gitans sont revenus, et ils sont peut-être pires qu'avant. » Ses mains sont couvertes de taches violettes, à cause des prunes. Tout en parlant, elle se frotte vigoureusement les doigts avec un bout de chiffon, mais les taches ne partent pas.

Je continue à interroger les habitants de Bolintin. Une jeune femme est appuyée contre une voiture, sur la place en losange où les adolescents s'étaient attardés en ce fatal jour de Pâques. Tout en enroulant une mèche de cheveux autour d'un doigt, elle s'en tient à la conception la plus répandue : seuls les Gitans volent. Selon cette fille, qui porte un faux T-shirt Chanel, ils aiment tellement voler qu'ils volent deux fois la même chose. « Carrément sur mon fil à linge, ils m'ont volé un jean volé que je leur avais acheté. »

Les calomnies prennent bientôt un tour fantasmagorique. Professionnels de la tromperie, les Tziganes auraient toujours été employés à préparer les apparitions publiques ou les photographies officielles des Ceauşescu, déployant des rouleaux de pelouse artificielle sur un terrain aride et repiquant des fleurs dans quelques centimètres de terre avant de les remballer pour les emporter vers l'étape suivante de la tournée. Bien sûr, il est difficile d'imaginer que les Tziganes auraient pu faire partie de la suite du dictateur, mais les Roumains murmurent à présent que Nicolae Ceauşescu était lui-même un Gitan, diffamation suprême.

Ces Tziganes qu'on méprise à Bolintin Deal sont désignés comme Ursari, montreurs d'ours, même s'il est peu probable que leurs ancêtres aient jamais exercé cette activité gitane traditionnelle. Je rencontre un membre d'une autre communauté, plus ancienne, qui a été autorisé à rester à la lisière de Bolintin, et je lui demande comment le terme Ursari est devenu une insulte appliquée aux fauteurs de trouble. « C'est une manière de dire que ces Gitans riches trafiquaient avec Ceauşescu. Vous voyez, en Roumanie, tous les ours appartenaient à Ceauşescu. » Il rit en me racontant cette histoire ; c'est une allusion aux prétentions légendaires du dictateur au titre de grand chasseur.

A Bolintin, les Tziganes assiégés étaient tous relativement riches ; ils n'avaient pas besoin de voler. Les Roumains les méprisent parce qu'ils sont eux-mêmes incapables de s'adapter au nouveau monde, avec ses occasions à saisir et ses risques à courir. La plupart des gens avaient trop peur pour oser des innovations, pendant la période communiste et même après, et ils n'offraient aucune résistance, aux Ceauşescu ou à la corruption qui leur a survécu. Si les attaques violentes ont désormais lieu surtout dans les campagnes reculées, c'est peut-être en partie parce que ces gens n'ont pas eu l'occasion de participer aux soulèvements cathartiques (malgré leur échec) de Braşov, de Timişoara ou de Bucarest. Le feu sacré ne s'est pas éteint.

UN PROBLÈME SOCIAL

Miercurea-Ciuc est la capitale du comté d'Harghita, en Transylvanie, théâtre, en août 1992, d'une purge rurale et d'un meurtre obscur. La ville ressemble à toutes celles de l'ère socialiste : d'une modernité en ruines, avec des bâtiments publics anonymes, des places désertes, et pas la moindre trace du superbe gothique du XVe siècle qu'on trouve encore dans la vieille capitale transylvanienne de Cluj (ou, pour un Magyar, Kolozsvár). Miercurea-Ciuc n'a pas de Grand Hôtel à l'ancienne, ni Excelsior, ni Europa, avec un café grand comme une cathédrale. Pourtant, même le neuf semble daté. Et l'on sent qu'il a *toujours* eu l'air daté.

Nous sommes en avance pour notre rendez-vous avec le procureur du comté, Andrei Gabriel Burjan. Avec Corin, mon jeune interprète roumain, nous l'attendons dans son bureau : pièce nue, meublée d'un bureau nu, un classeur en bois, une grande carte jaunie du comté d'Harghita, et un calendrier représentant une pin-up grassouillette vêtue d'un bikini en jean (coutures rouges, poches plaquées). Apparemment, les mêmes posters, représentant les mêmes blondes, se retrouvent dans toutes les administrations en Roumanie.

Maria Rusu, collègue du procureur de la République, une brune plutôt forte, me demande pourquoi je m'intéresse aux Tziganes. « Vous ne pourriez pas choisir un meilleur sujet ? grogne-t-elle. Pourquoi n'écrivez-vous pas sur nous, sur leurs victimes ? » Je promets de le faire.

Le procureur Burjan a la quarantaine rubiconde et alerte ; il est presque beau, bien bâti, mais avec un postérieur curieusement lourd. Confortablement perché sur son bureau, il souhaite tout d'abord nous assurer que la récente attaque contre une petite communauté tzigane dans son district est un « conflit de personnes, une sorte de bagarre de café qui a dégénéré, et pas du tout un conflit ethnique ». L'incident a selon lui été déclenché par un groupe de Gitans qui exigeaient d'être servis au bar local avant certains « Magyars majoritaires ». Personne ne fait allusion à l'attaque beaucoup plus grave qui a eu lieu un an auparavant, non loin de là, à Plăieşii de Sus, au cours de laquelle deux hommes sont morts et 27 maisons ont été détruites. On a parlé, là aussi, de « conflit de personnes ».

« Ce genre de provocations ne fait qu'exacerber les tensions qui existent ici », déclare le procureur, ce qui paraît contredire l'idée que cette « bagarre de café » n'a aucune dimension raciale. Le patron du café, un Magyar comme la plupart de ses clients, a fichu les Tziganes dehors. Et « au lieu de se calmer », ceux-ci ont riposté en pénétrant sur les terres des Magyars, jadis propriété collective, et ont tout volé. Je l'interromps pour lui demander si, à Casin, village où ont éclaté des troubles dans le district, on a distribué des terres aux Gitans depuis 1989.

« Malheureusement pas, concède Burjan. Mais là encore, c'est leur faute. La loi stipule que quiconque a travaillé au moins trois ans dans une coopérative a droit à sa part. Les Tziganes ne font jamais la demande. Ils ont tout le temps des centaines d'enfants mais aucun, pas plus que les adultes, n'est enregistré à la mairie, comme la loi l'exige. » Casin compte un peu moins de 500 habitants. Les Gitans y sont installés de longue date, il ne s'agit pas de travailleurs saisonniers. Bien entendu, dans une aussi petite ville, tout le monde sait exactement qui a travaillé à la coopérative locale. Mais le problème n'est pas là. « Ils n'ont jamais les documents, explique le procureur. Ils n'ont aucune preuve. »

« Comme les Tziganes avaient rempli leurs charrettes de blé magyar et ont ensuite traversé la ville de Casin, les habitants ont été poussés à réagir. Vous voyez donc que ce n'était pas un conflit ethnique. » Environ 160 personnes ont été privées de leur domicile dans l'attaque qui a suivi. Je m'étonne : « Voulez-vous dire que tous les Tziganes dont la maison a été brûlée ont volé du blé ce jour-là ?

— Peu importe, réplique le procureur. Ils ont tous commis des crimes par le passé. Vous voyez, les Tziganes ont un consensus sur le crime. Ils vivent de vol. Vous pourriez dire que cela ne justifie pas l'attaque et je serais d'accord, mais je dirais aussi que les villageois n'avaient pas le choix. »

Burjan poursuit en changeant de sujet : « J'ai la preuve que les Roumains sont le peuple le moins obéissant au monde. Les Daces sont des guerriers, et ce qui est arrivé ici était l'œuvre de conspirateurs. » Le conflit en question est délibérément dépeint comme son contraire : la conséquence des délits perpétrés contre la majorité menacée ; selon d'aucuns, dont le feu dictateur Ceauşescu, les Roumains sont les descendants de l'orgueilleuse race des Daces. Ressuscités par Ceauşescu parce qu'ils ont résisté à l'invasion romaine de Trajan en l'an 101 de notre ère, les Daces étaient néanmoins un curieux choix pour renforcer le nationalisme. Car c'est précisément leur romanité qui, depuis des siècles, est la principale source de fierté d'un peuple dont la langue découle du latin parlé par la légion romaine, et qui vit entouré par les Slaves et les Turcs.

Corin, bien que patriote infatigable animé du rêve expansionniste d'une Grande Roumanie, est embarrassé pour traduire la suite. « On nous promet de l'aide mais nous ne recevons que des insultes », bredouille le procureur, excité par un regain d'amertume. Il a raison sur ce point : l'indifférence de l'Occident, qui s'était réjoui de ce récent retour à la démocratie, s'accroît en même temps que l'insupportable tendance des pays de l'Est à s'apitoyer sur leur propre sort, chacune se nourrissant de l'autre.

Nous partons dès que nous avons arraché au procureur la promesse de nous montrer les dossiers officiels de l'affaire de Casin, le lendemain de bonne heure. Une fois dehors, tandis que la nuit tombe, nous traversons la place dans un silence lugubre. Avec un sérieux total, toujours désireux d'améliorer sa maîtrise des langues étrangères, Corin cherche (à en juger d'après son profil) l'expression adéquate : « Ce procureur, c'est ce que tu appellerais un "gros con", n'est-ce pas ? »

De retour à l'hôtel, le plaisir de la première bière fraîche est gâché par le fait que la deuxième bouteille, identique, coûte deux fois plus cher, et celle que je paye à Corin, une fois et demie plus. Ce n'est pas cette hausse arbitraire des prix qui est énervante, c'est l'impudence du barman qui s'ennuie et profite de la situation. Ce n'est pas très commerçant, mais le cynisme, ou le fatalisme, est ici plus fort que le bon sens, et tout le monde a l'air de vouloir rouler tout le monde.

A Sibiu, la ville de Corin, la rue où les Tziganes font du marché noir est surnommé Tziggy-Diggy (parce que les *Tziganes* sont spécialisés dans les montres *digitales*). *Ţigan* est utilisé comme un verbe et signifie, entre autres, « rouler ».

Mais en fait, l'escroquerie est si fréquente en Roumanie qu'il est surprenant de voir les Gitans, ou n'importe qui, s'attirer une réputation de malhonnêteté. La *bunicţa*, la petite vieille coiffée d'un fichu, qui vend des bouteilles de « jus de kiwi » dans un panier, devant l'hôtel, offre en réalité, et très consciemment, l'eau verte de la rivière, flore aquatique velue comprise. Son Johnnie Walker n'est qu'un mélange de thé et de sirop de maïs ; lorsqu'on veut se plaindre, elle a disparu. La réceptionniste demande entre quatre et six heures pour un appel téléphonique longue distance ; quand je reviens quatre heures après, je la vois essayer pour la première fois et elle me connecte immédiatement. C'est ma faute, cependant, parce que je n'ai pas eu l'idée de lui payer le double du prix ou en devises fortes, parce que je n'ai pas su m'imposer, parce que je n'avais « pas de preuves ».

Ce n'est qu'une hypothèse, mais je pense qu'il existe une différence subtile entre l'escroquerie pratiquée par les Tziganes et celle de certains Roumains. A l'inverse du barman ou de la réceptionniste, la vision à court terme et la malhonnêteté ne sont pas nécessairement des sources de dégénérescence morale pour les Gitans. Ils ne sont pas tous dans le commerce. Certains réparent encore les objets cassés, fabriquent des paniers, des brosses ou des cuillers en bois (et ils envoient leur femme les vendre au marché). Certains sont des spécialistes, fiers de fournir des services spécifiques, et leur sphère ne change jamais. Mais les commerçants gitans veulent *faire de l'argent*, pas des paniers, des brosses ou des alambics en cuivre. Ils sont donc prêts à vendre n'importe quoi. Autrefois des chevaux, à présent des voitures ou des montres digitales. Certains jours, s'il n'a rien à vendre, le commerçant est réduit à mendier (ou plutôt à envoyer mendier sa femme et ses enfants). Ce n'est pas une source de honte : c'est simplement une autre possibilité, une autre manière de faire son travail, qui est de gagner de l'argent.

Dans l'hôtel, dans un long couloir éclairé par quelques ampoules nues, j'ai une chambre que je connais bien : elle ressemble à tant d'autres chambres dans les hôtels « modernes » et délabrés d'Europe de l'Est. Sur le lit étroit sont disposés un rectangle de fourrure orange épaisse de cinq centimètres et un oreiller carré grand comme une dalle de lino. La couverture n'est pas plus large que le lit, il faut donc se pelotonner par-dessous pour profiter de sa protection. Il y a une table de chevet en plastique, branlante, et une lampe de salon ridicule, avec un abat-jour en guingan froncé. Sous sa lumière, un téléphone qui ressemble à un jouet (celui-ci est purement décoratif, sans fil ni prise en vue). Il y a un lavabo dans la chambre et le robinet coule, goutte à goutte. Mais on a de l'eau chaude à volonté, ce qui compense tout le reste. Le faux-plafond est si bas qu'on peut y donner un coup de poing sans même se tenir sur la pointe des pieds. Je rêve constamment que je dors sous une couverture de feu et que, tant que je reste couverte, je ne peux pas être brûlée.

Après l'habituel petit déjeuner composé de concombre, de fromage, de salami et de café bouilli, nous retournons voir le procureur mais nous ne trouvons que sa robuste collègue, Maria Rusu. « Domnul Procureur est parti en congé », nous apprend-elle d'un ton morne. Aucune excuse, aucune explication, rien du tout. « Un dossier ? Il n'a laissé aucune instruction concernant un dossier. Je ne suis pas au courant. »

Nous avons ce matin-là un autre rendez-vous, avec le chef de la police du comté, et nous allons l'attendre au quartier général. Dans un corridor minuscule, encombré par deux rangées de chaises soudées ensemble, nous sommes assis face à un Tzigane âgé accompagné de deux hommes plus jeunes, visiblement un père et ses fils. L'air avachi des deux plus jeunes trahit une longue attente, confirmée par les déchets qui les entourent : une douzaine de mégots à terre, des fragments de nourriture, des emballages froissés, des boîtes de soda vides. Une porte s'ouvre tout à coup et un jeune officier de police apparaît. Le père se lève aussitôt, ôte son chapeau et lisse sa moustache d'un pouce à l'ongle long. Debout, il attend, pieds joints, les mains croisées devant, dans la position humble que beaucoup de gens adoptent devant les autorités. Le policier prend son temps et se dirige lentement vers lui ; il s'arrête au bureau de la réceptionniste, feuillette ostensiblement quelques papiers et fait une pause à la fontaine à eau. Sa désinvolture paraît invraisemblable. Il n'invite pas le vieux Gitan dans son bureau mais lui parle dans la salle d'attente. Il ne paraît pas même avoir vu les deux fils. Je ne comprends pas ce que dit le policier, mais tout son corps raidi exprime le refus. Le vieil homme, les mains toujours croisées comme un métayer, hoche la tête, fixe les yeux sur les chaussures du jeune policier et répète à l'infini : « *Da, Dom Capitan, da* ». « Oui, monsieur le capitaine, oui... »

La semaine précédente, j'ai téléphoné de Bucarest pour prendre rendez-vous avec son supérieur, qui a lui-même annulé notre rencontre aussitôt après le départ du trio de Tziganes déçus (une secrétaire blonde décolorée, en jupe moulante et escarpins à talons aiguilles, ramasse leurs déchets d'un air dégoûté). « Je ne peux pas discuter de ces événements avec vous », dit-il tout en manipulant ma carte de presse, parce qu'« un particulier n'a pas le droit de savoir ». Il n'y a rien à faire.

Corin dit que les faux-plafonds des hôtels étaient bas afin de laisser assez de place aux larbins qui enregistraient les conversations. J'ai moi-même entendu les agents des services d'information roumains, réincarnation moins effrayante, suppose-t-on, de la redoutable Securitate ou police secrète. Un jour où je téléphone depuis l'appartement d'un ami journaliste, à Bucarest, je les entends bavarder et déballer leurs sandwiches, ajoutant à mon appel un vacarme de hall de gare en fond sonore. Les Roumains sont paranoïaques, mais on leur ouvre encore leur courrier. La médiocrité des techniques employées rend dérisoire la mise sur écoute, mais après plusieurs mois en Roumanie, je ne plaisante plus sur la théorie de la conspiration. Toute la ville semble s'être fermée à nous et ça n'a pas l'être d'être une coïncidence.

D'après Corin, on voit que nous sommes dans un district hongrois, parce que la couleur verte est partout. Non seulement sur les collines mais aussi sur les chapeaux ronds en feutre ; même les maisons sont peintes en vert, avec des toits de tuile rouge en partie cachés par les hautes barrières en bois découpé, peintes en vert, au bord des routes. On reconnaît facilement les Gitans hongrois. Les hommes ont les cheveux emmêlés, qui leur tombent sur les épaules. Les plus âgés portent des bottes noires et des ceintures larges de 10 à 12 centimètres, comme celles que portent les haltérophiles, attachées très bas sur les hanches ; leurs chemises blanches ont des manches bouffantes. En fait, ici, tout le monde a l'air de sortir d'un film sur la vie rurale au XIXe siècle ; les carrioles tirées au petit pas par des chevaux munis de cloches forment un accompagnement sonore prévisible. Dans notre voiture, unique sur ces routes, nous ralentissons pour laisser passer un troupeau d'ânes, dont quelques ânons encore frêles.

« Pouah ! » renifle Corin. Cette réaction m'étonne. « Des ânes bulgares.

— Comment sais-tu qu'ils sont bulgares ?

— L'âne est un animal terrible, *oriental*. Turc, bulgare. En Roumanie, nous avons des chevaux. »

Corin refuse d'admettre que la Transylvanie n'est pas tout à fait roumaine, mais la question de la nationalité n'est jamais loin. Il juge même le statut des animaux selon leur apparence « étrangère ». Le nom de famille de Corin est Trandofir, « rose » en turc, mais il se méfie au plus haut point des « étrangers » ; comme la plupart des gens en Europe de l'Est, même lorsqu'ils sont assez ouverts, il est intraitable sur la question des Gitans.

Je demande à Corin s'il a déjà voyagé hors de Roumanie (il parle l'anglais étrangement parfait de ceux qui l'ont appris exclusivement par les livres). Je m'interroge sur ce qu'il entend vraiment par la notion d'« étranger ». Il répond qu'il ne l'a fait qu'une fois, peu après la révolution : il est allé à Strasbourg. Ce qui l'a le plus impressionné, lors de cette virée à l'Ouest, ce sont les Gitans roumains qu'il y a vus mendier à la gare. Notre voiture fait une embardée sous la force de son indignation tandis qu'il se remémore le spectacle : « Et c'est incroyable, mais ils avaient un petit écriteau disant "Aidez-nous s'il vous plaît, nous sommes *roumains*". »

Bien entendu, les mendiants déplaisent aussi à beaucoup de Tziganes : ce sont les seuls représentants de la communauté que rencontrent la plupart des Européens, et c'est à tort qu'on les considère comme représentatifs de l'ensemble des Gitans, qui ne se voient ni comme des victimes ni comme des parasites. Corin est également horrifié à l'idée que, pour le monde extérieur, les Roumains se réduisent à une bande de Gitans qui font la manche, ou même à des Gitans tout court : ni meilleurs ni différents. Dans *Malaise dans la civilisation*, Freud montre bien que l'intolérance trouve sa plus forte expression dans les petites différences, plutôt que sur les points fondamentaux. « Le narcissisme des différences mineures », c'est la douleur de Corin, c'est l'humiliation d'une nation de mendiants, située du mauvais côté de l'Europe. Leur révolution fut un grand spectacle, le meilleur dans cette partie du monde, mais de nombreux Roumains ont à présent l'impression de tendre la main en s'en remettant au bon cœur des spectateurs.

Je lui dis que je rencontre souvent à l'étranger des Américains qui ne me plaisent guère mais que je reconnais néanmoins comme américains. L'analogie est vaine. Comme beaucoup d'Européens, et comme la plupart des Européens de l'Est, Corin définit la nationalité, c'est-à-dire l'appartenance, par la tribu, par le sang et la culture, non par le territoire, et certainement pas par la citoyenneté. Nous roulons en silence, et Corin se met à chanter des chansons populaires roumaines. Mais une fois encore, la bonne humeur revient grâce à ses questions étrangement sérieuses : « Dans ton pays, Kenny Rogers est considéré comme un paysan, n'est-ce pas ? »

Comme si la mauvaise volonté n'était pas un obstacle suffisant, nous découvrons qu'il nous faut un autre traducteur, car dans cette région, la plupart des gens ne parlent que le magyar. Par bonheur, nous retrouvons bientôt Tibor Bodó, le sympathique journaliste qui a couvert les violences pour le quotidien local *Harghita Népe* (*Nouvelles d'Harghita*). Tous les trois, nous partons pour Casin, sur une route rendue insupportable par ses nids-de-poule et ses virages incessants. Mais il fait bon, le soleil brille, c'est une belle journée d'été. De chaque côté, à travers champs, se dressent d'immenses poteaux dorés, hauts de 3 à 5 mètres : les meules de foin transylvaniennes.

« On le voit partout », dit-il, en faisant référence au préjugé contre les Tziganes. « Dans l'armée, par exemple. Quand je faisais mon service militaire, c'était toujours les Gitans qu'on choisissait pour les pires travaux. Ils étaient particulièrement maltraités par les officiers subalternes. Sous Ceaușescu (Tibor rit), seuls les Tziganes et les intellectuels étaient séparés de la masse. Ce fut une révélation. Comme beaucoup de gens, je n'avais jamais vraiment croisé de

Gitans avant mon service. Pour la plupart, ils étaient chaleureux et drôles, et souvent des musiciens épatants. »

Tibor s'illumine en se rappelant tout à coup un ferronnier tzigane rencontré à l'armée. « Il disait : "Quand je travaille le fer, je danse, une csardas, ou un pas allemand. Le cuivre, c'est plutôt une marche en cadence. Et quand il fallait deux personnes pour un gros boulot, une marmite, par exemple, c'était une valse. Et il battait la mesure sur le métal : on a besoin d'un rythme pour travailler. Ce n'était pas seulement le métal, mais l'objet aussi : un fer à cheval était toujours une csardas" », cette danse typiquement hongroise, d'une gaieté hystérique. Je sais que les ferronniers, et pas seulement les Gitans, sont souvent considérés avec méfiance, comme des intrus détestables. Dans la voiture, j'apprends aux autres que les Gitans sont généralement accusés non seulement d'être des espions mais aussi des incendiaires. Je leur raconte l'histoire du clou brûlant. Mais en dépit de cette vieille association occulte, ce ne sont plus les Gitans qui attisent le feu.

Avant de devenir journaliste, Bodó enseignait l'histoire et la littérature dans un lycée. Les Tziganes, nous dit-il, ne venaient que si on distribuait gratuitement de la nourriture ou des vêtements. « C'est le vrai problème. Ça n'a rien à voir avec l'ethnie, c'est une question d'éducation. Ils ne vont pas à l'école, et donc ils sont exclus dès le départ. Ils ne travaillaient jamais dans la coopérative, mais à l'extérieur, par exemple en vendant des chevaux ou en fabriquant des outils en métal pour ceux qui travaillent la terre... » Sa phrase reste en suspens. « Tout le monde était plus patient avant la révolution. »

Tibor a raison ; mais dans ces pays, l'éducation même est un problème ethnique. Dans quelle langue faut-il faire cours aux Tziganes ? En magyar en Transylvanie et en roumain partout ailleurs ? Les Gitans quittent l'école pour la même raison que la plupart des gens. Ils échouent. Et ils échouent parce que la langue utilisée à l'école n'est pas celle qu'ils parlent chez eux. Aucun aménagement linguistique n'a été conçu pour eux (comme c'est le cas pour les minorités hongroises et allemandes). Ils perdent donc leur langue, ou leurs chances, ou plus généralement les deux. La situation évolue lentement, mais elle est la même dans toute l'Europe de l'Est et du Centre, avec la conséquence suivante : en beaucoup d'endroits (surtout en Bulgarie et dans l'ex-Tchécoslovaquie), les enfants tziga-

© Kazimierz Czapiński / Jerzy Ficowski.

▲ Papusza, 1949.

▼ Les *boria* : Lela et Viollca travaillent dans la cour, avec Elvis (à gauche) et Djivan. Kinostudio, Tirana, 1992.

© Isabel Fonseca.

▲ Jeta et Bexhet dans la cour. Kinostudio, Tirana, 1992.

▼ Pologne, 1963.

▲ Une blague avant le dîner : Kako, Lela, Spiuni, Viollca, Marcel, Jeta, Liliana et Nuzi réunis devant la maison. Kinostudio, Tirana, 1992.

▲ Le camion de Beno revient de « Stanbuli ». Kinostudio, 1992.

► Dritta tenant son oranger en plastique préféré et l'une de ses poupées. A l'arrière-plan, Lili, Viollca et Lela. Kinostudio, Tirana, 1992.

© Isabel Fonseca.

▲ Enfants tziganes jouant dans leur quartier de Krompachy. Slovaquie orientale, 1991. En plus des roues de vélo, ils aiment le jeu de puce, pour lequel ils emploient des capsules de bouteilles et des couvercles en fer-blanc.

© Isabel Fonseca.

© Isabel Fonseca.

▲ Couple de Tziganes en Bohême, tenant leur photo de mariage. 1991.

© James Nachtway / Magnum.

▲ Deux petits Tziganes jouant dans la rivière à Copşa Mică, Roumanie. Dans cette ville de Transylvanie, tous les moutons sont noirs, comme tout le reste, comme tout le monde. Les habitants boivent de grandes quantités de lait dans l'espoir, selon un vieux résidant, que cela maintiendra au moins « leur intérieur blanc ».

© Isabel Fonseca.

▲ Intérieur propret, typiquement tzigane, à Sintesti. Roumanie, 1994.

▼ Certains des Tziganes les plus pauvres vivent dans les nombreuses communautés rurales de Slovaquie orientale. Zehra, 1991.

© Isabel Fonseca.

▲ Gyorgy et Antoinette. Sliven, 1992.

▼ Emilia à treize ans, en 1978, à côté de son cĕiz, sa dot.

© Isabel Fonseca.

▲ Stanka chez elle, à Kostenbrau. 1992.

▼ Une jeune Kalderash de Sintesti. Roumanie, 1994. Le foulard noué par derrière et les pièces d'or montrent qu'elle est mariée.

© Jeremy Sutton-Hibbert.

▲ Femmes Kalderash au marché de Sibiu. Transylvanie, 1993.

▼ Les hommes Czacky, septembre 1992. Casin, Transylvanie. C'est la seule famille qui soit revenue, quelques mois après que les seize maisons appartenant à des Tziganes ont été incendiées. Avec les femmes (dix-sept personnes en tout), ils vivent dans l'unique pièce d'une cabane en bois qu'ils ont construite eux-mêmes.

◀ Natacha, membre de l'une des nombreuses familles d'Ursari qui passent l'hiver au village de Jagoda, dans le centre de la Bulgarie, avant de partir sur les routes avec leurs ours, au printemps. Derrière elle, Todor, qui porte le prénom de l'ex-dictateur. 1992.

▼ Un montreur d'ours dans le centre de Sofia.

▲ La famille Radu (l'oncle de Luciano et quelques-uns de ses frères et sœurs) dans leur camp de Balteni. Roumanie, 1992.

▼ La famille de Luciano écoute les prières du pope. L'enfant sera ensuite enterré à l'extérieur du cimetière de Balteni. Roumanie, 1992.

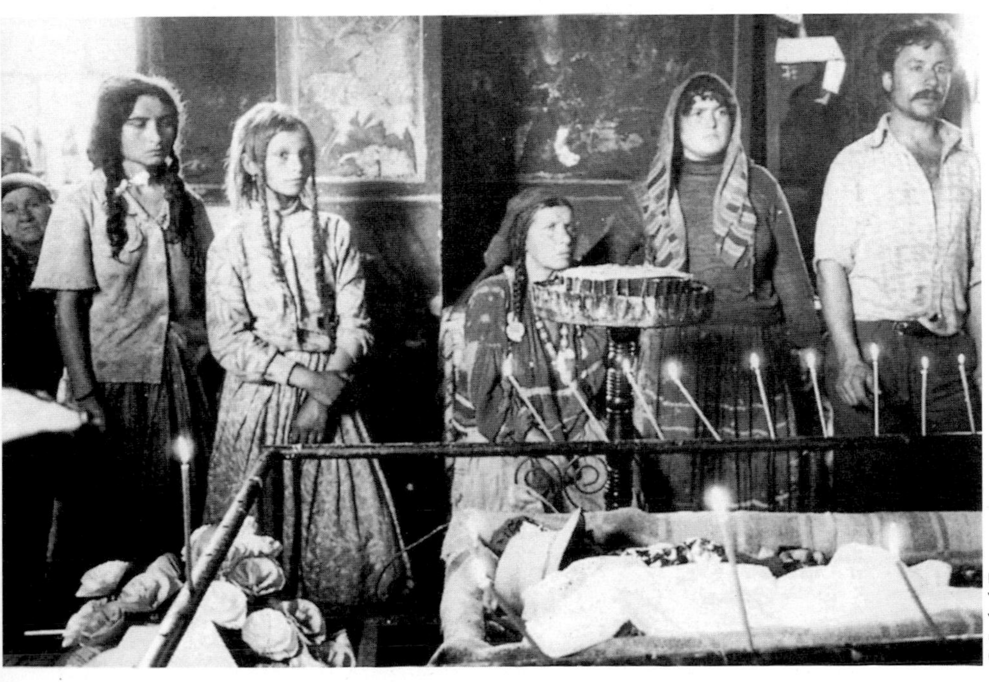

▲ Rom Kalderash avec costume à boutons d'argent et deux chaudrons à ses pieds. Pologne, vers 1865.

▲ Le mariage de la petite-fille de Cioaba, âgée de treize ans, accompagnée de son père (portant un chapeau), de sa tante, de sa mère (à droite) et, devant, de la belle-mère de Ion Cioaba. 1990.

▼ Ion Cioaba, roi autoproclamé des Tziganes, avec sa femme (à droite) et sa fille Luminitsa, reçoit une dinde lors de la fête annuelle des Kalderash au monastère de Bistrita, à Costesti, septembre 1991. C'est la première fois depuis plusieurs années qu'ils ont le droit d'organiser ces célébrations (interdites par Ceauşescu) , au cours desquelles les Kalderash de tout le pays viennent échanger des nouvelles, faire du commerce et trouver une épouse.

▲ Couronnement de Janusz Kwiek. Varsovie, 1937.

▲ La mère de la mariée (la deuxième en partant de la droite) prépare le repas de noces avec toutes les tantes et, au centre, la grand-mère, l'épouse de Cioaba. 1990.

▼ De gauche à droite : le professeur Mirga, le professeur Hancock, le professeur Gheorghe et le professeur Orgovanová. Le 14 avril 1994, ces quatre intellectuels gitans témoignent devant le premier congrès rassemblé à Washington sur les violations des droits de l'homme dont sont victimes les Tziganes.

▲ Simione Mihai, petit Kalderash, dans son camp de Sintesti. Roumanie, 1992.

nes sont automatiquement envoyés dans des écoles pour handicapés mentaux. Ils ne sont pas attardés, mais ils souffrent d'un handicap : ils ne parlent pas la langue, et cette déficience est devenue une excuse très répandue pour la ségrégation et même l'incarcération, que ne sauraient combattre des parents illettrés, eux-mêmes habitués à la dépossession pure et simple.

Casin est une route de terre bordée de maisons. Une épicerie vend quelques boîtes de conserves, du café en grains et du tabac. Il y a une église basse et solide ; on ne voit pas trace du fameux café (qui se trouve plus loin). Cinq vieillards portant chapeau observent la route, assis sur le banc municipal. Nous nous arrêtons devant la dernière maison, où habite une femme que Tibor a interviewée pour son article dans les *Harghita Népe*. Elle travaillait au bar où tout a commencé le soir de l'attaque.

Tibor frappe fort à la porte verte et bientôt un petit hublot s'ouvre, comme l'entrée d'une maison de poupée. Par cette issue minuscule j'aperçois un groin, puis les yeux d'albinos d'une énorme truie. Mme Horváth ouvre la porte et, tout en s'appuyant de tout son poids contre cet extraordinaire animal pour l'empêcher de s'évader, nous invite à entrer.

Mme Horváth nous reçoit dans la cuisine, autour d'une petite table ; elle sort quatre dés à coudre en porcelaine blanche et prépare du café fort qu'elle y verse. Le plafond est joliment décoré de motifs géométriques rouges, blancs et verts, couleurs du drapeau hongrois. Dans un coin se dresse un grand poêle couvert de carreaux de céramique. Des figurines peintes, représentant des ménestrels en costume traditionnel magyar, sont disposées sur une étagère, à intervalle régulier, par-dessus une série de mouchoirs brodés en rouge et blanc, drapés sur le rebord comme une rangée de petits fanions. Mme Horváth est veuve, mais on imagine aisément qu'elle a toujours vécu seule, tant elle semble à l'aise dans cette petite pièce où elle nous distribue des tasses de café sirupeux.

« C'est de la vermine », conclut-elle, après une démolition en règle du caractère gitan. « Ils ne peuvent pas vivre au milieu de gens corrects et civilisés. Ils ne peuvent pas nourrir leurs chevaux et leurs familles immenses, alors ils volent. Pendant des années, on leur a donné à manger, régulièrement, et on acceptait ça comme une sorte d'impôt. Dans le temps, les gens ne dénonçaient même pas les crimes des Tziganes. Ils avaient trop peur. Mais maintenant on a le choix. Nous sommes en démocratie, et nous ne voulons pas les voir revenir dans notre village. » Mme Horváth n'a incendié aucune maison elle-même, mais elle a assisté au spectacle, comme le reste du village. « Ils sont bien trop arrogants ; il fallait en arriver là. » Elle admet pourtant que le problème n'a pas été résolu. Les Gitans reviendront, ceux-là ou d'autres, et ils ne changeront pas, mais les autres habitants du village se sentent mieux après avoir agi ; la catharsis a opéré.

Mme Horváth raconte que les cloches ont sonné pour convoquer tous les villageois au coucher du soleil, comme prévu. Le curé a dit une prière avant qu'ils partent tous pour le quartier gitan. « C'était le lieu de rendez-vous évident, souligne-t-elle, parce que les Tziganes ne vont jamais à l'église. » Nous savons que la police n'est pas intervenue, et visiblement personne ne se soucie de représailles. « Ici, les policiers se promènent les mains bien enfoncées dans les poches », dit Mme Horváth, en se levant pour aller nettoyer les tasses. Et où croit-elle que les Tziganes doivent aller si on les force à partir ? Au diable. « Où leurs ancêtres les attendent. »

Cette véhémence n'est inquiétante que parce qu'elle vient d'une veuve d'âge mûr portant un tablier brodé rouge et blanc. Cependant, ses mollets larges et musclés, aperçus tandis qu'elle repousse la truie vers son cagibi boueux, ont aussi l'air d'appartenir à un autre corps. « Les Tziganes ne sont pas humains », remarque-t-elle sur un ton sans réplique.

László Gergecy est l'un des quatre policiers responsables de Casin et de trois autres hameaux dans la vallée. « C'est une situation bien triste », déclare-t-il en s'appuyant au mur, derrière son bureau. « Mais nous ne pouvons pas les obliger à aller à l'école. On leur met des amendes et ils ne payent pas ; personne n'a d'argent. Ils sont isolés, sans organisation ni amis, ici. Mais que peuvent faire quatre policiers ? »

Il ne parle pas des affiches placardées sur les arbres, qui invitent les villageois à « défendre Casin » ou des réunions à l'église où l'on discute des incendies comme d'une fête paroissiale. L'échec ne dépend pas tant du manque d'hommes que du manque de volonté et d'un sentiment fataliste : la purge était inévitable.

« Les punitions n'auraient aucun effet ici, conclut l'officier Gergecy. Vous voyez, nous avons arrêté trois personnes, dont une soupçonnée d'avoir battu à mort le jeune Tzigane [à Casinul Nou]. Toute la ville a campé dehors, devant ce bureau, pendant trois jours, en attendant que nous les relâchions. » Le procureur Burjan n'a pas parlé de ce meurtre lors de son résumé de la « bagarre de café » dans son district. La télévision n'a parlé que de vols par des Gitans et n'a pas soufflé mot de la mort d'un jeune homme. Personne en ville ne dément que « quelqu'un » soit mort, mais tous les gens à qui nous en parlons éludent la question, comme si l'individu avait eu ses raisons pour se faire tuer, comme si cela ne les regardait pas.

A Vălea Lăpuşului, « Vallée des Loups », dans le nord du pays, une autre communauté tzigane, 19 maisons, a été incendiée pour venger un crime horrible commis par l'un de ses membres de passage, un homme nommé Oastc Moldovan, qui avait violé une jeune femme enceinte de neuf mois. Moldovan avait déjà été inculpé et il avait passé un certain temps en prison avant son retour au village. Il a été libéré le 26 janvier 1988 sur un coup de tête du feu dictateur, qui avait choisi de fêter son anniversaire par un geste généreux accompli au hasard : gracier mille prisonniers. Le crime des Tziganes locaux est d'avoir tardé à dénoncer le violeur aux proches de la victime ; accompagnés par la police, ceux-ci ont conduit l'expédition punitive dans le quartier gitan. Mais à Casin, où leur crime semble être le manque de respect envers les paysans, en plus du chapardage nocturne, le châtiment ne fut pas moins sévère : c'est tout le groupe, principalement constitué d'enfants, qui a dû s'en aller.

Pourtant, il fait pitié, ce policier mince, seul dans son appentis au bord de la route. Il n'a ni voiture, ni téléphone, ni collègue. En fait, il n'a rien d'autre que son insigne, qui n'impressionne plus personne en cette époque nouvelle, dans cette vallée désolée.

Tandis que nous revenons vers l'église, les gens s'arrêtent et nous dévisagent : de grosses femmes édentées, les bras croisés, le foulard noué sous le menton ; des hommes munis d'outils échappés d'un musée de l'agriculture médiévale.

Qu'est-ce que vous leur reprochez, à vos Gitans ? Cette question pourrait nous valoir des ennuis. « Même les gens qui travaillent du matin au soir n'ont pas de chevaux comme les leurs » ; « Même les plus petits enfants tziganes sont de sales voleurs » ; « Ils sont tous millionnaires » ; « Ils nous frappent quand nous leur disons de quitter notre terre » ; « Ils n'ont qu'à retourner d'où ils viennent » ; « Vous, les étrangers, pourquoi vous intéressez-vous tellement à ces canailles de Tziganes ? » ; « Ils ne sont pas humains » ; « Tuer les gitans, c'est un acte de charité, pas un meurtre ». Comme nous nous éloignons, une femme nous crie, comme prise de remords : « Nous admettons qu'ils sont humains, mais c'est leur comportement qui ne l'est pas ! »

« Pas civilisés » : c'est l'accusation la plus courante. Comme preuve, les gens racontent que les Gitans détruisent les appartements qu'on leur attribue. « Ils élevaient des chevaux là-dedans », m'a dit un habitant de Baia Mare, dans le nord du pays, en désignant un appartement au troisième étage, aux fenêtres brûlées, récemment évacué par une famille tzigane. J'ai vu un cheval dans un immeuble moderne en Bulgarie. Cela paraît incongru mais pas absurde : dans quel autre endroit aurait-on pu le garder ? Comme dans les HLM de l'Ouest, tout ce qu'on laisse dehors est immédiatement volé. « Ils allument leurs feux sur le plancher du salon. On voit les marques. » Bien que j'envisage plusieurs autres explications plausibles à ces traînées noires, il est vrai que les locataires gitans abattent souvent les murs (et arrachent les montants des fenêtres et des portes...), parfois pour accueillir une famille toujours plus nombreuse, mais aussi certainement parce qu'ils n'éprouvent aucun attachement pour ces logements qu'on leur attribue, ces immeubles hostiles, où on les insère parmi des voisins méprisants. Les appartements sont aussi déprimants que les cartons dans lesquels vivent certains Gitans, mais ils ne ressemblent en rien aux demeures coquettes et peintes avec amour qu'habitent les Gitans ailleurs, si pauvres soient-ils.

On en veut aux Tziganes parce qu'on les accuse d'avoir été privilégiés par les régimes communistes. Mais ils étaient aussi la cible du programme de restructuration sociale de Ceauşescu connu sous le nom de « systématisation ». La Roumanie devait être réorganisée selon des principes de production. Des zones furent définies selon leur potentiel industriel ou agricole. La systématisation impliquait de raser des quartiers entiers : cette politique fut appliquée sans grande cohérence, mais quelque 7 000 communautés rurales furent éliminées et leur population fut envoyée dans les villes.

La systématisation renforça les tentatives antérieures de sédentarisation des Tziganes, entreprises presque aussitôt après la prise de pouvoir des communistes en 1947. La plupart des Tziganes étaient alors déjà installés ; néanmoins, comme dans le reste du monde, ils étaient *perçus* comme errants, en bloc, et le gouvernement roumain décida de fixer les derniers des nomades en confisquant leurs chevaux et leurs véhicules. Ceux-ci n'étaient pas simplement un moyen de transport mais aussi une source de revenus ; l'idéologie alors en vigueur estimait pourtant qu'il était préférable que les Gitans soient stationnaires plutôt que capables de gagner leur vie. La sédentarisation forcée n'entraîna pas l'assimilation ; elle créa en fait une nouvelle classe dépendante de l'Etat.

Certains Tziganes furent placés dans des maisons libérées par les membres de la minorité allemande, peu à peu « rachetés » par la RDA, dans le cadre du droit constitutionnel de retour au pays. Les Allemands quittant la Roumanie étaient souvent plus riches que les autres groupes ethniques, et l'attribution de leurs maisons à ceux qui occupaient l'échelon social le plus bas aggrava, ou créa parfois l'immense rancœur qui continue de s'envenimer.

On aurait pu y voir du favoritisme, mais ce n'est pas ainsi que les Gitans le prirent. Les communautés traditionnelles furent détruites, en même temps que le vieux réseau organique de familles dont les professions permettaient un soutien mutuel. Les « assimilationnistes » de cette époque cherchaient à « normaliser » les Tziganes en leur confiant des emplois, des logements, et même des fonctions politiques qu'ils n'auraient ni cherchés ni trouvés spontanément, et ils interdirent toute manifestation de leur culture « arriérée ».

Nicolae Gheorghe, Tzigane et sociologue roumain, se rappelle sa première visite dans les nouvelles communautés. « Quand j'ai vu ces zones pour la première fois, j'ai été véritablement choqué par la misère qui y régnait. Tant de gens concentrés en si peu d'espace ! On construisait des immeubles de mauvaise qualité, sans eau courante. Certains Roumains vivent également dans ces conditions, mais ce sont surtout les Gitans. Il en résulte une détérioration de la vie sociale. »

A présent, dans la période post-communiste, les Tziganes sont non seulement les derniers sur la liste des demandeurs d'emplois, de statut et d'instruction ; les incendies semblent aussi indiquer qu'ils n'auront même plus droit à un logement.

« Même Dieu en a marre des Gitans », annonce le Père Menihert Orban, dans le frais presbytère de Casin. « Ce sont des païens, des mécréants. » Ce curé cireux, d'aspect fragile, est d'origine hongroise, comme plus de 90 % des habitants de la région, mais il parle le roumain et comprend très bien la conversation entre Tibor et Corin. Pourtant, le prêtre refuse de s'adresser directement à Corin, dans la langue nationale, leur langue commune, et Corin est furieux. Tandis que nous discutons du « problème tzigane », ces deux hommes, enfermés dans leur propre lutte ethnique, incapables de se regarder même, ne parlent que par l'intermédiaire de Tibor, qui ne tarde pas à se fatiguer. Le Père Orban joint ses doigts maigres et parcheminés et garde un œil inflexible sur notre Hongrois.

A tout hasard, je lance : « Les Tziganes représentent sans doute un grand défi pour un leader chrétien. » Corin traduit ma phrase en roumain, puis Tibor la transmet en hongrois.

« Ils ne viennent pas nous voir, me répond chacun à tour de rôle. Pendant que les Hongrois viennent à l'église, les Gitans boivent. Tout le village était ici, dans mon église, le matin de l'incident. Pas un seul Gitan. Ce n'est pas normal que les gens vivent dans la crainte d'une minorité. Il fallait leur apprendre l'humilité. »

Les Tziganes constituent moins de 5 % de la population de Casin. Pourquoi terrorisent-ils les autres à ce point ? Parce qu'ils volent les pommes de terre et « le blé magyar » ? Ou parce qu'ils ne s'intéressent pas à la vie industrieuse des paysans et, pire, sont indifférents à la réprobation publique ? Le Père Orban m'offre un indice : « Nous ne pouvons pas les aider. Ils sont différents. Ils sont inéducables. » Et, cela va sans dire, dans ce hameau isolé, un conflit entre Bucarest et Budapest ne donne pas la satisfaction primitive qu'on trouve à incendier les maisons de ceux qui n'ont pas de capitale du tout.

Aux Etats-Unis, le fils d'un pasteur presbytérien m'a raconté comment, dans l'Indiana des années 1940, sa mère lui disait : « Nous ne détestons pas les gens, nous détestons ce qu'ils *font*. — Et Hitler ?

demanda le petit garçon. — Oui, même Hitler. Ce n'est pas *lui* que nous détestons, c'est ce qu'il *fait.* » Ici, surtout à la campagne, dans cette Transylvanie éternellement contestée, le plus important, c'est ce qu'on est, hongrois, roumain ou tzigane. Ce qu'on est définit ce que l'on fait : on est hongrois, on est tzigane. Et les Hongrois et les Roumains détestent les Tziganes, quoi qu'ils fassent.

Nous allons enfin voir les quelques Gitans qui vivent encore à Casin ; après une nouvelle journée passée à mesurer la haine, j'avoue avoir épuisé mes ressources de sympathie. J'imagine que les Tziganes doivent être au moins aussi désagréables que leurs accusateurs ; chacun mérite l'autre.

Après avoir monté un chemin de terre sur une centaine de mètres, nous découvrons une maison d'une seule pièce, une hutte en rondins, construite sur une petite colline. Complètement isolée, elle en dit long, presque trop, sur ses habitants assiégés. C'est pathétique. Puis les Gitans apparaissent un par un, en se pliant pour franchir le seuil de la porte, trop basse. Une famille nombreuse (dix-sept personnes) est revenue à Casin et a construit cette maison, dans l'intention de rester sur le site de leur ancien domicile, où quelques mois auparavant seize maisons ont été incendiées.

On comprend aisément pourquoi la famille Czacky veut rester là où, disent-ils, leur famille vit depuis des générations. Ils ont l'air pauvres, miséreux, mais le cadre est spectaculaire. Semées d'arbres séculaires, de larges perspectives s'ouvrent sur des collines en terrasse, avec de vastes étendues de tournesols dans le lointain. De l'autre côté, on a un point de vue bien utile sur la ville hostile. En contrebas de la maison sur la colline, d'épais fourrés bordés par un ruisseau scintillant. Au milieu de l'eau surgit... un gros rocher ? Non, une petite île. Plusieurs enfants tziganes y jouent, assis au milieu en serrant les genoux, ou debout dans le ruisseau, en se tenant des deux mains au petit bout de terre tandis que l'eau leur glisse entre les jambes. En les regardant, je songe à un document d'archives que j'ai trouvé à Bucarest, dans le journal de voyage du Russe M. A. Demidoff, qui a visité les principautés roumaines en 1854. Il décrit les *aurari*, les chercheurs d'or.

> De tous les lieux solitaires où vivent ces Gitans, ceux qui nous intéressaient le plus étaient les *aurari*, éparpillés sur plusieurs îles isolées [...],

lavant sans cesse les sables du Danube, à la recherche de minuscules fragments d'or. Nous nous approchâmes pour contempler ces pauvres miséreux, sans autre protection que leurs cheveux, et nous apprîmes qu'ils avaient toujours exercé cette activité et, nous dit notre guide, qu'ils n'étaient payés que quinze centimes par jour.

Les Czacky sont exceptionnellement grands et maigres, et la peau sombre, striée de rides, des plus âgés crée un lien approprié avec le paysage environnant et ses vieux arbres. Les femmes ont les cheveux très longs. Tous les hommes portent le chapeau, et la moustache dès qu'ils sont en âge de le faire. Un garçon au sourire timide, aux allures de cupidon hirsute, et dont la lèvre supérieure s'ombre d'un léger duvet, porte une chemise française griffée, bleu marine, à fleurs, un chemisier de femme, avec col « pelle à tarte » typique des années 70, mais élégant tout de même. Seul un Occidental peut identifier aussitôt ce vêtement de haute couture, mais l'impact d'un tel raffinement doit être considérable même parmi les villageois. J'ai entendu dire qu'une organisation catholique française a envoyé des sacs entiers de vieux vêtements aussitôt après l'attaque. De fait, quelques tracts religieux voltigent encore dans les buissons. L'aide étrangère était spécialement destinée aux Tziganes, ou aux rares encore présents, et les paysans furieux n'en ont sans doute pas cru leurs yeux : on ne les a pas compris, le monde extérieur a choisi le mauvais camp, apparemment. Il est difficile de croire que ces Gitans misérables puissent être enviés ou même spécialement détestés, mais tout est là, dans cette chemise en coton à fleurs.

Appuyés contre une carriole en bois ou juchés dessus, ces grands bonhommes nous dévisagent avec méfiance tandis que nous approchons, mais ils comprennent rapidement les intentions amicales exprimées par nos gestes. Ils ne veulent pas parler des violences. Un vieil homme songeur, peut-être le chef de famille, nous fait cette déclaration : « Avant, la coopérative appartenait à tout le monde, et il y en avait assez pour tous. Maintenant, ils nous disent que nous n'avons rien. Mais c'est ici que nous vivons. » Ils appartiennent à ce vaste espace illimité ; les villageois ne vont pas au-delà de leurs terres clôturées, tout le long de la route.

Notre conversation se termine bientôt. Même avec deux traducteurs, il est extrêmement difficile de communiquer. Tibor se débat pour comprendre ce qu'ils veulent dire. Tout à coup, tout devient clair, et c'est pourquoi ils sont isolés : ils ne parlent pas le roumain, seulement un malheureux dialecte magyar, et ils ignorent le romani. Ils sont coupés de leurs voisins hongrois, de leurs compatriotes, et de tous les autres Tziganes, dont les organisations naissantes, dans la lointaine capitale, leur sont complètement inconnues. Sans langage, ils sont aussi « autres » que des animaux, et c'est ainsi que les voient les gens, la dame à la truie, le curé, l'agent de police, les paysans sur la route.

Tandis que nous repartons, sur le chemin de terre qui mène à la grand-route, une des femmes nous court après, haletante, en répétant sans fin le mot *linda*. *Linda*, *linda*, semble-t-elle dire. Eh oui, elle veut savoir si je connais « Linda » ; car je suis américaine, n'est-ce pas ? Il semble que, quelques années auparavant, cette jeune femme a vendu son bébé à une Américaine nommée Linda, ou du moins elle croyait l'avoir vendu. Un homme est venu la voir alors qu'elle était enceinte pour la sixième fois et lui a promis un millier de dollars. Maintenant, elle pleure. Pourquoi ? A cause du bébé, de l'argent qui n'est jamais arrivé, de son impuissance dans ce monde ? En 1990, le marché noir des bébés est encore prospère ; il est tout à fait possible qu'un couple américain désespéré ait payé plusieurs milliers de dollars, en liquide, pour cet enfant Czacky.

On voit souvent ces couples confiants dans l'entrée de l'hôtel Intercontinental, à Bucarest ; ils viennent de quitter l'avion et attendent d'être soulagés de leurs dollars par un marchand d'enfants beau parleur. Parfois, on leur remet effectivement un bébé, sans doute issu d'un des nombreux orphelinats roumains (institutions sinistres, remplis d'enfants tziganes, ce que semblent oublier les troupeaux de journalistes qui multiplient articles et reportages sur l'immense population d'enfants indésirables suscitée par la politique de croissance démographique de Ceauşescu). Je n'ai jamais entendu parler des mères ; elles paraissent exclues du tableau. J'espère qu'il existe une Américaine nommée Linda, comblée par son achat, car tout à coup j'ai le sentiment qu'aucun lieu sur terre n'est pire que cette belle vallée. *Linda*, insiste la Gitane d'une voix terrible, toujours plus forte ; Linda était censée lui envoyer une photo de la maison où son bébé vit à présent. Je la connais sûrement. Je lui dis que non, à mon grand regret, et nous parvenons enfin à nous arracher à cet endroit.

ESCLAVAGE

Je passe plus d'une semaine à Sibiu, ville typique d'Europe centrale, fondée par les Allemands en Transylvanie. A Bucarest, Corina, ma nouvelle interprète, peine sur des piles de documents photocopiés sur la présence gitane en territoire roumain depuis les cinq derniers siècles. Entre mes visites dans les communautés dévastées, je fouille la bibliothèque locale et les archives municipales, à la recherche de précédents pour ces événements troublants. Lorsque je m'interromps pour le déjeuner, ou après la fermeture, je parcours le marché animé de Sibiu. Une grosse Tzigane est accroupie sur un petit tabouret qui disparaît complètement sous ses jupes ; elle vend des cuillers artistement sculptées par son mari, dans un bois de pin très pâle, laissé brut, si tendre qu'on pourrait aisément y laisser sa marque avec l'ongle. A l'autre bout du marché, un groupe de femmes impressionnantes — des Kalderash, à en juger d'après leurs jupes traditionnelles, longues et amples, et à leurs foulards — vendent des paquets de pilules contraceptives et achètent des devises étrangères. On ne va pas dans leur coin simplement pour jeter un coup d'œil à la marchandise.

Leur visage me rappelle un autre Gitan, Panch, un petit garçon de sept ou huit ans, que j'ai rencontré à la gare de Sofia. « Panch » signifie « cinq » en romani : il est simplement le cinquième enfant de sa mère. Mais il ne vit plus à la maison et partage l'existence d'une douzaine d'enfants tziganes, prostituées et sniffeurs de colle, dans le labyrinthe souterrain et suintant des caves de la gare. Panch est connu de tous les vendeurs du rez-de-chaussée, qui lui donnent régulièrement des cigarettes, des petits pains et des sucreries. Avant de me faire visiter ses quartiers, il m'examine, en quête de pièces détachables, en revenant constamment à la Swatch attachée à ma ceinture. Il n'arrête pas de se gratter, il est affligé de tics, il semble incapable de toute émotion ; c'est un enfant, mais ses yeux ont perdu toute innocence. C'est un « autre ».

Les Gitanes du marché de Sibiu sont plus expressives que Panch, plus menaçantes, plus redoutables, avec leur bouche dure et leurs yeux craintifs, mais je songe que le visage de *tous* les Gitans reflète des siècles de haine impitoyable, de cette profonde « mémoire de l'ennemi » (selon le mot d'un historien, en référence à la situation des Noirs américains). Cette expression est tellement courante que, pour la plupart des habitants du centre et de l'est de l'Europe, ce comportement définit les Gitans : le basané du marché noir, stéréotype de « l'autre », aussi répandu que la danseuse de flamenco ou le nomade en roulotte, à l'ouest.

Le jour où je termine de photocopier les derniers inventaires de Gitans possédés, échangés ou vendus par tel ou tel boyar ou propriétaire terrien du XVIIIe ou du XIXe siècle, une autre attaque contre les Gitans a lieu en Transylvanie : le terrible lynchage des deux frères Lacatus, pendant qu'un autre jeune Tzigane est brûlé vif au village de Hădăreni.

Comme d'habitude, l'aspect le plus dérangeant du pogrom est la fierté candide des villageois et des autorités locales : « Ils ne sont pas humains », « un problème social ». Dans ce contexte, on ne peut s'empêcher de penser aux théories nazies, à ces « vies indignes de vivre » (idéologie reprise avec enthousiasme durant la guerre par le leader fasciste, le maréchal Ion Antonescu). Mais dans ces pays, la déshumanisation des Gitans, systématique et à grande échelle, remonte au moins au XVe siècle, au prince Vlad II, Dracul, père de l'Empaleur.

En septembre 1445, le prince Vlad Dracul (Vlad le diable) fait capturer en Bulgarie 12 000 personnes « qui ressemblent à des Egyptiens » et les ramène chez lui, en Valaquie, « sans bagages ni animaux » ; il devient ainsi le premier importateur en gros d'esclaves gitans. La fournée suivante est le butin de Stéphane le Grand, surnommé « l'Athlète du Christ » par le pape Sixte IV pour ses croisades contre les Turcs. En 1471, après une grande victoire sur ses voisins valaques, le prince ramène en Moldavie plus de 17 000 Gitans.

Stéphane précède son cousin Dracula dans l'utilisation de sa torture préférée : après cette même bataille, il fait empaler par le nombril 2 300 de ses prisonniers. Si la masse des Gitans est épargnée, c'est peut-être parce qu'ils sont employés à forger les pals. L'époque de Dracula (1431-1476) précède l'esclavage complet dans les principautés roumaines ; mais les bases sont posées. Il existait certainement des modèles aux légions d'esclaves gitans qu'imagine Bram Stoker dans *Dracula* (ils sont chargés de remplir des caisses de terre de Transylvanie pour maintenir le comte « en vie » au cours de ses voyages). En outre, le Dracula historique, Vlad Ţepeş, croyait apparemment que les Gitans étaient des guerriers sans peur (ou téméraires). Dans le poème épique *Ţiganiada*, Ion Budai-Deleanu (1760-1820) rapporte que Dracula prit la tête d'une armée de Gitans, reconnaissables à leur uniforme bigarré, en peau de vache, lors d'une bataille contre les Turcs toujours envahissants. Ici, l'Empaleur n'est pas du tout le monstre du folklore germanique et slave (puis universel), mais plutôt un *héros national*, tel que le conçoivent les paysans roumains, qui servait la cause d'un état roumain indépendant (*Ţiganiada* est reconnu comme le premier poème écrit en roumain). Les Gitans étaient bel et bien enrôlés dans l'armée ; dans le mythe, ils luttent aux côtés des anges.

Installée au café du marché de Sibiu, je regarde les Gitanes compter leur argent d'une main experte, et j'ai du mal à y croire. Les Gitans comme esclaves, cela va à l'encontre de tous les stéréotypes occidentaux. Dans l'imagination collective, ils sont l'incarnation de la liberté sans attaches. Si cet épisode ignominieux de l'histoire gitane était mieux connu, peut-être ce fantasme ne serait-il même jamais apparu.

Je n'ai presque rien découvert à ce sujet dans tous les textes publiés sur les Gitans depuis un siècle en Occident. En 1837, l'homme d'Etat roumain Mihail Kogălniceanu écrivit en français un texte polémique, mais qui n'apporte guère de données concrètes. Et en 1939, l'historien roumain Georges Potra a publié le seul récit détaillé de l'esclavage des Gitans, en roumain, non traduit, unique source de tous les ouvrages suivants. Ce livre est épuisé, mais j'en connais un exemplaire, à l'Institut Nicolae Jorga, dans une avenue bordée d'arbres, à Bucarest. Après deux visites infructueuses, j'ai recours à un ami américain qui vit à Bucarest depuis dix ans et qui a fait des recherches à l'Institut ; il me procure un rendez-vous avec l'historien attitré de l'Institut. Ce médiéviste septuagénaire, portant d'épaisses lunettes rondes cerclées d'écaille de tortue, me reçoit dans son bureau aux boiseries sombres et m'interroge en français. Au milieu de notre entrevue, un café noir très fort nous est servi dans des demi-tasses par la bibliothécaire qui m'avait par deux fois refusé l'accès. Clairement, la situation s'améliore ; pourtant, je devine que les Gitans ne sont pas un sujet très bien vu, même par un historien. Notre conversation met non seulement à l'épreuve mes compétences en français mais épuise toute ma réserve de connaissances et mon prétendu intérêt pour le développement des latifundia magyares au XVe siècle et la domination des rentiers saxons, pour les malheureux serfs et la montée du nationalisme roumain alors que même la noblesse en était réduite à l'agriculture de subsistance... Mais au bout de trois quarts d'heure, les exigences antérieures sont oubliées (on m'avait demandé de fournir une requête officielle, rédigée sur papier à en-tête de mon propre « institut »). La bibliothécaire encore méfiante me remet enfin le livre qui m'intéresse : je n'ai droit qu'à une heure de consultation, pendant laquelle mon manteau est gardé en otage, si bien que je peux aller le faire photocopier dans le centre-ville, dans le bureau d'un ami.

Tout le livre est ensuite traduit par Corina. Tandis qu'elle s'échine à rendre la prose archaïque de Potra, elle a, à son tour, une révélation (hésitante) sur les Gitans, qu'elle considérait jusque-là comme des envahisseurs à l'hostilité inexplicable. Sa réaction prouve que, curieusement, l'histoire de l'esclavage gitan durant quatre siècles reste inconnue, même parmi les Roumains instruits.

Avant 1989, aucun chercheur n'avait accès facilement aux documents conservés sur place. Puis, pendant la révolution, la superbe bibliothèque de l'université de Bucarest a été gravement endommagée par un incendie. Il semble aussi qu'aient été perdus de nombreux textes importants, relatifs aux Gitans dans les territoires danubiens. Pourtant, dans les archives et les autres instituts historiques de Bucarest, Sibiu et Braşov, les preuves sont là : poussiéreuses, pâlies, communiquées à contrecœur par des bibliothécaires ou des conservateurs gâteux qui ne connaissent même pas le contenu de ce qu'ils vous refusent. Ce sont surtout des listes que j'ai trouvées, les sources auxquelles Potra a précisément donné forme. Un tableau se dégage.

Pendant plus de quatre siècles, jusqu'en 1856, les Gitans étaient esclaves en Valaquie et en Moldavie, principautés féodales qui, avec la Transylvanie, forment à présent la Roumanie. Quelques Transylvaniens possédaient aussi des Gitans, mais seulement dans les principautés où l'esclavage était une institution, d'abord suivant la « coutume du pays » avant d'être totalement officialisée dans un cadre juridique.

Derniers bastions de la chrétienté au milieu de l'offensive ottomane (bien après la chute d'une grande partie du royaume de Serbie, de la Bulgarie, de l'Albanie et de l'essentiel de la péninsule balkanique), la Valaquie et la Moldavie étaient florissantes. Quand les Croisades eurent ouvert, le long du Danube, les principales routes commerciales reliant Byzance à l'Occident, les princes de ces territoires qui deviendraient un jour la Roumanie s'enrichirent considérablement grâce à la guerre et en ravitaillant Constantinople. Mais à partir du XVIe siècle, quand les sultans finirent par occuper les ports de la mer Noire, la force de ces principautés en vint à reposer de plus en plus sur l'esclavage.

Les Valaques, parlant une langue latine (et dont les descendants habitent la Roumanie d'aujourd'hui), reconnurent bientôt la valeur économique des Gitans. La présence des Gitans dans les Balkans est attestée par un document évoquant la commande passée en 1362 à un orfèvre de Dubrovnik par Vlachus et Vitanus, deux « Egyptiens », mais la première mention des Gitans dans les archives roumaines parlent d'eux comme de simple bétail. En 1385, le seigneur de toute la Valaquie, le prince Dan Ier, confirme le don de quarante familles gitanes, fait quinze ans auparavant par son oncle, aux monastères de Vodiţa et de Tismana. En 1388, son successeur, le prince Mircea le Vieux, offre trois cents familles au monastère de Cozia. En Moldavie, en 1428, Alexandru le Bon remet « 31 tentes de *ţigani* » au monastère de Bistriţa, ce même monastère, avec ses ruisseaux ombragés et ses champs vallonnés, où les Gitanes Kalderash célèbrent leur fête chaque année, malgré les connotations sinistres associées à ce lieu sylvestre.

On ignore comment l'esclavage est apparu. Selon une théorie, les Gitans ont été introduits par les Tartares, qui ont envahi la Moldavie en passant par le nord de la Crimée. Ils étaient donc *déjà* esclaves lorsqu'ils sont arrivés dans les principautés ; abandonnés sur les champs de bataille par les Tartares vaincus, ils sont restés au service de leurs nouveaux maîtres hongrois et roumains (mais rien n'explique pourquoi les Tartares ne les ont pas laissés dans les autres pays du centre et de l'est de l'Europe). Les Gitans auraient ainsi toujours été esclaves, issus d'une classe de parias en Inde ; l'esclavage était inscrit dans leur sang. Cette analyse a été peu à peu affinée, surtout par les historiens roumains : l'esclavage était considéré comme un progrès pour les Gitans (dont rien ne prouve le statut antérieur), parce qu'ils ont pu ainsi être intégrés utilement à la société. Un certain professeur Wickenhauser, qui visita les principautés au XIXe siècle, corrobore l'opinion d'historiens roumains avant et après lui : les Gitans « souhaitaient devenir esclaves, parce que cela, à défaut de les élever au niveau des êtres humains, ferait du moins d'eux les égaux des animaux domestiques, bons et utiles ».

Certains Gitans parvinrent à rester libres, simplement en se cachant. Tout Gitan arrêté sur la route qui était incapable de nommer son maître devenait aussitôt propriété de la Couronne. Les Gitans étrangers qui n'étaient que de passage, les « touristes », étaient habituellement pris dans des rafles. Pourtant, du point de vue juridique, *tous* les Gitans n'étaient pas considérés comme des étrangers ; à l'intérieur des principautés, la propriété foncière déterminait les privilèges sociaux et politiques, mais servait aussi de base à la citoyenneté même. Etre « natif » (*pamintean*) des principautés signifiait littéralement être le propriétaire d'une terre (*pamint*). Les paysans pouvaient posséder des terres, mais les Gitans n'en avaient pas le droit. Comme l'a signalé le procureur de Harghita, certains Tziganes obtiennent aujourd'hui le droit à la terre, s'ils peuvent prouver qu'ils ont travaillé de manière ininterrompue dans une coopérative, pendant au minimum trois ans. Mais les obstacles bureaucratiques complexes qui se dressent en travers du chemin (tout comme les fameux « dossiers égarés ») suggèrent clairement que ces procédures n'ont aucune valeur réelle.

Comme toujours, les tentatives actuelles visant à évincer les Gitans sont liées au désir de terres. La question est donc : les Gitans sont-ils vraiment nomades par « nature », ou le sont-ils devenus parce qu'on ne leur a jamais permis de rester ?

La destinée des Gitans roumains est liée à celle des paysans roumains depuis le jour où, il y a six cents ans, ils ont commencé à partager le même territoire. Ensemble, paysans et esclaves formaient la classe la plus basse de la société féodale, et l'on a l'impression qu'il n'y avait guère à choisir entre le statut de serf et celui d'esclave. De fait, malgré les lois contre le mélange des races, les unions mixtes furent nombreuses (face aux Roumains les plus racistes, j'ai volontiers recours à cette donnée, des plus insultantes à leurs yeux, pour expliquer que la population du pays, dans l'ensemble, est plus basanée que leurs voisins slaves).

Mais seuls les Gitans étaient des « biens » qui pouvaient être séparés et vendus au gré de leur propriétaire, comme du bétail. Au premier abord, les documents médiévaux ont l'air de listes des commissions. A la grande stupeur de Corina (et de moi-même), c'est bien de cela qu'il s'agit, à peu de choses près ; on échange un couple de Gitans contre une paire de bœufs ou de chevaux, deux jeunes mariés contre quelques tonneaux de vin, un homme contre un jardin ou contre une remise destinée aux véhicules ; telle jeune Gitane vaut « deux jarres en cuivre », telle autre, de moindre qualité sans doute, ne vaut qu'un pot de miel. On pouvait même vendre « un demi-Gitan », c'est-à-dire une femme avec la moitié des enfants qu'elle pourrait avoir, ce qui prouve que, malgré les lois qui l'interdisaient de manière tout à fait explicite, les familles gitanes étaient systématiquement divisées.

A mesure que leur valeur montait, il y eut de moins en moins de Gitans libres dans les principautés ; la Couronne maintenait son stock en continuant à les importer. Ils étaient ramenés des régions situées au sud du Danube, en grandes quantités, et destinés au travail forcé ; cela suffit à expliquer pourquoi c'est en Roumanie que l'on trouve le plus grand nombre de Gitans (environ 2 millions et demi) réunis dans un seul pays.

Par un chaud après-midi de fin d'été, dans la bibliothèque de l'Institut Nicolae Jorga, je lis l'ouvrage publié en 1837 par Mihail

Kogălniceanu sur les esclaves gitans. Cette salle sombre, avec son odeur de vieille paille et ses employés silencieux, d'une inutilité impartiale, ne paraît pas l'endroit idéal pour une révélation. Mais tout à coup, je comprends une chose qui est peut-être une évidence. Le commerce des Gitans semble être inévitablement un tournant historique : à partir du moment où ils furent importés en masse, les préjugés à leur encontre furent définitivement établis. Le terme « gitan » (et toutes ses variantes locales) ne désigne plus un groupe ethnique, ni même, comme c'était parfois le cas, un groupe professionnel, musiciens ou ferronniers. Pour la première fois, il désigne l'ensemble d'une classe sociale : la caste des esclaves.

> Certains maîtres pouvaient même donner à leurs Gitans un lopin de terre pour leur donner le goût de l'agriculture, ou, quand il n'y avait plus de travail aux champs, les autoriser à jouer de la musique [...] mais ils perdirent leur liberté [...] de sorte que, dans les deux principautés, le mot « Cigan » devint synonyme d'« esclave ».

La violence et la haine dont les Tziganes sont aujourd'hui victimes sont-elles l'héritage de l'esclavage, de même que leur peu d'ambition dans la société ? Cette idée est largement acceptée au sujet d'autres groupes dont l'histoire est similaire, comme les Noirs américains. Mais comment l'épisode de l'esclavage gitan a-t-il pu être négligé ou nié par tant d'historiens ?

Le même jour, après la fermeture de l'Institut, je me promène dans un long parc ombragé, je passe devant une réplique de l'arc de triomphe et je gagne le centre de Bucarest, les hôtels et les services touristiques du boulevard Megheru, particulièrement pollué. Je rencontre Nicolae Gheorghe, sociologue et activiste tzigane qui m'a conseillé de me tourner vers le livre de Georges Potra et l'Institut Nicolae Jorga. Comme d'habitude, il paraît exaspéré ; il est déjà épuisé par mon air interrogateur, par toutes ces questions auquel lui seul peut répondre. Mais son visage s'éclaire ; il est non seulement d'accord avec mon hypothèse mais, sur ce boulevard encombré, il redresse les épaules, gesticule, s'arrête pour remettre en place une mèche rebelle de sa chevelure de corbeau, et me fournit une preuve intéressante.

« Prenez les Rudari », lance Nicolae. Les Rudari étaient des ébénistes (qui travaillaient également comme chercheurs d'or et dompteurs d'ours) ; même s'ils ne fabriquent plus d'outils en bois, ils restent une importante communauté tzigane en Roumanie. Depuis l'époque où ils furent importés du sud du Danube, les Rudari furent appelés « gitans », comme les autres esclaves. Mais ils ne parlent pas le romani, et n'ont apparemment jamais connu cette langue. Ils n'ont aucune coutume en commun avec les Tziganes, ni tenue traditionnelle, ni code de pureté. Les Rudari sont-ils donc vraiment des Gitans ? Sont-ils leurs descendants ? Absolument : ils étaient esclaves.

Les termes « gitan » et « esclave » étaient interchangeables, renvoyant à une caste sociale particulière. Par exemple, au XVIIIe siècle, même s'ils n'étaient pas officiellement reconnus, les mariages entre serfs et esclaves se sont multipliés, et la loi stipulait que « le Moldave qui épouse une Gitane devient esclave, et la Roumaine qui épouse un Gitan devient elle-même gitane ». Une fois devenus un groupe social, les Gitans passèrent bien vite au statut de « problème social », avec les habituelles connotations de criminalité inhérentes à cette notion.

Le concept même de criminalité connaît en ce moment une évolution comparable. Après mes premières visites dans les villages incendiés, je m'intéresse de plus en plus aux Ursari, à ces montreurs d'ours, comme on appelle les Gitans méprisés de Bolintin Deal. Je ne cesse de trouver des documents qui me renvoient à eux, dans une série de publicités du *Herald Tribune*, diffusées par un groupe de défense des animaux. L'une d'entre elles inclut la photo d'un ourson en captivité, une chaîne dans le nez, et invite les lecteurs à envoyer leurs dons pour mettre fin à cette pratique en Turquie et en Grèce (la campagne est en faveur des ours, non contre les dompteurs ; il n'y est pas fait mention des Tziganes qui sont vraisemblablement leurs maîtres).

Pour les populations d'Europe centrale et des Balkans, ces troupes d'ours et de singes, bariolées et misérables, devaient être un vrai spectacle dans les dernières années du communisme. Bien que pathétiques, ce sont également les emblèmes d'un passé qui échappe à la modernisation et à la « productivité » au sens stalinien. Peut-être était-ce une des rares occasions de rire : dans la Roumanie de

Ceauşescu, on continuait à payer pour voir des ours danser et des singes applaudir.

Depuis, j'ai rencontré quelques Ursari des Balkans, qui survivent encore grâce à leurs ours. Tandis que je fouille les archives rurales, je découvre des références aux esclaves Ursari. Il semble que les princes qui régnaient en Valaquie et en Moldavie aient toujours possédé bon nombre de familles qui voyageaient avec leurs ours et leurs singes, qui collectaient au profit de la Couronne.

On voit aujourd'hui de moins en moins d'animaux dansants, du fait des pressions écologistes, de la guerre (les ours rapportaient beaucoup en Yougoslavie) et du manque d'intérêt parmi les jeunes Ursari. Pourtant, dans certaines régions des Balkans, on en rencontre encore, qui se trémoussent sur les routes au son antique des violons, des accordéons et des cloches. A Jagoda, petit hameau boisé près de Stara Zagora, dans le centre de la Bulgarie, quelques dizaines d'ours bruns miteux, attachés à des arbres autour desquels ils creusent un fossé à force de tourner en rond dans la boue. Mais les Ursari et leurs ours ne s'arrêtent là qu'en hiver, lorsqu'ils se retrouvent pour préparer leurs itinéraires de l'été et se disputer les stations balnéaires de la mer Noire, Varna et Burgas ; à Pâques, ils ont repris la route.

Les activistes des droits des animaux décrivent le traitement cruel réservé aux ours danseurs. Mais les ours que j'ai vus, achetés (sauvés) aux zoos d'Europe de l'Est, étaient visiblement très aimés par leurs maîtres. En tant que gagne-pain, coûteux à remplacer, ils sont aussi les membres les mieux nourris du clan. Natasha, l'une des Ursari de Jagoda, porte des galoches en caoutchouc, dépareillées, fendues et rafistolées avec du fil de cuivre. On voit comment les Tziganes prennent soin de leurs biens ; on voit à quel point ils sont pauvres. Pourtant, et même si les Ursari de Jagoda le nient farouchement, le domptage pavlovien consiste à brûler les pattes des oursons au son de la musique, et à leur offrir de la viande comme friandise. On dit que la danse est dégradante pour les animaux, comme si l'on obligeait les hommes à divertir des foules à quatre pattes.

De fait, il y a un siècle et demi à peine, les Gitans étaient eux-mêmes montrés comme des ours. Del Chiaro, secrétaire italien du prince Constantin Brâncoveanu, raconte certains spectacles dans ses mémoires :

> Dans certaines cours, on les barbouille de suie et, les mains derrière le dos, debout devant un bassin empli de farine où sont cachés quelques pièces de monnaie, ils sont obligés de repêcher les pièces avec les dents [...]. Ou on leur fait, en courant, rattraper dans la bouche un œuf suspendu en l'air [...] ou retirer d'une bougie une pièce fixée dans la cire, sans éteindre la flamme. Naturellement ils se brûlent les lèvres et les cheveux.

Les esclaves gitans étaient transformés en clowns, mais ils étaient aussi des signes extérieurs de richesse, l'élément essentiel de toute dot respectable. Celle de Mariuta, nièce de ce même prince Constantin Brâncoveanu, était typique de la haute société : elle reçut de son oncle « le village de Mogosoaia avec ses terres, vignobles, lac et moulins, et 19 familles gitanes ». Sans Gitans, même la plus jolie des demoiselles bien nées n'aurait trouvé à se marier. En 1785, Zmaranda Zlariu, épouse d'un aristocrate, envoya une lettre au prince Alexandru Ioan Mavrocordatos pour le supplier, « les larmes aux yeux », de lui faire exceptionnellement cadeau de quelques Gitans afin que sa fille unique puisse être « sauvée » du célibat. Miséricordieux, le prince lui céda quatre familles. De même, les Gitans se transmettaient de père en fils, comme un héritage. Selon le testament du prince Brâncoveanu, « les Gitans [...] du village de Potlogi iront à Constantin [son fils], ceux du village de Mogosoaia à Stefan, ceux du village d'Obilesti à Radu, et ceux du village de Doicesti seront pour Matei ».

Même si elles n'étaient pas tout à fait considérées comme humaines, les Gitanes faisaient de bonnes concubines. Une jolie fille pouvait atteindre un prix bien plus élevé qu'une bonne travailleuse, ou même qu'un jeune homme qualifié et en bonne santé. Il était illégal de prostituer ses esclaves (le *boyar* coupable était incarcéré dans une mine de sel), mais il était permis de distribuer les filles en cadeaux. Outre la dot de sa fille, un seigneur pouvait accueillir son beau-fils en lui offrant, à part, « une petite Gitane ». Rien de tel n'aurait pu arriver à une jeune paysanne qui, comme sa famille, était attachée à la terre (et en un sens protégée).

Les maîtres avaient toujours le pouvoir d'affranchir leurs esclaves, mais dans certains cas la Couronne établissait la liberté comme un droit. Une esclave concubine devenait automatiquement libre, ainsi que ses enfants, si son maître ne l'avait pas libérée avant de mourir. Cette loi, qui était un excellent encouragement au meurtre, était sans doute inconnue des très jeunes filles. Plus vraisemblablement, en tant que concubines, elles ne survivaient guère aux besoins de leur maître.

Le journal d'Erimiten von Gauting, touriste allemand qui passa par Craiova en 1836, alors qu'il se rendait à Constantinople, présente un exposé terrifiant de ces relations :

> Dans la soirée, alors qu'il faisait moins chaud, je sortis de la ville et je fus le témoin d'une scène que je n'aurais pu concevoir, même en imagination. Avec une troupe d'animaux, l'épouse d'un boyar possédait quelques Gitans, dont une très belle fille de 15 ans, qu'elle vendait à un homme pour deux pièces d'or.
>
> La jeune fille allait être emmenée à l'instant précis où je passai devant la maison misérable qu'elle occupait avec sa famille, en larmes. Ses parents, ses frères et sœurs pleuraient tous, mais elle fut arrachée aux bras de sa mère et emmenée.
>
> Je m'approchai du barbare et je lui dis que je la rachèterais, mais il était très riche et se moqua lorsque je lui proposai 50 pièces d'or. Il se vanta de l'avoir achetée pour son plaisir [...] et si elle refusait de lui obéir, il la battrait jusqu'à ce qu'elle soit plus docile. Il me dit que si je voulais acheter des Gitans, il en possédait 500, dont quelques très belles filles. Il dit qu'il était prêt à les revendre puisqu'elles l'avaient déjà servi, mais qu'il était vraiment amoureux de celle-ci et qu'il ne s'en séparerait à aucun prix.
>
> Je suis allé voir la police, j'ai parlé de cette affaire à tout le monde, mais partout on a ri de ma stupidité : « Les Gitans sont notre propriété et nous pouvons en faire ce qu'il nous plaît. »

A Bucarest, von Gauting rencontra de nombreux mendiants gitans ; leurs maîtres leur avait coupé les mains. « L'un d'eux me dit que son père avait tué son maître qui avait voulu lui couper les mains, et que son père avait été pendu pour cela. »

Von Gauting termine ainsi son journal de voyage à Craiova : « Parfois, les boyars autorisent leurs enfants à “s'amuser” en fouettant ces mendiants gitans, et ils affirment que cela fait partie de leur éducation quotidienne. Les parents tuent et mutilent à leur gré ; les enfants apprennent très tôt à prendre leur plaisir où bon leur semble. Les Gitans sont traités plus mal que des animaux. »

Plus d'un siècle et demi après, on croise encore dans les rues de Bucarest des enfants mutilés avec soin (et pas seulement des Gitans). Mais la police et les directeurs des principaux asiles d'enfants de la capitale déclarent généralement que ce sont les parents, toujours des Gitans, qui mutilent leurs enfants, pour leur faire gagner plus (« pour leur donner une profession », comme m'a dit un policier). Cependant, un journaliste roumain qui a enquêté sur ce problème en 1990 a prouvé que ces petits mendiants, ces « équipes voleuses », selon le mot du directeur francophile d'un home pour enfants, ne sont pas soumis à l'autorité de leurs pères, mais de véritables proxénètes. Ces messieurs, les uns gitans, les autres pas, organisent également la prostitution enfantine à la Gare du Nord de Bucarest ; ils les récompensent par des sucreries et de la colle à « sniffer ».

On est frappé par l'ignorance uniformément répandue parmi les Gitans, même en Roumanie, quant à leur passé d'esclavage. Sous Ceauşescu, bien sûr, l'histoire était remplacée par le mythe. Mais les Gitans sentent peut-être que l'esclavage, tout comme le sort que leur avaient réservé les nazis, n'est qu'un des épisodes du récit plus ou moins continu de leurs persécutions. Les Roumains ne savent rien non plus. Cela en dit long sur le statut des Gitans dans ce pays comme ailleurs : ils sont invisibles.

Près de Constanţa, station balnéaire sur la mer Noire, se trouve la ville de Mihail Kogălniceanu, où eut lieu en octobre 1990 l'une des premières purges post-révolutionnaires à l'encontre des Tziganes. Les habitants ne semblent pas savoir qui était Mihail Kogălniceanu. L'homme d'Etat qui a donné son nom à leur ville était un libéral éloquent, abolitionniste influent. Plus d'un quart de siècle avant l'émancipation des esclaves dans les principautés, il écrivit :

> [Les Européens] forment des sociétés philanthropiques pour l'abolition de l'esclavage en Amérique, alors qu'au cœur du continent, 400 000 Gitans sont esclaves et 200 000 autres sont enfoncés dans les ténèbres de l'ignorance et de la barbarie !

Un siècle et demi plus tard, dans la ville qui porte le nom du grand homme, l'esclavage a disparu, mais les ténèbres de l'ignorance et de la barbarie persistent.

NULLE PART OÙ ALLER

Dans le vieux centre de Constanţa, à quatre heures de voiture de Bucarest, un obélisque célèbre l'exil et la mort d'Ovide au bord de la mer Noire. C'est d'ici que le poète envoyait des vers suppliants vers Rome, pour décrire l'horreur de ce pays barbare et glacé.

Deux mille ans plus tard, la plage polluée de Constanţa mène à son port pollué. Constanţa était et est encore une importante ville portuaire, et comme tous les lieux de trafic maritime, elle attire non seulement les errants et les marginaux du pays, mais aussi un mélange d'étrangers envahissants. La plage garde un certain charme miteux ; chacun en tire le maximum. Les vieillards écoutent des transistors sur les bancs de la digue, les familles pique-niquent sur le sable mêlé de galets, les adolescents s'étendent sur les rochers de la jetée.

A une trentaine de kilomètres, le minuscule village de Mihail Kogălniceanu n'a rien de bien séduisant, mais il est cosmopolite à sa manière, puisqu'y cohabitent Roumains, Turcs, Tartares et musulmans bulgarophones (les Gaga'ouz). Même la communauté tzigane sédentarisée est divisée en deux groupes distincts, les « Turcs », ainsi appelés parce qu'ils sont musulmans (ou simplement parce qu'ils portent des pantalons amples), et, par opposition, les « Chrétiens ». Et, cela va de soi dans les Balkans, on ne se mélange pas.

En 1991, près d'un an après les événements qui ont fait entièrement disparaître vingt-sept maisons et qui en ont détruit cinq autres, la controverse prolongée sur le sort des Tziganes chassés de Kogălniceanu a ranimé et aggravé les tensions. Avec ma petite bande (Ted Zang, jeune avocat américain spécialiste des droits de l'homme, Ina

Bardan, Roumaine qui défend les droits de l'homme, et Corin, l'interprète), nous entrons dans le village avec un frémissement qui semble justifié lorsque nous demandons notre chemin à une femme (tartare, d'après son corps trapu et son visage carré, oriental). « Qu'est-ce que vous faites là ? » aboie-t-elle par-dessus la palissade de son jardin. « Vous venez les *aider*, je suppose ? Pourquoi est-ce que vous ne leur portez pas simplement une allumette enflammée ? » Il devient bientôt clair qu'elle parle pour toute la communauté : cette haine est la seule chose qu'ils ont en commun. Nous décidons d'aller d'abord voir les Gitans.

Une route de terre, dont chaque affleurement rocheux cogne le fond de notre berline Dacia, nous mène finalement à une série de maisons en ruines, ou plutôt de ce qui était jadis des maisons. Rien n'a été réparé depuis le jour où les bâtiments ont été incendiés ; on dirait une ville dévastée par la guerre. Les herbes folles envahissent les maisons, dont plusieurs ont conservé quelques mètres de plâtrage, sur fond de briques artisanales. On s'attend à voir des archéologues occupés à fouiller le site. Pour les Tziganes qui sont revenus après avoir été chassés de leur domicile, la vie a repris son cours plus ou moins normal. Le repas mijote sur des réchauds plantés ici et là ; le linge est suspendu entre les murs ; les enfants jouent sans jouets, indifférents au désastre.

Il paraît extraordinaire que des gens puissent continuer à vivre au milieu des ruines calcinées de leur passé. Mais cette attitude tient plus du défi que du stoïcisme. Il faut s'imaginer que les Gitans résistent et refusent obstinément d'enlever la moindre brique brûlée, comme si le seul espoir de compensation résidait dans ce que représente avec tant de force ce tas de débris. Ils font ce qui vient naturellement : ils continuent, ils s'adaptent, ils survivent. Ces Tziganes n'ont ni l'argent, ni les matériaux, ni surtout l'assurance nécessaire à reconstruire. Mais ils n'hésitent pas à raconter leur histoire. Comme dans toutes les communautés dévastées, je trouve des Tziganes, abandonnés ici après un bref sursaut d'intérêt des médias, qui sont prêts à parler et surtout à se plaindre dès qu'on les écoute. On dirait que personne ne leur a jamais *rien* demandé ; ils ont une masse de griefs et d'humiliations à évacuer, auxquels s'ajoutent diverses suggestions, requêtes et exigences sans aucun rapport mais qui n'en sont pas moins pressantes.

Quelques minutes après être sortis de la voiture, nous sommes encerclés par une cinquantaine de personnes : des enfants sales aux yeux brillants, leurs mères, leurs tantes, leurs grand-mères, certaines tiennent un bébé ou ont le ventre gonflé par le prochain, voire les deux à la fois, la moitié hurlent en notre direction, sur un ton tantôt suppliant, tantôt hostile. Je ne remarque qu'un seul couple âgé. L'homme, élégamment vêtu d'un gilet brun, effiloché mais propre, a une montre de gousset et glisse trois doigts dans chaque poche. La femme, sa compagne de toute une vie, apparemment, pose sur son bras une main légère ; elle est la seule du groupe à se taire. Son long visage lisse est encadré par un foulard à fleurs décoloré.

L'absence des personnes âgées explique ici les difficultés des Tziganes : il n'existe guère de vieux Gitans, car leur espérance de vie est de douze ou quinze ans inférieure à la moyenne (qui n'est déjà pas très élevée dans ces pays). Et il y a très peu d'hommes, quel que soit leur âge ; les raisons de leur absence sont plus diverses. La meilleure excuse serait qu'ils sont au travail, ou qu'ils cherchent du travail ; l'explication la plus courante est qu'ils sont en prison. Dans des villes aussi divisées que Kogălniceanu, les hommes se cachent parfois pour rester en vie, nous dit-on ; tout le monde admet que les femmes et les enfants, même gitans, ont moins de chance d'être attaqués s'ils sont seuls.

« Alors, que s'est-il passé ? » lance Ina Bardan. Dans les heures qui suivent cette question beaucoup trop vaste, les réponses et les rectifications se multiplient. « La veille du jour où c'est arrivé, commence un jeune Tzigane, des Macédoniens sont venus nous avertir dans l'après-midi. » Puis se déroule une sorte de fugue (qui rappelle aussi les variations hétérophones de l'un des innombrables orchestres tziganes) : chaque affirmation est aussitôt contredite ou niée par une voix différente : « Non, l'incendie a eu lieu le matin » ; « C'est pas les Macédoniens qui nous ont prévenus, c'est les Turcs » ; « Personne ne nous a prévenus » ; « Ils nous ont dit que ça arriverait la semaine d'après »...

J'insiste et, ayant décidé de concentrer mon attention sur le premier qui a pris la parole, je fais taire impitoyablement les supplications des autres : « La veille du jour où c'est arrivé, quelques Macédoniens sont venus vous avertir. Et après ? » Dans l'histoire que je découvre se retrouvent les contradictions, les lamentations et les thèmes habituels chez les Gitans.

« Mais on ne l'a pas cru. » « Il n'y avait pas de raison d'y croire. » « On avait déjà été menacés avant. » « Avant, c'était mieux. » « On vit ici depuis 1947 et *nica problema.* » « Jusqu'à cette année on n'a pas eu d'ennuis. » « La vie était meilleure avant la révolution. » « Quand Ceauşescu est mort les problèmes ont commencé. » « C'est ça, pour nous, la démocratie. » « George Bush devrait venir voir notre démocratie. » « Pourquoi les Etats-Unis ne nous aident pas ? »

Un jeune homme remonte une manche pour exhiber un tatouage sur son poignet : « U-S-A » entre deux ailes façon commando. « Il y a des Gitans en Amérique ?

— Oui... » Et je m'interromps pour revenir à la charge : que s'est-il donc passé le soir du 9 octobre ?

« Il y a eu une bagarre au café. » « Ils se sont rassemblés au café. » « Ils se sont rassemblés dans l'église allemande. » « Dans le café, les Allemands ont discuté avec le curé. » « Les cloches de l'église ont appelé tout le monde. » « On a offert des boissons. » « Le curé est un ivrogne. »

Ina Bardan essaye de faire avancer la conversation. Combien de gens sont venus ?

« Trente-cinq. » « Trois cents. » « Ils sont venus avec de l'essence. » « Et des tracteurs et des camions. » « Et des perches en acier. »

Vous les connaissiez ? C'étaient des jeunes ?

« Je les connaissais tous. » « On les connaissait à l'école ; on leur a demandé pourquoi ils faisaient ça. » « On ne faisait rien. » « Il n'y avait personne ici, on était dans les bois. » « On avait peur dans les bois. » « Il y a des animaux sauvages dans les bois. » « Il n'y avait personne ici, seulement les animaux. » « Ils nous ont volé nos chevaux, nos cochons, nos poules. » « Tout est arrivé en une seule nuit. » « Quand on est revenus le lendemain matin, tout était brûlé. » « On est restés cachés trois jours, et quand on est revenus, les maisons fumaient encore. » « Il y avait des cadavres d'animaux dans nos puits. » « Et des meubles. »

Suivis par toute la foule, tandis que les plus petits des enfants s'accrochent à nos basques et nous demandent du chewing-gum, nous traversons un champ bosselé pour inspecter certaines des autres maisons incendiées, appartenant aux Gitans turcs. La ville est en ruines mais encore habitable ; les canalisations sculptées à la main sont les seuls vestiges de routes abandonnées, envahies par les mauvaises herbes. Ce n'est pourtant pas une ville fantôme. Nous nous arrêtons devant une maison où apparaît une femme ; elle ne s'approche pas, mais monte la garde dans l'encadrement de la porte. Elle veut nous demander quelque chose. Pouvons-nous l'aider, pour sa fille ? Elle recule et revient avec un enfant dans les bras : une petite fille paralysée, pliée en deux, qui ressemble à une poupée en bois avec ses membres attaqués par la polio et son visage inexpressif. Ses doigts sont réduits à de minuscules serres et son corps en zigzag a l'air d'avoir été pétrifié en pleine action, comme les fossiles humains de Pompéi. Ina obtient de la femme quelques détails et lui parle des associations d'aide aux enfants, des hôpitaux spécialisés de Bucarest ; une autre mère arrive avec son enfant, victime d'un autre type de calamité.

Cette petite fille a été grièvement blessée quand sa famille est revenue examiner la maison brûlée. Une poutre encore en feu est tombée sur elle. Sans se soucier apparemment des sentiments de la fillette, la mère soulève sa robe et baisse son collant pour montrer aux visiteurs son vagin et ses cuisses horriblement calcinés, comme fondus. « Elle ne pourra jamais se marier », dit la femme. L'insensibilité de cette mère ne fait que souligner un point commun à la plupart des guerres : ce sont les enfants qui en sont les principales victimes.

Nous apprenons que quatre (ou quatorze) policiers sont finalement venus, une fois la foule disparue, une fois les maisons disparues. Ils ont transmis aux Gitans ce message : « Vous devez quitter le village, parce qu'ils vont revenir vous tuer. » « Mais on reste, explique une femme, parce qu'on n'a pas d'autre endroit où aller. » « On veut rester ici, parce qu'on est nés ici », ajoute une autre.

Un homme vient vers nous alors que nous retournons vers la voiture. Il veut nous donner l'identité de toutes les familles et de tous leurs enfants. Nous les notons comme il se doit ; certains sont des prénoms roumains courants (Mihai, Mircea, Ioan), mais il y a aussi quelques beaux noms démodés qui semblent désormais être réservés aux Gitans. Je pense aux listes similaires que j'ai vues aux archives de Bucarest et que j'ai recopiées dans mes carnets :

> Les quatre Gitans Harman, Bera, Badu et Coman, avec leur famille [...]. Quelques Gitans : Macicat, Caba, Coste, Babul, Bazdag, Carfin et Nan, tous les sept avec leur famille [...]. Luca fils de Latco, Alexa, Hertea, Dinga et son frère Manciu, Stefan, Boldor et son frère Gavril [...]. Pandrea, Radu et Butcat [...]. Baciul, Coica et son frère Ninga, et les Gitans du nom de Boia, Dadul, Gutinea et Carfila [...]. Talpa avec ses enfants Toderica, Jamba, Molda, Oprea et Piciman [...].

Quelles relations ont-ils à présent avec les autres habitants de Kogălniceanu ? « Certains sont venus dire qu'ils sont désolés. » « Ils ont peur qu'on brûle leurs maisons. » « Ils nous ont apporté des couvertures. » « Ils nous crachent dessus si on va en ville. » « On n'a pas le droit d'entrer dans le café. »

C'est au Discobar, long losange gris situé dans un coin de la ville, que le groupe s'est réuni ce soir-là. On dirait plutôt une usine qu'un café. Sans conviction, nous hésitons avant d'entrer, en regardant l'enseigne « Discobar », minuscule néon à demi éteint placé très haut sur un mur latéral. A l'intérieur, il fait frais et sombre : des rideaux rouges éloignent le soleil de l'après-midi. Le café est vide. Le serveur, jeune homme coiffé d'un casque de cheveux noirs et portant une cravate à ressort sur sa chemise blanche à manches courtes, s'appuie contre le bar ; il fume tout en parlant au barman, gros homme au visage bouffi. Ils ne sont pas très contents de nous voir.

« Pourquoi en parler après tout ce temps ? » demande le barman.

Ted Zang explique : « Parce qu'il ne s'est rien passé depuis. Il n'y a eu ni procès, ni enquête sérieuse. Et ces gens-là n'ont toujours pas de maison. »

Le barman hausse les épaules. Le serveur le regarde pour savoir ce qu'il doit faire. Le barman hausse de nouveau les épaules, comme pour dire : vous pouvez leur parler si vous voulez perdre votre temps. Il se détourne et s'occupe des verres placés dans son évier. Le jeune homme tergiverse, il roule le bout de sa cigarette dans un cendrier. Il se gratte les boutons qu'il a au menton puis regarde sa montre : il a du temps à perdre. Finalement, il se dirige vers nous qui l'attendons d'un air solennel. Il me dévisage ; je le regarde tandis qu'un sourire s'affiche sur son visage. « Après tout, pourquoi pas ? » se dit-il. Il ne regarde pas Ted, le seul d'entre nous qui a parlé. Le serveur préfère m'entraîner vers une table, au fond ; les trois autres suivent. Il me prend le coude avec deux doigts ; « ça pourrait même être amusant », se dit-il tout en me guidant.

Je m'assieds à un coin avec le serveur, qui garde le silence ; il pose la main sur la table, sa paume servant toujours de réceptacle à mon coude. Personne d'autre ne boit, mais voilà que je commande une Laziza bien fraîche (« La Célèbre Bière Libanaise »).

Ina devient indiscrète : « Où étiez-vous le soir du 9 octobre ?

— J'étais en chemin pour aller voir les Gitans », nous répond gaiement le serveur, en se renversant sur sa chaise et en passant sa main libre derrière son casque de cheveux, indifférent à notre désapprobation. Ce n'est pas par assurance, c'est simplement qu'il ne se rend pas compte. De toute évidence, il n'a jamais rencontré personne qui ne pense pas exactement comme lui, à part les Tziganes.

Mihai, puisque c'est son prénom, n'a pas besoin d'encouragements. « Je suis macédonien, affirme-t-il d'emblée. Ce qui s'est passé ici, c'est une guerre entre les Gitans et tous les autres. Toutes les autres nationalités étaient ensemble, les Macédoniens, les Roumains, les Allemands, et le reste.

— Ça a commencé comment ? demande Ted en dépliant son carnet.

— Un Turc et un Macédonien se battaient. » Avec cette réponse de Mihai, la belle unanimité de Kogălniceanu se dissout aussitôt. Croyant sans doute que c'était un des leurs, « les Gitans ont pris le parti du Turc. Un Roumain a été surpris seul au volant de son camion dans le quartier gitan. Il a été battu.

— C'est la goutte qui a fait déborder le vase, explique Corin.

— Quelqu'un a appelé la police ? » Ma question paraît purement rhétorique.

« Si on avait appelé la police, ils n'auraient rien fait. Que peuvent faire quatre policiers ? » Mihai brûle les étapes. « On était entre trois et quatre cents. Des gens nous ont rejoints pendant qu'on marchait vers le quartier gitan. On a apporté de l'essence, pour finir le boulot une fois pour toutes ». Mihai est calme. « On n'a tué personne.

— Et qu'est-ce que les policiers ont fait ?

— Ils ont regardé. Et maintenant il y a six policiers ici. »

Va-t-il en prendre ombrage si je retire mon coude de sa paume ? Je me demande pourquoi je m'interroge ainsi. Tout en rapprochant les mains de mes genoux, je pose une nouvelle question : « Et les pompiers ? Qu'est-ce qu'ils ont fait ? » Les Tziganes nous ont dit que les villageois avaient empêché les pompiers d'entrer dans leur quartier. Apparemment ils n'avaient pas besoin d'intervenir.

« On était là à minuit et demie, et les pompiers sont arrivés vers trois heures. On a encerclé les maisons des Gitans et on a mis le feu à tout. C'était prévu pour deux jours après, mais on a pensé qu'ils pourraient nous en empêcher.

— Mais ensuite personne n'a été arrêté. Vous croyiez vraiment qu'on pourrait vous empêcher d'agir ?

— C'était pas un crime, explique Mihai. C'était un soulèvement. » Le serveur estime avoir mérité une cigarette supplémentaire. Entre l'index et le majeur, il en tire une d'un paquet bleu, des Manhattan 100.

« Et quel est votre sentiment à présent ? » En entendant ma question, Ina fait d'avance une moue dégoûtée à la pensée de la réponse qui va suivre.

« C'était une très bonne idée. On aurait dû le faire depuis longtemps. On n'a plus de problèmes avec eux. Ils se sentent plus aussi forts et aussi malins maintenant. C'était la seule façon. Tout le monde avait peur d'eux. Maintenant, tout le monde fait attention. Ils ne font plus les courageux. Bien sûr, depuis, j'ai revu les gens de ces maisons-là. Mais je ne leur parle pas. Ils sont plus respectueux maintenant. Ils vous saluent même dans la rue de temps en temps.

— Si les Gitans se conduisent si bien à présent, pourquoi leur interdisez-vous l'accès au bar ? demande Corin.

— Ils ne sont pas civilisés. Je ne servirai jamais un Gitan. »

Bouillonnante, Ina ne tient plus (nous n'avons pas l'habitude de la neutralité de l'interviewer) : « Que signifie pour vous le mot démocratie ?

— Pouvoir faire ce que je veux sans que personne s'en mêle. »

De son comptoir, le barman écoute. Il finit par se joindre à la conversation, comme toute la population de Kogălniceanu. Et il nous raconte du nouveau : le Roumain isolé qui a été battu dans son camion transportait des armes, des barres de bois fabriquées à la scierie locale, vers une cache secrète proche du quartier tzigane.

« Comment les Gitans étaient-ils au courant ?

— Oh, ils savent beaucoup de choses, hein ? » réplique-t-il, sur un ton irrité. Son nez s'allonge et tous les traits de son visage semblent vouloir converger vers ce centre. « Il n'ont rien à faire ici. S'ils reconstruisent leurs maisons, on les brûlera encore. Les gens d'ici ne leur font pas confiance. On ne veut pas de Gitans à Kogălniceanu. »

Il n'y a pas grand-chose à ajouter, et nous ramassons nos affaires. Mihai nous ouvre galamment la porte. Ina passe dédaigneusement sans le regarder. Ted, troublé mais naturellement poli, arrive à lui offrir un signe de tête. Corin, que la déposition n'a guère ému, se faufile dehors. Abasourdie ou par pur esprit de contradiction, je souris en montrant toutes mes dents et je lui tends la main, que Mihai saisit et agite dans ses deux pattes. Il me pose une question qui n'a pas besoin d'interprète : « Je peux avoir votre numéro de téléphone ? » Je dégage ma main et je file vers la voiture.

Nous repartons. Je regarde par la vitre arrière. Le serveur nous court après. Il ralentit et devient plus petit à l'horizon ; il fait signe et griffonne des signes inintelligibles dans le creux de sa main. Il ressemble à un client qui demande l'addition dans un restaurant. Je reste muette mais Ina finit par éclater de rire. « Maintenant, tu vois, tout marche à l'envers dans notre pays. »

Un an après, en 1992, je retourne à Kogălniceanu avec Nicolae Gheorghe et un bus entier d'Américains, dont un journaliste du *New York Times*, quelques observateurs du Capitole et quelques Gitans américains. Grâce aux vigoureux efforts de Gheorghe, un groupe de Sintis (les Gitans allemands) installé à Heidelberg a promis 120 000 deutsche marks — et en a envoyé 40 000 — pour la reconstruction des maisons, à condition que le gouvernement roumain fasse une donation équivalente. Le gouvernement s'est exécuté, et une enquête criminelle a été lancée, la première et la seule enquête menée sur les attaques dont les Gitans ont été victimes dans le pays. On croirait un miracle et, vu du bus, cela y ressemble bien.

Une rangée de maisons neuves se dresse à l'endroit du désastre, même s'il subsiste encore quelques ruines, qu'on a peut-être jugées encore utilisables. Le vieux couple (l'homme vêtu du même gilet brun, avec trois doigts dans chaque poche) se tient devant sa nouvelle maison et se protège les yeux du soleil pour distinguer ses invraisemblables visiteurs. Je les salue, mais je crois qu'ils ne se rappellent pas m'avoir vue l'année précédente. En revanche, je reconnais une version antérieure de ces deux vieux Tziganes : dans l'entrée de la maison, leur photo de mariage est accrochée très haut sur le mur ; ce portrait officiel, sépia, vieux de peut-être un demi-siècle, a survécu à l'incendie.

A y regarder de plus près, les choses se gâtent : les maisons sont nues, le sol est en terre battue. Elles ont été faites grossièrement, en parpaings laissés bruts. Certains murs ont été assemblés sans mortier. Il n'y a pas de plomberie, pas d'eau courante, mais seulement un long fossé rempli d'eau stagnante, creusé à environ 4 mètres *devant* les maisons, ce qui promet diverses épidémies. Au bout de la rangée, les maisons ne sont qu'à moitié construites ; à part quelques marques noires, il est difficile de distinguer les nouvelles constructions de celles qui avaient été à demi détruites par le feu.

Cette reconstruction, même limitée, me paraît être un signe d'espoir, le seul que j'aie vu dans des dizaines de villages semblablement atteints. Bill Duna, gitan de Minneapolis, n'y voit qu'un bidonville, et on peut lire sur son visage les émotions qui le traversent et le déforment, comme celui d'un enfant qui a mal. Il prend conscience des conditions humiliantes dans lesquelles vivent certains de ses frères gitans. L'endroit est d'autant plus décevant qu'il est le site du grand projet pilote de coopération entre le gouvernement roumain et les premiers groupes tziganes indépendants qui organisent enfin la lutte pour leurs droits.

Pour leurs voisins, les Gitans turcs qui vivent de l'autre côté du champ, ces nouvelles maisons constituent un affront d'un autre type. Ceux dont la maison a été en partie détruite n'ont rien eu et ils continuent à vivre comme auparavant. Loin de résoudre les problèmes de la communauté, la reconstruction a surtout créé de vives tensions et jalousies. Et sur certains points, rien n'a changé. Près de l'autobus, la petite fille aux jambes brûlées est une fois de plus déshabillée pour les visiteurs ; une dame de Washington, émue, s'accroupit pour photographier les blessures.

Mais la reconstruction s'est arrêtée. Apparemment, le gouvernement local est responsable de l'utilisation des fonds, même si le projet a été approuvé par Bucarest. Selon Nicolae, qui a négocié avec toutes les parties en présence, les autorités l'ont clairement expliqué : la construction ne se poursuivra que si les Tziganes renoncent à leur procès. Comme dit Nicolae, il faut choisir entre la paix et la justice. Pour les Gitans du village, le choix est différent, mais clair : la justice ou une nouvelle maison. Quelques individus, quelques familles se sont déjà retirés du groupe mené par un leader tzigane local, Petre Anghel, qui avait déposé une plainte. Anghel et Nicolae craignent que ces désistements ne fassent capoter tout le procès ; en outre, ceux qui ont négocié un accord séparé n'obtiendront probablement jamais leur nouvelle maison.

En 1994, plus de quatre ans après l'attaque, il n'est plus question ni de chantier, ni de procès.

De retour à Bucarest, je croise Emilian, ce jeune homme sérieux, chroniqueur du village rasé de Bolintin Deal. Nous avions perdu contact, et j'avais entendu dire qu'il avait quitté la Roumanie. Mais le voilà qui attend quelqu'un dans le vestibule art déco, plein de miroirs, de l'hôtel Lido, établissement obscur et miteux que fréquentent les journalistes. Il s'avère qu'il travaille comme interprète pour un journaliste de l'*Inquirer* de Philadelphie. Traducteur ? Emilian ne parlait pas l'anglais lorsque je l'ai rencontré.

Il vient de passer un an aux Etats-Unis, à Wildwood, dans le New Jersey, où il travaillait dans une salle de jeux que possède un Gitan américain. Cette année à l'étranger l'a transformé. Ce n'est pas seulement à cause de sa chemise Oxford et de son pantalon de toile, qui lui donnent un air d'étudiant, ou à cause du sourire et de l'aisance qui ressemblent si peu à l'Emilian renfrogné que j'ai connu. C'est sa démarche. Emilian porte une chaussure orthopédique : ses jambes ont désormais la même longueur et il ne projette plus son corps de droite à gauche lorsqu'il marche.

Emilian me raconte gaiement que son travail à Wildwood consistait à faire des « kherndoze », des « corndogs ». Il se déclare heureux d'être revenu et désireux de poursuivre sa collecte d'histoires tziganes. De la poche de son splendide blazer neuf, il tire le magnétophone que je lui avais donné deux ans auparavant. Pourquoi a-t-il quitté les Etats-Unis ? Je me prépare à entendre une terrible histoire d'expulsion. Pris d'un long fou rire, Emilian m'embrasse. Lorsqu'il retrouve sa voix rauque, il me raconte qu'il a perdu son emploi parce que la salle de jeux a été détruite par un incendie.

5

L'autre côté

Il y a en Pologne des gens qui dépensent 400 dollars pour acheter un pantalon dans des magasins comme Snobissimo, sur l'élégant boulevard Nowy Swiat (Nouveau monde) de Varsovie. Pas seulement un ou deux : il existe toute une nouvelle classe de Polonais riches. Leurs premières fourrures, leurs voitures somptueuses semblent étaler un luxe tapageur contre l'arrière-plan de tramways crasseux et sombres, de crépuscules pollués, d'interminables avenues grisâtres et de Skodas bruyantes (ces voitures tchèques en forme de chaussure d'enfant, dont le nom en polonais signifie « dommage ! »).

A Varsovie on trouve aussi quantité de nouveaux magasins qui ne vendent que de la lingerie affriolante, et d'autres qui sont spécialisés dans les comestibles luxueux : whisky et caviar, mais pas de lait. Qui sont leurs clients ? Qui vit ici ? Tout a l'air faux, les gens et les lieux ont l'air déguisés. Mais tout *est* faux. Il y a cinquante ans, les soldats allemands ont rayé de la carte la ville et les deux tiers de ses habitants. Ne subsistent que quelques maigres façades d'avant-guerre, peut-être conservées en guise de souvenirs (beaucoup de bâtiments anciens sont criblés de trous de balles). Les Polonais sont obsédés par leur histoire mais ils habitent une capitale dépourvue de la patine du temps. Ici, rien n'est vieux, et les choses sont rarement ce qu'elles prétendent être.

Citons tout d'abord le Palais de la Culture, gros gâteau néo-byzantin, don de Staline au peuple polonais (difficile à refuser, symbole de tout ce qu'ont dû subir les Polonais). En face se trouve le Szanghaj, restaurant chinois qui ne sert pas de plats chinois. Non loin de là, la « Vieille Ville » est une reconstitution de la Varsovie d'autrefois, avec ses rues pavées de galets, sorte de parc d'attraction impeccablement baroque datant des années 1970. L'impression d'un décor de théâtre est confirmée par de terribles forces historiques : un parfum de malaise flotte encore ici, les noms de rues ne cessent de changer ; dans le Ghetto, les fondations des bâtiments se fissurent. Les débris du passé font irruption et on les regarde comme si des mains tremblantes allaient sortir d'une crevasse. Peut-être ceux qui ont reconstruit le quartier, rasé après le Soulèvement, n'ont pas *voulu* enterrer ou balayer le passé (même si on ne se soucie guère de l'opinion des survivants : par exemple, Orbis, l'agence de voyage nationalisée, a choisi de s'installer à l'endroit précis d'où les autobus quittaient le Ghetto pour Treblinka).

Si les lieux et les bâtiments laissent dubitatifs quant à leur âge et aux histoires qu'ils cachent, les visages ne mentent pas, surtout ceux des paysans (le mot « paysan » peut sembler archaïque et condescendant, mais c'est précisément leur stoïcisme physique séculaire qui rend dérisoire le goût moderne de l'euphémisme). Les visages, voila à peu près tout ce qui subsiste d'avant-guerre, ces visages plats, couleurs de betterave rouge, comme celui de la femme emmitouflée que j'ai vue un matin devant la Warszawa Centralna Station. Il faisait –1°, et elle montait la garde devant une couverture pliée sur laquelle reposait une énorme racine qui, apparemment, valait à elle seule le trajet jusqu'à la capitale : chou-rave ou rutabaga, un tubercule incrusté de terre, une truffe polonaise plus grosse que la tête d'un homme. Warzawa Centralna, hangar en béton construit à l'ombre du Palais de la Culture, est la gare où l'on prend le train pour le monde extérieur : « Koln », « Jstanbul », « Piotersberg », noms inscrits à la main, car l'imprimerie est en retard sur les crises identitaires des capitales de l'Est. La gare a aussi accueilli la première vague d'immigration tzigane après les révolutions de 1989, principalement venant de Roumanie.

Cet hiver-là, et jusque l'été 1990, des milliers de Tziganes occupent la gare ; dans la salle d'attente, les radiateurs se couvrent de linge mis à sécher (ces dernières années, Varsovie n'est plus qu'une étape lors du voyage vers l'Ouest. On voit encore la lessive dans les toilettes publiques : des bas minuscules, de longues chaussettes grises tubulaires ; des familles entières épinglées sur un fil à linge mobile). Et ils continuent à arriver par centaines. Des femmes et des enfants, aussi noirs et frêles que les mendiants de New Delhi, s'accrochent à votre manteau et murmurent d'un air plaintif tandis que vous vous dirigez vers la rue bondée. Ils vous demandent de l'argent.

C'est du moins ce que, sur la défensive, vous supposez. En fait, ce qu'ils veulent n'est pas du tout clair. On pourrait croire qu'ils n'ont aucun but précis, qu'ils vous caressent sans objectif. A Rome ou à Varsovie, les Gitans ne sont pas très doués pour mendier. Pour la plupart d'entre eux, ce n'est pas la honte qui les retient. Après tout, la mendicité est une profession antique : les aumônes confirment la vertu et la *pietas* des pauvres mêmes, et certains mendiants, comme les *sadhus* en Inde, sont honorés comme de saints hommes. Andrzej Mirga, Tzigane et ethnographe polonais, confirme en partie cette opinion. « Pour les Gitans, le concept de mendier, de demander l'aumône, n'existe pas. Il n'y a pas de mot en romani qui signifie mendier. On dit plutôt *te phirav pa-o gav*, « faire le tour du village », et nos femmes allaient surtout collecter l'argent pour les travaux accomplis par leurs hommes, une réparation ou la musique qu'ils avaient jouée à un mariage. »

Les êtres qui vous frottent la manche à la gare, surtout de jeunes femmes des Balkans qui errent dans des villes inconnues et qu'on rencontre dans toutes les capitales d'Europe de l'Est (et souvent de l'Ouest), ont l'air fatigués à force de vouloir susciter la compassion. Tout en conservant leur ton plaintif, elles ont un désastreux penchant à imiter leurs cibles, en regardant à travers ou au-delà de leur bienfaiteur potentiel. Les gens ne veulent pas se séparer de leurs zlotys. Ces Gitanes gémissent à la cantonade et affrontent la foule qui arrive, cherchant d'un œil las les meilleurs manteaux. Mais si elles ne viennent pas collecter l'argent dû, elles ont de quoi se sentir vaincues.

Les Polonais ont commencé par donner généreusement à ces étrangers misérables, à la peau foncée, au corps souple et à l'œil brillant, traits qui paraissent d'abord séduisants avant de devenir (mystérieusement) effrayants. Mais aujourd'hui, les Polonais vous disent qu'ils ne *savaient* pas alors qu'il s'agissait de Gitans. Ce n'est pas qu'ils n'en avaient jamais entendu parler, ils semblent plutôt dire que, parce que les mendiants sont des Gitans, les aumônes qu'ils reçoivent sont volées ; les Polonais se voient donc comme des victimes plutôt que comme des philanthropes d'un jour. Les Gitans vivaient déjà dans ces régions avant que Varsovie soit fondée au XIVe siècle, mais après-guerre, la population locale est devenue presque invisible ; entre 12 et 15 000 tziganes seulement vivent ici de manière permanente. Comme les juifs polonais, les Gitans polonais ont presque disparu, et ceux qui restent sont relativement prospères et bien intégrés. L'identité tzigane correspond désormais à l'image du réfugié, parasite envahissant et menaçant.

Pour de nombreux Polonais, ces étrangers ne sont pas seulement des pauvres ou des parasites ; s'ils sont gitans, ils sont dangereusement, trompeusement pauvres, et sans doute porteurs de maladie, par-dessus le marché. On a peine à concevoir des mendiants plus désintéressés, mais les journaux paralysent l'élan charitable de beaucoup de gens en affirmant que ces femmes brunes lestent leurs jupes de liasses de billets, qu'elles récoltent chaque jour cinq fois le salaire moyen d'un Polonais, que leurs enfants suppurants propagent la méningite et la tuberculose ; cette campagne a eu pour effet leur exclusion de Warszawa Centralna. Depuis, les Tziganes se sont installés dans la gare de l'Est, Wschodnia, hors de vue, au-delà de la Vistule.

La gare Wschodnia est un labyrinthe humide, composé de deux étages de couloirs en béton et de salles d'attente basses de plafond, avec taches sombres et malodorantes et recoins-urinoirs faiblement éclairés par les ampoules polonaises de faible puissance. La salle d'attente a été barricadée et tout le monde reste debout dans le vestibule. Les ivrognes surgissent des murs obscurs, sans attirer l'attention des soldats soviétiques qui s'ennuient et des robustes matrones russes à la poitrine monolithique qui, chaussées de bottes fourrées, attendent l'autobus à destination de Moscou tout en veillant sur les sacs remplis de leur butin polonais. Ces femmes ont vendu leurs produits soviétiques dans le grand stade transformé en marché aux puces russe, et s'en retournent avec des sacs de zlotys, des ustensiles de cuisine en plastique et des poêles en aluminium, denrées encore rare dans leur pays.

La cafétéria de la gare, brillante et parfumée à la fumée de cigarette et à l'ammoniaque, est réchauffée par des marmites fumantes de chou, de ragoût gluant et de *golonka*, des pieds de porc frits. C'est la principale attraction de la gare ; hommes et femmes alignés devant de hauts comptoirs étroits se penchent en silence sur leurs assiettes. Les pieds des tabourets disparaissent sous la marée de mégots accumulés.

J'entre pour me décongeler et je trouve deux petits Tziganes près du comptoir, qui proposent des plateaux à ceux qui traînent les pieds dans la file d'attente (ils s'imaginent que la mendicité n'est pas tolérée dans les cafétérias). Bien que personne ne le touche, le plus jeune des deux couine et se tortille comme si on le chatouillait ; finalement, il tire son bonnet de ski en laine blanche par-dessus son visage, étend les bras et s'éloigne de nous. Le plus âgé, insensible à l'hyper-activité de son collègue, me dévisage d'un air significatif. Sans dire un mot, il lève ses minces sourcils noirs comme pour m'apitoyer et se scie le ventre d'une main, la paume en l'air : il a faim. Quelques secondes après, ils emportent la nourriture offerte comme s'ils s'enfuyaient d'un saloon en pleine bagarre ; deux cow-boys nains, munis d'un poulet rôti sous chaque aisselle.

Je les revois un peu plus tard, le même jour. Ils vivent dans une des cabanes situées derrière la gare ; il y en a une trentaine sous la voie ferrée surélevée, au milieu d'une mer de petit bois et de déchets. Ces baraquements d'une seule pièce sont fabriqués en carton, en fil de fer, en morceaux de tapis et de bois, comme tous les bidonvilles du monde, mais celui-ci est humide et assez froid pour qu'on voie la fumée monter lorsqu'on respire. Je flaire les lieux avant même de les voir : l'odeur de la crainte et de la pauvreté, qui résiste à tous les temps, la puanteur des excréments humains. Personne ne prend la peine de creuser un trou : ils en sont arrivés à ce point. Je suis tellement plongée dans mes pensées, je fais tellement attention à ne pas marcher dans les latrines, que je finis presque par marcher sur deux hommes adultes accroupis au milieu des détritus, les fesses nues. Je me recule en poussant un « beurk » stupide, comme si j'avais vu un gros rat, mais ils restent assis en bavardant tranquillement, tout à fait indifférents à la pudeur, au froid, à moi ou à quiconque pourrait les regarder. Par la suite, lorsque je revois cette scène, mon choc et leur sérénité, ma raideur et leur aisance, je reconnais en eux les fils de l'Inde. Je pense à un passage d'un livre de V.S. Naipaul : les gens défèquent « en compagnie » au bord des rivières, dans les rues, sous les voies ferrées. Déféquer peut être un acte sociable ; pourquoi pas ? Si je trouve dégradante la déffécation en plein air, ce n'est peut-être un problème que pour moi. Je suis certainement la seule à me sentir gênée (du point de vue des Tziganes, c'est moi qui suis impure, puisque je les vois faire). Les deux gamins de la cafétéria, qui, eux, se cachaient derrière des arbres, s'aspergent en riant, et c'est pour eux un grand plaisir de passer à l'acte, de ne plus être humiliés, tournés en ridicule.

En descendant une pente boueuse, je trouve un homme à quatre pattes sur le seuil de son domicile. Il est en train de poser un nouveau revêtement de sol : une boîte en carton aplatie, l'emballage d'un téléviseur Sanyo. L'une des principales professions des Gitans sédentarisés en Pologne est marchand de tapis. Ils ont de grands magasins, surtout à Cracovie, des chaînes entières ; ils vendent sur les marchés, ils font du porte-à-porte. Le nouveau venu n'a visiblement aucun rapport avec les tapis. Les Tziganes polonais, on le comprend, n'apprécient guère la mauvaise image que colportent leurs parents pauvres venus de régions plus orientales, et ils les évitent. Mais ils ne sont pas les seuls à prendre leurs distances par rapport aux réfugiés les plus pauvres ; d'autres Gitans étrangers en font autant, comme le groupe de commerçants venus de Bulgarie également présents dans la gare, mais confortablement installés dans leur propre autobus scolaire reconverti.

Les Bulgares sont en voyage d'affaires. Ils achètent en Pologne des pulls à bon marché (duveteux, roses ou jaunes) et les revendent un peu plus cher une fois franchie la frontière tchèque, en Bohême-Moravie. Après quelques trajets, ils retournent en Bulgarie. Ces voyageurs s'enrichissent et n'ont aucune envie de partir pour l'Ouest. Contrairement aux Tziganes roumains qui campent près des voies ferrées, les Tziganes bulgares installés dans leur autobus sont gros et gras, et n'ont pas vraiment l'air de victimes. Au contraire, pour ces êtres corpulents, l'un des plus grands plaisirs consiste à contempler le malheur des autres. L'un des plus rebondis, un père de famille, vu la façon dont il se permet d'interrompre tout le monde, et les bagues en or dont sont corsetés ses doigts boudinés, me dissuade de parler à « ces mangeurs de chiens », comme il désigne les habitants des cabanes. Il donne le même conseil à deux riches Polonaises arrivées dans une Mercedes pleine de vieux vêtements : elles les ont apportés pour les gens des taudis mais ne savent pas trop comment s'approcher d'eux. Après une vigoureuse mise en garde par le Bulgare, elles renoncent et s'en vont en laissant leurs paquets sur la route. La masse des Roumains est là depuis des mois ; chaque fois qu'ils se font refouler à la frontière allemande, ils se regroupent sans le moindre désir de regagner la Roumanie ou l'ex-Yougoslavie.

Je n'aime guère prendre le train. Je vais dans les gares pour me faire de nouveaux amis. Venus de l'Est, les candidats à l'émigration sont censés être assemblés en convois par des professionnels qui opèrent à partir de Varsovie, à partir des toilettes de la gare, pour être précis (conformément aux publicités mensongères placardées dans toute la ville, les toilettes servent à tout sauf à leur usage normal). Ces « pros », allemands, polonais, roumains, turcs, voire gitans, escortent les émigrés de Bucarest ou de Varsovie jusqu'à la frontière, où ils leur montrent (ou font semblant de leur montrer) le passage le plus sûr, avant de disparaître.

Les autorités allemandes les rendent responsables du boom de l'immigration illégale le long de leur frontière orientale, longue de 1 300 kilomètres ; ils appellent ces passeurs *Schlepper*, nom qui contraste avec le plus héroïque *Fluchthelfer*, « qui aide la fuite », donné pendant la guerre à ceux qui faisaient sortir les juifs d'Allemagne. Ce mépris n'est ni nouveau, ni propre aux Allemands : en 1530, Henry VIII édicta une loi selon laquelle quiconque transportait des Gitans serait soumis à une amende de quarante livres (les individus transportés étant, quant à eux, pendus). Mais l'actuel gouvernement allemand n'envisage pas de chercher en Roumanie les raisons du boom du *Schlepper*. Les migrants les plus récents ne sont pas appelés « réfugiés », ce qui soulignerait leur fuite ; on les appelle plutôt *Asylanten*, demandeurs d'asile, en insistant davantage sur leur arrivée aux portes du pays. Certains Tziganes roumains, peut-être peu nombreux, fuient les attaques perpétrées contre leurs communautés avec l'approbation du gouvernement. Tous se sentent indésirables dans leur propre pays. Pourtant, selon le communiqué de presse, leur arrivée en masse est due aux efforts des agences de voyage.

Selon les gardes-frontières, les *Schleppers* sont des contrebandiers qui diversifient leurs activités (ils parlent en connaissance de cause : les gardes tirent leur raison d'être de cette ligne si fragile ; ils voient la frontière et ses brèches, tandis que les *Schleppers* voient plutôt les espaces de sécurité qui s'offrent de part et d'autre). La libéralisation du commerce a anéanti le marché noir jadis si lucratif dans à peu près tous les domaines, et les *Schleppers* en sont réduits à traiter avec les Gitans, le marché le plus noir de tous. L'élite *Schlepper* rivalise pourtant pour attirer les quelques voyageurs qui peuvent vraiment payer. Avant d'être pris lors de son troisième trajet, un groupe roumano-polonais avait réussi à faire passer 24 Pakistanais en Allemagne à bord d'un hélicoptère de l'armée ukrainienne.

En Allemagne, le public et les médias se préoccupent moins des mercenaires que de leur chargement. Le mot « gitan », sous ses diverses formes, est un mot à la mode : à droite, il désigne toute la pauvreté envahissante de l'Est ; pour les libéraux, « Roma et Sinti » sont devenus synonymes de « victime » ou de « réfugié » (ce qui est ridicule dans le cas de Sintis, les Gitans allemands, puisqu'ils sont sédentarisés et bien intégrés depuis des siècles).

En cinq jours passés à errer dans la gare et aux alentours, je ne rencontre pas une seule famille prête à franchir la frontière. Il semble même que la circulation va plutôt vers l'*Est*, à mesure que reviennent tous ceux qui ont été refoulés à la frontière allemande. Et les *Schleppers* ne distribuent pas leur carte de visite à tous les coins de rue.

Les baraquements sous la voie ferrée sont plus durables que leur aspect ne l'indique. Pour ces Tziganes, leur foyer se trouve là où ils portent leur chapeau. Pour l'instant, ils ne vont nulle part. Le mot même de « gare » suggère un arrêt temporaire, une étape ; « terminus » indique la fin du voyage. Néanmoins, l'espoir du départ reste important, et c'est peut-être cela, autant que les toilettes et la circulation, qui attire les Gitans, nomades passés ou à venir, dans les gares de toute l'Europe de l'Est. Wschodnia n'est pourtant pas un point de départ mais un abri : plus aucun train n'en part (le bâtiment sert de dépôt et de cimetière pour les autobus).

Soldats russes, Polonais, Tziganes, ici tous sont représentés sous leur forme la plus réduite : respectivement, étrangers détestés, portant l'uniforme humiliant d'une activité inexistante ; misérables ivrognes ou hurluberlus qui confirment l'augmentation du taux de chômage (+ 30 %) parmi les hommes en Pologne, selon les nouvelles statistiques annuelles ; intrus abasourdis, estropiés ou ratatinés, gémissant, mendiant ou accablés de tics nerveux. Peut-être parce que je suis la juive de service dans une gare polonaise, ces êtres diminués (et ces rails inutiles, ces excréments humains, la boue, le froid, l'atmosphère carcérale et funeste de cet endroit) m'évoquent instantanément l'autre destination sans retour en Pologne, Auschwitz. En cinq jours, le Terminus-Est est devenu un emblème des espoirs frustrés des Tziganes, peuple qui tirait jadis gloire de sa mobilité.

Pour dissiper ces impressions pesantes, j'imagine que cette partie de Varsovie pourrait un jour être reconstruite et transformée en lieu de mémoire. Un guide touristique bien informé, malgré ses préjugés nationalistes, pourrait y emmener des bus entiers d'écoliers polonais qui traîneraient les pieds dans les baraquements reconstruits (baptisés « Habitations d'immigrants »), le long des rails restaurés, à travers les couloirs uniformément humides. Dans une vitrine serait exposé un petit bonnet de ski blanc, parmi les vêtements moisis des enfants. La vieille cafétéria serait devenue une nouvelle cafétéria.

Bien sûr, quelque part, des gens franchissent la frontière ; peut-être les opérations s'en sont-elles rapprochées.

La Pologne est un pays plat, sans relief saillant, et ses minces bouquets de pins brunis par la pollution n'arrangent rien. C'est du moins la vue qu'on a lorsqu'on prend l'express Moscou-Berlin : une toundra floue, marquée par de pâles taillis de pins inutiles, des piquets plus que des arbres, et des bouleaux-épouvantails ; quelques fermes sans toiture. Lorsqu'on regarde par la fenêtre, on voit aisément pourquoi la Pologne a été continuellement envahie ou traversée par ses voisins. Il n'y a rien pour arrêter l'ennemi. On ne peut se cacher nulle part.

Pas même derrière son livre. Dans mon compartiment, voyant sans doute que je lis *Holocauste* de Martin Gilbert, un jeune Polonais au visage pâle et aux lèvres roses se penche vers moi : « Vous êtes juive, n'est-ce pas ? » Krzysztof Suchocki avoue qu'il n'a jamais rencontré de juifs « en vrai », comme s'il s'excusait, comme si c'était un défaut. En outre, confie-t-il, il n'est plus très sûr de sa propre foi. Ici, le catholicisme était jadis une forme d'opposition au communisme, mais il ne représente plus aujourd'hui qu'une autre façon de perdre sa liberté. Krzysztof fait allusion au débat sur l'avortement qui a récemment eu lieu à Rome. A ses yeux, tout se vaut. Pour travailler, il traverse tout le pays, loin de sa ville natale de Suwalki, dans les régions lointaines du Nord-Est, près de la frontière lithuanienne, où il vit avec ses parents, ses grands-parents, sa femme et leur petit garçon, et où il retournera vivre un jour. Tout lui pèse comme une menace à sa liberté personnelle. Même, obscurément, les juifs, qu'il imagine tous comme des hommes d'affaires pleins aux as qui mènent la grande vie ailleurs, maintenant qu'ils ne vivent plus en Pologne. Comme tous ses compatriotes, de manière plus ou moins consciente, il a peine à cohabiter avec les fantômes des trois millions de juifs polonais et de tous les juifs étrangers amenés ici pour mourir.

« J'*aime* les juifs », éructe Krzysztof, en se redressant, tout ragaillardi, tandis qu'il fouille dans son sac pour y retrouver sa bouteille de vodka maison à base d'herbe, spécialité de sa région ; le spécimen est en l'occurrence une spécialité de Pépé Suchocki. « Au revoir, le passé est le passé, il faut vivre et laisser vivre. » Il veut être gentil mais il ne fait qu'aggraver son cas.

« Tenez ! » Il me passe la *zubrówka*. « J'ai vu *Le Violon sur le toit* ! »

J'ai l'habitude de ce genre de rencontres, mais c'est un cliché de dire que les Polonais sont antisémites ; que signifie d'ailleurs le fait d'être « anti » quelque chose qu'on ne connaît pas et qu'on est incapable d'imaginer vraiment ? Cela signifie par exemple qu'en 1995, seulement 8 % des Polonais (parmi les quelques milliers de personnes interrogées pour le cinquantième anniversaire de la libération d'Auschwitz) reconnaissent que la grande majorité des victimes étaient juives. Certes, les Polonais sont déçus de voir que leurs propres souffrances durant la guerre passent au second plan derrière l'Holocauste. Mais il semble également que la paranoïa se double ici de nostalgie : il y a moins d'un siècle, 75 % des juifs d'Europe vivaient en territoire polonais. Pas besoin d'en rencontrer un « en vrai » pour ressentir leur absence. Et pas la peine de demander à Krzysztof ce qu'il pense des Tziganes.

Par opposition, les Gitans sont visibles partout et attirent une haine plus solide, ravivée par l'ouverture récente du pays. Dans cette partie du monde, la démocratie offre un contraste comique avec le modèle américain : elle signifie qu'on ne doit jamais demander pardon. Dans toute l'Europe du Centre et de l'Est, les murs sont couverts d'inscriptions comme « Mort aux Tziganes », trop nombreuses pour être l'œuvre ou l'opinion d'un petit groupe. Mais en Pologne, la haine des Gitans se pare d'une légitimité locale parce que les intrus sont réellement des étrangers ; ce sont des immigrés. Bien que peut-être un demi-million d'entre eux soient morts pendant la guerre, dont plusieurs milliers de Tziganes polonais, Carmen n'a pas sa place dans l'imaginaire du pays.

Notre conversation en reste là, et il m'adresse simplement un signe de tête lorsqu'il descend, un arrêt avant moi. C'est comme si notre joyeux trajet dans ce train, qui nous a brièvement hébergés, Krzysztof et moi, avait été le cadre d'une histoire d'amour malheureuse en condensé : atmosphère confortable de l'aurore, quand les petites veilleuses du compartiment éclairent le ciel sombre ; ses lèvres sensuelles, sa peau fine ; présentations timides ; curiosité ; il me propose de partager son en-cas ; plaisanterie ; boisson ; aveux ; ton solennel ; il identifie l'autre comme intrus ; mépris ; et finalement, indifférence.

A mesure qu'on s'approche de l'Allemagne, on voit de plus en plus de miradors le long de la voie ferrée, de minuscules huttes en rondins juchées sur pilotis, d'où les gardes-frontière polonais guettent les immigrants, armés de longues-vues, de projecteurs et de fusils. Mais ce jour-là, la visibilité est mauvaise. J'ai pris ce train à Varsovie par un petit matin tout bleu. Sept heures plus tard, c'est à peine si cette journée sombre a daigné commencer ; à 14 h, la nuit tombe déjà. Nous arrivons à Rzepin, dernier arrêt avant la frontière et site de contrôles prolongés des passeports ; la dernière chose que j'aperçois en Pologne ressemble à deux Tziganes sur un banc, de l'autre côté de la voie, dans la lumière que dispense l'entrée de la gare. Ils mangent si vite et si professionnellement qu'ils n'ont pas le temps de parler. Ce ne sont pas des sandwiches qu'ils engloutissent mais, tenant chaque ingrédient dans une main, ils alternent les bouchées : salami, pain, salami, pain.

« Me mangav te jav ando granitza tumensa. » Je répète cette phrase en romani dans le train à présent vide, et je marque avec soin les lourdes intonations orientales, avec leurs syllabes aspirées à l'arrière de la gorge, en me demandant ce que les Gitans compren-

draient : « Je veux aller à la frontière avec vous. » *« Isi ma xarica love ; so hramosorav andi gazeta ; a-ko isi pomoshinav tumen »*, « j'ai un peu d'argent, je suis journaliste ; je peux peut-être vous aider ».

Aider ? Je me sens mal à l'aise, consciente d'appartenir au monde des riches. Dans l'ex-bloc soviétique, les touristes américains jouissent d'un prestige immense. La générosité de mon pays, ou simplement son image de bienfaisance, me vaut partout un accueil chaleureux. Je suis personnellement (de même que ce que je possède ou non) ce que beaucoup de gens ici croient vouloir être. Parmi les Tziganes, les tatouages « USA » sont très en vogue. La curiosité qui m'amène ici émane de motifs plus ou moins nobles, et j'ai le sentiment d'être une parodie de ce que les Gitans ont partout la réputation d'être : sans attaches, en roue libre. Suis-je venue mendier ou donner ? Qui subventionne qui ?

Le douanier polonais s'assied et se plonge dans mon passeport bleu marine surchargé de vignettes, comme un petit garçon se pencherait sur une collection de timbres. Il promène un doigt mouillé de gauche à droite sur le tampon violet de la Malaisie, l'invitation démesurée de la Tanzanie, les vagues restes d'un voyage au Mexique, comme pour en dégager un peu de leur essence nationale (la seule chose qui l'intrigue, c'est le tampon albanais, « E Republikes Popullore Socialiste te Shqiperise » ; fait émouvant, les mots « Popullore » et « Socialiste » sont rayés à la main). Les gens pensent que les Gitans sont dangereux parce qu'ils n'ont rien à perdre. Et me voilà assise, impatiente, indignée même, alors que ce garde pâle tripote mon passeport. Gonflé de pages supplémentaires, ce petit accordéon où sont imprimés des hymnes lointains prouve que je suis la seule qui n'a rien à perdre. Je suis libre de partir.

Tandis que le train se précipite vers la frontière, vers l'Allemagne, ses rues pavées de deutsche marks (les Gitans imaginent que les attaques xénophobes ne sont qu'une rumeur destinée à les décourager), je continue à me répéter, comme un mantra : *« A-ko isi pomoshinav tumen »*, « Je peux peut-être vous aider ». A la gare de Rzepin, l'occasion se présente. Je vais raconter une histoire, que j'échangerai ensuite contre une autre, à la manière des Tziganes.

En jonglant mentalement avec une pièce de monnaie, je reste un moment debout à la fenêtre sale et j'observe les mangeurs de salami sous les feux de la rampe. Ayant peut-être aperçu ma pièce, l'un d'eux s'arrête et me regarde. Il hausse les épaules d'un air amical et désigne leur cachette d'un geste large, comme pour m'inviter à me servir. A la fascination du douanier pour mes papiers succède un mépris bienvenu ; je tire mon sac à dos du filet et je saute en bas du train.

Mihai et Ion Bardu sont frères. Ils sont petits, minces et bruns. Ils caressent leurs moustaches assorties ; ils gardent long l'ongle de leur petit doigt. Par-dessus de multiples épaisseurs de vêtements qui ne dissimulent nullement leur maigreur, ils portent un costume bon marché, l'un marron, l'autre gris ; le bas élimé de leurs pantalons pattes d'éléphant est couvert de boue. Les Bardu sont des Tziganes de Braşov, que les Allemands appelaient Kronstadt, en Roumanie. C'est une chance pour moi : je peux leur dire que je connais bien l'endroit, ce qui provoque leur hilarité stupéfaite, tout comme mon romani laborieux. Après m'avoir ainsi offert une vue imprenable sur leurs dents en or, ils m'invitent à rencontrer le reste de leur groupe. Les deux frères sont venus en ville acheter des provisions, et s'en retournent avec leurs emplettes qu'ils viennent de goûter sur le quai de la gare pour s'assurer que tout était *shukar*, bon.

Les deux frères ont épousé deux sœurs ; avec leurs sept enfants, dont deux bébés et certains de leurs propres frères et sœurs, elles attendent, fatiguées, vêtues d'une superposition de jupes, chaussées de pantoufles de feutre élimées, assises derrière la palissade d'un parking, près d'un monticule de ferraille et de rails rouillés. Elles sont installées : quelques petites flammes rougeoient encore dans un coin. Une fillette, petite poupée d'environ cinq ans, est couchée dans le giron d'une gamine plus âgée ; elle pleure mollement mais personne ne cherche à la consoler. Les autres s'amusent de mon arrivée, ou peut-être simplement de mon accent, et leur indifférence joyeuse à mes questions *kaj, so, kana, kon, soske*, où, quoi, quand, qui, pourquoi, cède bientôt la place à plus de chaleur. Les femmes, qui rient le plus fort, et dont l'approbation est la plus précieuse, ne s'adressent jamais directement à moi mais passent toujours par les hommes. Les Bardu campent derrière le tas d'ordures depuis près d'une semaine. Avec deux bébés, ils ont franchi trois frontières et plus de 1 500 kilomètres de Braşov à Rzepin, en pantoufles. Maintenant, ils attendent un signe, un signe de Vesh.

Vesh est le troisième frère. Au début de la semaine, il a emmené en Allemagne sa famille et l'un des fils d'Ion. Ce n'est pas bien difficile de patauger dans l'Oder argenté, même ici où l'eau est plus haute qu'en amont sur cette frontière longue de 1 300 kilomètres, là où l'Oder devient la Neisse. Il y a partout des passages où le niveau est plus bas, et il y a moins de cent gardes pour 300 kilomètres. Mais il y a aussi des parties plus profondes, des courants, que redoutent les mauvais nageurs, et surtout les mauvais nageurs qui ont des enfants. Le colonel Adamczyk Wieslaw, chef de la patrouille frontalière polonaise, m'a raconté qu'il avait vu une jeune Tzigane de Roumanie tenter la traversée avec deux enfants qu'elle tenait par la main (il mime, les deux coudes à la hauteur des épaules). Elle les a perdus tous les deux. Officiellement, quatorze personnes se sont noyées ; la rumeur transforme ce chiffre en 140, ou 1 400. On parle de corps broyés par de grands chalutiers diesels.

Les Bardu sont arrivés tout seuls jusqu'ici, et ils n'ont que mépris pour les Gitans pusillanimes qui déboursent 500 deutsche marks par famille pour un *Schlepper*. Les Gitans n'ont de leçon à recevoir de personne en matière de voyage, et les Bardu ne voient là rien de drôle. Mais pour cette famille comme pour tant d'autres, lorsqu'il s'agit de l'autre côte, de l'Ouest, leur fierté de voyageurs professionnels s'efface devant la crainte tout à fait fondée de finir expulsés ou, ce qui leur semble préférable, emprisonnés. Les Bardu ont donc réservé au prix fort la deuxième partie d'un forfait *Schlep*, avec chaperon inclus : un accompagnateur les attend sur la rive ouest et leur montrera les routes, les camps et les villes à éviter, quels services sociaux exploiter et comment les exploiter.

Vesh doit téléphoner à ses frères d'ici trois jours, ici, à la gare de Rzepin, où ils ont payé un employé pour qu'il prenne l'appel. Cinq jours après, pas de nouvelles. Mihai et Ion sont convaincus que le chef de gare a empoché l'argent sans se soucier du coup de fil. Ils restent donc assis à côté du téléphone, ou plutôt ils rôdent dans les parages, en bloquant le guichet grillagé à tour de rôle pour dévisager l'employé d'un air menaçant.

Ils craignent le pire. Vesh s'est-il fait pincer ? Ils ne savent pas grand-chose de leur *Schlepper* et, peut-être honteux et furieux d'en avoir payé un, ils restent vagues quant au marché conclu ou aux promesses qui leur ont été faites. Mihai et Ion discutent, avec des hennissements de colère : faut-il suivre Vesh ou attendre ici, ou même (ils n'aiment pas le dire devant les femmes) retourner en arrière ? La veille du jour où je suis arrivée, il a neigé pour la première fois. Il faut prendre une décision.

Les frères sont sceptiques, mais ils n'ont guère le choix. C'est évident. Je vais partir à la recherche de Vesh. Exaltée par ma mission, j'offre un pont d'or à l'homme qui m'emmène en voiture à l'endroit d'où il devait revenir, et je continue ensuite à pied.

Sur le pont qui enjambe l'Oder, les seules lumières sont celles des camions garés là. Les routiers polonais et russes attendent depuis plusieurs jours que les douaniers allemands leur donnent l'autorisation d'emporter vers l'Est leur chargement occidental ; entre-temps, ils ont dressé un camp improvisé entre les grandes grilles chromées. En Allemagne, de l'autre côté de la frontière, un Burger King promet une « Orgie » de hamburgers ; pas de doute, nous sommes à l'Ouest ! Les soldats russes, sanglés dans leur manteau matelassé, boivent de la bière allemande à de hauts comptoirs, sans se troubler à la vue des restes d'escalopes et des mares de moutarde qui dégoulinent d'une pile d'assiettes en papier.

Pas de moustachu basané en vue, pas plus que de costume à trois sous. Je continue ma route, par l'omnibus de nuit, vers Eisenhüttenstadt, où se trouve le plus grand camp de réfugiés en Allemagne. Si Vesh et sa famille n'ont pas disparu purement et simplement, ils sont peut-être logés là, en attendant que la bureaucratie décide de leur sort.

Le camp est facile à trouver ; il n'y a qu'à suivre les réfugiés, les Africains, les Vietnamiens, et les quelques Blancs mal habillés, venus d'Europe de l'Est (même si les Tziganes forment plus d'un tiers de la population du camp — plus de 800 personnes —, ils restent entre eux et on ne les voit ni dans les trains ni dans les bus). Le camp d'Eisenhüttenstadt est immense : barrières en fil barbelé (qui servent à éviter les agressions de l'extérieur plutôt qu'à empêcher les réfugiés de sortir), grandes casernes à trois étages séparées par des colonnes de fûts en aluminium, récemment installées en hâte pour affronter la marée humaine.

Devant les bureaux, debout dans le froid, parmi une foule de réfugiés munis de minces feuilles de papier couvertes d'inscriptions dans une langue que j'ignore, j'ai un aperçu de la vie du demandeur d'asile. A l'avant, un pied à l'intérieur du bureau, Kofi, originaire du Ghana, se trouve nez-à-nez avec un conseiller en colère ; il affirme que la photo attachée à sa demande n'est pas celle du bon Africain. Le conseiller soutient que c'est une photo de Kofi, mais celui-ci est inflexible. La discussion se poursuit pendant dix minutes ; parce qu'il ne se reconnaît pas sur la photo, Kofi doit refaire une demande pour les mêmes documents, grâce auxquels il saura un jour où, de tous les camps de réfugiés et tous les centres d'accueil en Allemagne, il sera envoyé. Cela prendra de nouveau entre quatre et six semaines. Au suivant !

A l'intérieur, on me fait faire une visite guidée. Olaf, mon jeune guide, murmure que je ne dois pas parler aux réfugiés. Il semble gêné d'avoir à me dire cela. Avec la panoplie *intifada* (écharpe en coton à carreaux noirs et blancs et à franges, treillis, queue-de-cheval jusqu'au milieu du dos), cette réticence me laisse quelque espoir. Je suis bientôt en pleine conversation avec une famille tzigane de Roumanie. Je pose ma question à l'homme qui est visiblement le chef de famille : « Connaissez-vous Veshengo Bardu ? » Il tressaille, je suis sûre qu'il a tressailli, mais il ne dit rien. Je lui trouve une certaine ressemblance avec les Bardu, non sans embarras, car je me rappelle le cas de Kofi et de ses frères africains. Avec près de 300 Gitans présents, cette identification paraît absurde. Je parle à d'autres habitants des casernes jusqu'au moment où Olaf commence à battre le sol de sa semelle renforcée, ce qui indique que j'abuse de son indulgence.

Dans une salle réservée au personnel, il se fait un plaisir de m'exposer le fonctionnement du camp et de m'apprendre qu'un nouvel accord entre les gouvernements allemand et roumain va faciliter l'expulsion des Tziganes.

« Jusqu'à l'été dernier [1992], tous les gens arrêtés à la frontière, ou plus généralement tous les gens qui demandaient asile étaient amenés ici, où ils étaient logés et nourris. Ils remplissaient une déclaration sur leur statut et recevaient une carte d'identité. » Il montre une petite carte jaune en guise d'exemple. « Finalement, ils étaient envoyés dans un autre camp, où ils restaient parfois plus d'un an, tandis que leur dossier était examiné par le *Bundesamt* de Nuremberg. »

Nuremberg ? C'est là qu'ont été jugés les nazis pour crime contre l'humanité, mais c'est aussi là qu'ont été votées les lois racistes de

1935, qui déterminaient qui était juif, qui était tzigane. Nuremberg a toujours été l'endroit où l'on décide du sort des gens.

L'année précédente, 500 000 personnes ont demandé l'asile politique en Allemagne, destination privilégiée de par sa position géographique et ses lois libérales en matière d'immigration.

« En fin de compte, environ 4 % sont admis, dit Olaf. Parmi les Gitans, cependant, le taux n'est que de 0,02 %.

— Qu'arrive-t-il à tous les autres ?

— Ils sont expulsés. Le problème, par le passé, était qu'on ne savait pas vers où les expulser. Les Tziganes refusaient souvent de regagner le pays d'où ils venaient, surtout la Roumanie. A présent, leur gouvernement est obligé de les accepter. »

La Roumanie a reçu 30 millions de deutsche marks pour reprendre ses citoyens, à partir du 1er novembre 1992. Des accords semblables sont à l'étude, avec la Bulgarie et la Pologne, spécialement conçus pour régler « le problème gitan ».

Mais où est donc Vesh ?

Le hasard a voulu que, six mois plus tard, j'aille à Bucarest me rendre compte des effets de cet accord. Il est d'emblée très clair que les expulsés ne reçoivent pas un seul pfennig des légendaires 30 millions de marks dont le versement a été explicitement lié à leur retour par Rudolf Seiters, alors ministre de l'Intérieur et architecte de cet accord. En fait, cet arrangement est tout à fait cynique : l'argent a depuis longtemps été confié à trois centres de recyclage (à Arat, Sibiu et Timişoara) destinés aux chômeurs issus de la minorité *allemande*.

L'accord stipule que le transport jusqu'au pays d'origine doit être payé par le gouvernement allemand. Mais avant que ne commencent les expulsions, la Lufthansa a annoncé qu'elle n'acceptait pas de passagers portant des menottes. Ce n'est pas une question de transport (il y a toujours Tarom, la compagnie aérienne roumaine, qui n'avait qu'un nombre limité de ceintures lors de mon premier voyage à bord d'un de leurs avions) ; c'est une question de crédibilité. Bien que très raisonnables, les normes de sécurité de la Lufthansa révèlent, par l'à-propos avec lequel elles resurgissent, que l'opinion publique considère les demandeurs d'asile roumains comme des criminels.

Et de fait, c'est bien les menottes aux mains qu'ils sont ramenés « chez eux » (certains expulsés affirment avoir été enchaînés à un radiateur plusieurs nuits avant leur retour). Au cours des six premiers mois, environ 12 000 personnes ont été expulsées selon les termes de l'accord. La plupart d'entre elles ont payé leur voyage retour, sur les lignes aériennes nationales, avec ce qu'elles imaginaient être leur propre argent. Tout leur argent liquide (parfois jusqu'à 2 000 deutsche marks, l'équivalent de 8 000 francs) est confisqué. « Ils m'ont pris tous mes sous », m'a raconté un vieux Tzigane incrédule, à l'aéroport Otopeni, de Bucarest, « et ils ont dit qu'ils les donneraient à des *œuvres* ».

Les fonctionnaires allemands chargés des expulsions considèrent comme mal acquis tout l'argent trouvé sur les Gitans, fruit du travail au noir ou de l'exploitation des services sociaux. En fait, beaucoup de Tziganes roumains vendent tous leurs biens pour se payer le voyage, ou du moins, ils emportent avec eux toutes leurs économies, dans l'espoir de commencer une nouvelle vie. Ils s'en reviennent donc plus pauvres qu'en partant, et beaucoup ont perdu leur maison, par-dessus le marché. A Otopeni, on voit souvent ces expulsés hagards, visiblement gitans pour la plupart d'entre eux ; ils sont revenus par un vol de nuit et n'ont pas même de quoi se payer le trajet en autobus jusque chez eux.

Je demande à l'un des responsables des services d'immigration de l'aéroport s'il existe un programme de réinsertion des *refuzniks* ? Malgré les rénovations récentes, le bâtiment ressemble un peu à un camp de réfugiés, avec des gens qui dorment n'importe où. « S'ils ont les moyens d'aller jusqu'en Allemagne », réplique-t-il, non sans raison, et avec le mépris habituel lorsqu'il est question des expulsés, « je pense qu'ils sont capables de rentrer chez eux ».

Les problèmes de réinsertion se compliquent du fait que ces expulsés définitifs sont mal accueillis par les Roumains qui sont restés dans leur village. Ceux qui peuvent prétendre à un relatif succès, même minime, lors de leur voyage en Allemagne (on peut faire un peu d'argent et le garder à condition de partir avant d'être expulsé, comme le savent ceux qui en sont à leur deuxième ou troisième voyage), font l'objet d'une intense jalousie. La tension monte peu à peu : c'est le principal résultat de l'accord Bonn-Bucarest, que les Roumains ont baptisé sans vergogne « le Protocole gitan ». Par cette politique commune, les Tziganes roumains sont devenus des réfugiés politiques plutôt qu'économiques. Mais il n'est pas nécessaire de connaître les enjeux internationaux pour savoir qu'il n'y a rien d'« optionnel » dans les projets de voyage des Bardu. Il suffit de regarder leurs pantoufles. Et leurs yeux. C'est évidemment la peur qui fait taire le Gitan auquel j'ai parlé dans le camp, celui que j'ai pris pour Vesh.

Si les Tziganes finissent par n'avoir nulle part où aller, c'est notamment parce qu'ils détruisent leurs passeports ou leurs cartes d'identité, ce qui facilite la tâche des gouvernements qui veulent les désavouer. Ils savent que leur identité, celle qu'ils s'arrogent ou qu'ils s'imaginent, ne figure pas sur ces documents. De manière assez justifiable, ils se déclarent apatrides, dans l'espoir que les autorités (allemandes, généralement) ne pourront les renvoyer dans un pays qui n'existe pas. Ou du moins espèrent-ils qu'avant d'être renvoyés vers l'Est en autobus, ils pourront passer quelques mois à l'Ouest (« West » est une marque de cigarette, de jeans, un mot qui évoque à la fois le prestige, l'argent et la liberté, et cela plus que jamais depuis la fin de la guerre froide).

Avant 1989, l'appartenance au bloc soviétique garantissait le droit d'asile à tous ceux qui parvenaient à franchir le rideau de fer. L'accord actuel signifie que même les *refuzniks* non identifiés peuvent être immédiatement expulsés. Un problème persiste cependant : comment dire d'où ils viennent ? Un communiqué de presse du ministre de l'Intérieur expose la procédure : grâce à leur langue, leur religion et, détail plus sinistre, « grâce à l'opinion d'experts et de témoins ». Olaf me dit qu'il existe déjà des cas de demandeurs d'asiles restés obstinément muets, qu'on a renvoyés en Roumanie bon gré, mal gré. Dans les statistiques sur l'immigration, ils ne sont pas enregistrés en fonction de leur origine ethnique, mais ils sont considérés comme formant un bloc de « sans patrie » : ce sont des Tziganes, il faut donc les renvoyer vers la mer Noire.

Les autorités ont toujours alimenté divers fantasmes sur de lointaines réserves pour Gitans, à Madagascar, en Somalie, en Guyane, dans une « île du Pacifique Sud », et beaucoup de sites ont été proposés très sérieusement. Au XVIe siècle, le Portugal devint le premier pays à déporter les Gitans vers ses colonies africaines, et plus tard vers le Brésil ou l'Inde. Un siècle après, de manière moins systématique que le Portugal, la France envoyait ses Gitans en Martinique ou en Louisiane ; l'Angleterre et l'Ecosse en envoyaient des cargaisons aux Antilles. L'historien Angus Fraser signale que cette nouvelle méthode d'expulsion paraissait tout à fait acceptable, et utile dans la mesure où elle était source de main-d'œuvre (les Gitans furent esclaves avant les Africains) ; comme ils ne sortaient pas de l'empire colonial, les Gitans n'étaient pas à strictement parler « expulsés ».

« Le problème, dit doucement Olaf, est qu'il ne s'agit pas de persécution *politique.* »

Je fais remarquer que des attaques très violentes se sont produites en République tchèque, en Hongrie et en Pologne ; c'est dans ce dernier pays que les tribunaux se sont penchés sur l'attaque d'une communauté tzigane (à Mława), mais le procès a ensuite été abandonné. Je lui rappelle qu'il n'y a eu de poursuites nulle part ailleurs, et qu'en Roumanie le gouvernement a approuvé ces attaques.

« Approuver, ce n'est ni commanditer, ni organiser, ni financer. Pas dans notre constitution, en tout cas. » Nous nous arrêtons pour réfléchir à ces arguties. Olaf choisit d'aiguiller la conversation vers ce qu'il considère comme le vrai problème : « Vous devez comprendre que beaucoup de nos voisins viennent ici uniquement pour profiter des avantages sociaux. En leur donnant des bons d'achat et non de l'argent liquide, nous espérons décourager ce genre de visiteurs. »

Certains visiteurs tziganes imitent en effet leurs gouvernements : ils parlent le langage des droits de l'homme, idiome importé, et espèrent pour cela être payés ou subventionnés. Ils le sont souvent. Et même si la Roumanie reçoit des millions de tonnes d'aide humanitaire sous forme de nourriture et de vêtements (dont la grande majorité est aussitôt revendue et n'arrive jamais dans les orphelinats et les quartiers pauvres), *certains* Gitans entreprenants ont compris le système et vont en Allemagne pour recevoir leur paquet-cadeau personnel. Dans le bureau d'Olaf, les réfugiés les plus coupables semblent à présent venir d'Europe de l'Est, c'est-à-dire qu'ils sont généralement tziganes. Ils sont encore plus mal acceptés en Allemagne que les Africains (qui arrivent eux aussi par dizaines de milliers), parce que non seulement ces Européens sont pauvres mais aussi parce qu'ils sont leurs voisins, leurs parents suite à d'anciennes unions entre Etats ; l'Allemagne a donc une part de responsabilité dans leur situation.

A Eisenhüttenstadt, ville de RDA jusqu'à la réunification du pays, les susceptibilités sont vives. La ligne de démarcation entre « eux » et « nous », entre l'Ouest et l'Est, est réaffirmée chaque jour.

« "Un élément d'insécurité". » Ma citation intrigue Olaf, qui tire sur sa queue-de-cheval en attendant plus de précisions. « "Les Tziganes sont un élément d'insécurité et donc un danger pour la société..."

— Oui ! s'exclame-t-il, soulagé de voir que je comprends enfin. Ici, nous avons affaire à une *invasion.* »

En fait, il a raison, il s'agit bien d'une invasion, et je ne devrais peut-être pas lui citer un document nazi. Olaf porte un bien curieux costume, qui tient du Palestinien, du GI, et du gosse des rues de Londres ou de Berlin ; ses opinions sont tout aussi mêlées. Ses rangers ne lui donnent pas l'air à la mode ; ce sont les semelles de plomb de la bureaucratie. C'est peut-être le hasard, mais les demandeurs d'asiles sont devenus pour lui une masse anonyme, et lorsqu'il s'exprime spontanément (« Vous devez comprendre... »), il juge évidemment qu'ils sont plus dégradants que dégradés.

« Et ça marche ? Ces attaques xénophobes, est-ce qu'elles endiguent le flux ?

— Rien n'a d'effet. Rien à part le temps. L'Allemagne a un allié : l'hiver. »

Et les Gitans apatrides ont un allié : les frontières. Dans cette partie du monde, la carte ne cesse de changer. La ligne est rarement fixée (il suffit de regarder les cartes de la Pologne boulimique entre 1813 et 1945), et de part et d'autre s'étendent les no man's land, objets d'éternelles contestations, lieux de désir et de privation. Les frontières sont les cordons au-delà desquels l'herbe commence à être plus verte. Et tant que les visites n'y sont pas obligatoires, l'autre côté représente toujours une libération. C'est l'ailleurs, où l'aventure est possible. Pour les Tziganes, les frontières sont tout cela à la fois, mais elles sont aussi depuis longtemps un autre type de cordon : un barrage de police, de soldats, de gardes, un cordon sanitaire, par rapport auxquels ils sont eux-mêmes la minorité supposée infectée. Les Gitans, ces inlassables « cas limites », n'encombrent pas de frontières les cartes de leur imagination collective. Mais ils ne sont pas blasés, et ces limites sont aussi pour eux des filons à creuser.

Partout, à un moment donné, la solution au « problème gitan » a été l'expulsion. Et là encore, le châtiment a engendré le crime. Chassés en tant qu'intrus, les Tziganes sont confirmés dans leur rôle d'errants, de vagabonds. Mais il s'adaptent, souvent en vivant dans des forêts et des terrains vagues abandonnés, inaccessibles, des arrière-pays, des zones frontières. Ils ont appris à profiter des incohérences de la juridiction locale et des réactions des autorités locales aux ordres venus d'en haut. Ils campent le long des frontières, comme par jeu. Il y a donc toujours eu des concentrations de Gitans aux marges des pays et, de même, le long des frontières intérieures entre régions. Les documents les plus anciens nous les montrent près des limites séparant les divers Etats allemands, entre la France et l'Espagne, à l'est de la République des Pays-Bas, à la frontière écossaise. La limite entre l'Ecosse et l'Angleterre, comme toutes les terres qui font localement l'objet de litiges, est connue dans la légende pour être peuplée de brigands et de Gitans. Pour les apatrides, ces no man's land peuvent être une prison sans murs, par une sorte d'incarcération cartographique.

Patrick Faa était un Gitan frontalier. En 1715, avec sept autres (dont six femmes), il fut déporté vers une plantation en Virginie après une condamnation douteuse pour incendie volontaire. Il laissait derrière lui ses deux oreilles (coupées en guise de châtiment) et sa femme, la légendaire Jean Gordon. Immortalisée sous le nom de Meg Merrilies dans le roman de Walter Scott *Guy Mannering*, Jean Gordon fut elle-même bannie d'Ecosse dix-sept ans après, parce qu'elle était vagabonde et égyptienne, alors qu'elle était déjà vieille et malade, et avait perdu non seulement son mari mais aussi ses neuf fils (l'un assassiné, les autres pendus). Jean Gordon passa le restant de ses jours à errer de l'autre côté de la frontière, en Angleterre, jusqu'en 1746, lorsqu'elle fut noyée par la foule.

Je remercie Olaf et je lui fais signe par-dessus mon épaule tandis qu'il regagne la chaleur de la salle réservée au personnel. En sortant, j'aperçois un homme que nous avons croisé à notre arrivée. C'est le premier Tzigane auquel j'ai parlé dans le camp ; il cherche à attirer mon attention. En sentant une poussée d'adrénaline, je me dirige vers lui. Abrité par l'un des bungalows en préfabriqué, il parle : « *Me som Bardu* », Je suis Bardu.

La bonne nouvelle, c'est qu'ils n'ont pas été expulsés. Pas encore. Sur les conseils de leur *Schlepper*, ils ont jeté leurs passeports. Ou plutôt ils les lui ont remis, et maintenant (comme je viens de l'apprendre), sans ces papiers, ils sont irrémédiablement exclus du processus de demande d'asile. Mais le *Schlepper* avait promis de leur rendre leurs passeports en échange d'un pourcentage des premières allocations qu'ils toucheraient, environ 400 deutsche marks pour les adultes et un peu plus de 100 pour chaque enfant. Malheureusement, il n'accepte pas les bons d'achat.

Vesh a l'air à la fois doux et farouche ; ses yeux noirs et vifs percent à travers de grandes paupières fripées, ces yeux où la fureur rivalise avec une profonde envie de dormir. D'une poche de sa veste il tire un crayon long d'environ trois centimètres et il griffonne un mot sur le côté blanc de la feuille de papier alu d'un paquet de cigarette.

Je me précipite pour attraper le dernier train jusqu'au pont, dans l'espoir de retrouver les Bardu comme prévu et de leur offrir ces informations, en même temps que le chocolat allemand et le filet d'oranges que j'ai achetés à la gare. Du côté allemand, je suis arrêtée par deux soldats soviétiques. Simple curiosité, peut-être, car je porte la même toque qu'eux : un carré de fausse fourrure, à oreillettes, le genre de souvenirs qu'on refile aux touristes à la Porte de Brandebourg (sans la faucille et le marteau en émail). Ils dévisagent avec méfiance cette insultante contrefaçon femelle ; je leur tiens tête, impavide car je comprends qu'ils ne représentent aucune autorité, malgré leurs armes et leurs insignes (ils arborent, eux, la faucille et le marteau). Eux aussi sont des réfugiés.

Beaucoup de camps de demandeurs d'asile sont d'anciennes casernes russes, dont les soldats ont été évincés en faveur de cas désespérés comme Kofi ou Vesh. Maintenant, les soldats eux-mêmes, qui ne représentent aucun pays, sont en voie d'être ramenés chez eux, si l'on savait seulement où les envoyer.

Je regagne la gare de Rzepin, haletante, dans le noir. J'escalade les rails rouillés et je regarde le feu abandonné ; j'examine le parking et je retourne à la gare. En reprenant mon haleine, j'arpente le quai et je finis par m'arrêter pour demander au guichetier polonais persécuté (par des gestes hystériques) s'il a vu ces Tziganes. Il hausse les épaules, mais je sais déjà qu'ils sont partis.

Quand mon train démarre, je regarde la pyramide d'oranges jusqu'à ce qu'elle disparaisse, mon petit monument qui scintille comme un feu de signalisation sur le banc où j'ai vu Ion et Mihai Bardu. J'ai glissé le mot de Vesh par-dessous.

6

Zigeuner Chips

« Il n'y a pas de place », ont déclaré les autorités du port de Rostock, dans l'est de l'Allemagne, lorsqu'elles ont dû héberger 200 Tziganes demandeurs d'asile, au cours de l'été 1992. Cette réponse faisait écho au slogan d'un parti politique de droite, « Le bateau est plein » (cette expression sert généralement de légende sous une caricature représentant l'Allemagne en arche de Noé). Les autorités ont le devoir d'héberger les demandeurs d'asile avant de les expulser ou de les accueillir, mais à Rostock, elles ont refusé catégoriquement. Les Gitans ont donc été obligés de se débrouiller ; ils dormaient et mangeaient devant le foyer destiné aux réfugiés et, selon la presse locale, ils « provoquaient » les habitants de Rostock, provocation qui devait entraîner une attaque d'une rare violence. La ville a applaudi les quelque 150 skinheads qui jetèrent des bombes incendiaires sur le foyer. Aussitôt après, on a trouvé de la place pour les réfugiés.

Sur leurs écrans de télévision, les Allemands ont vu les forces de police les bras croisés, debout sur une colline, hors de portée des jets de pierres et des cocktails Molotov artisanaux. Au cours du seul mois suivant, 1 163 crimes « xénophobes » ont été signalés dans des villes allemandes. Lothar Kupfer, ministre de l'Intérieur du land de Rostock, a fourni à l'hebdomadaire *Die Zeit* l'explication courante de ces événements, avec une insistance nouvelle sur le rôle des « boat people » :

> Quand 200 demandeurs d'asile doivent cohabiter [avec les Allemands] dans un espace très réduit, cela déchaîne l'agressivité des voisins allemands. La plupart d'entre eux ont depuis longtemps oublié qu'ils

rêvaient sur le port en contemplant les bateaux, en songeant aux pays lointains, aux vastes océans, aux femmes à la peau brune. Le jour où [ces gens] campent devant un foyer bondé, font leurs besoins derrière les buissons d'aubépine et jettent leurs ordures dans un terrain vague et mendient, par-dessus le marché, le désir de terres étrangères a disparu.

Même si dans beaucoup de villes allemandes, le nombre d'étrangers a *diminué* de manière très nette, la solution la plus fréquemment proposée aux problèmes de violence est un durcissement de l'Article 16 de la Constitution, clause très libérale concernant le droit d'asile qui fut ajoutée après la guerre.

Alors que des milliers de travailleurs étrangers font leurs valises, les Allemands trouvent dans cette question une façon d'oublier les difficultés plus graves que pose la réunification du pays, encore inachevée. Selon une enquête réalisée auprès de 3 000 personnes, publiée en octobre 1992 dans *Der Spiegel*, 96 % des Allemands s'inquiètent du « problème des étrangers » et approuvent des « mesures » anti-immigration (non violentes)...

Qui sont tous ces étrangers et qu'ont-ils de si inquiétant ? Fait inhabituel dans un pays qui aime les classifications précises, le terme *Ausländer*, « étranger », désigne toute une gamme d'individus : beaucoup d'Allemands que j'ai rencontrés, à l'Ouest comme à l'Est, répugnent à l'employer. Tandis que même les skinheads s'entendent avec leurs frères internationaux (avec leurs treillis de l'armée américaine et le drapeau anglais reproduit sur leurs vêtements), les Allemands de l'Est, qui rêvaient d'émigrer encore il y a peu, se sentent particulièrement menacés et insultés par les demandeurs d'asile. Pourtant, une étude menée par l'Institut central de recherche sur la jeunesse, à Leipzig, a révélé que durant l'été 1990 (avant qu'un seul demandeur d'asile ne soit envoyé dans un camp temporaire ou hébergé en Allemagne de l'Est), 40 % de la jeunesse locale les trouvait « gênants ». Le chef-adjoint de la police de Leipzig est plus précis :

Je n'exclus pas la possibilité que certains policiers soient racistes. Etant donné les discussions animées que suscite le droit d'asile, tout le monde pense sans doute à tous ces étrangers qui arrivent. Ce n'est ni très malin, ni raisonnable de les envoyer si vite ici [dans les Etats de l'Est]. Les policiers ne sont pas contre tous les étrangers, mais seulement contre certains, comme les Sintis, les Tziganes et les Noirs africains.

Les étrangers sont loin d'être inutiles, et plus ils viennent de loin, mieux cela vaut. L'écrivain Günter Grass distingue lui aussi les Gitans, parmi tous les étrangers présents en Allemagne. Dans une conférence intitulée « Pertes », prononcée en novembre 1992 (cinq jours après que trois Turques, installées depuis longtemps dans le pays, ont été brûlées dans leur lit à Mölln), il suggère que « un demi-million et plus de Sintis et de Roms » pourraient venir vivre en Allemagne : « Nous avons besoin d'eux. » Les autorités et Günter Grass brandissent « Sinti et Roms » comme symboles de l'Etranger. Qu'ils soient hostiles ou qu'ils confèrent plus d'humanité à leurs hôtes, les Gitans sont avant tout *autres*.

Au printemps 1993, le Parlement fédéral allemand vote pour amender l'Article 16. Le message est clair. Quelques jours après, à Solingen, près de Cologne, deux femmes et trois jeunes filles turques sont assassinées.

Je suis en Allemagne cette semaine-là. Lorsqu'on se dirige vers le château en partant de la gare de Machern, on traverse des vallées boisées parsemées de chaumières enchantées, enterrées sous les ronces, aux portes minuscules. On croirait aisément que les habitants de ce hameau digne des frères Grimm ont dormi pendant les quarante années du régime communiste. Proche de Leipzig, Machern fut le cadre improbable de l'un des premiers rassemblements de skinheads après la réunification. Depuis, les gens du cru ont vu arriver ce qu'ils considèrent comme un interminable défilé de demandeurs d'asile, pourtant hébergés hors de la ville (environ 300 immigrants, tous gitans, vivent dans le camp voisin de Sachsen). En juin 1993, pendant quelques jours, Machern accueille également un petit groupe d'Allemands et de Tziganes roumains réunis dans le *Schloss* local, le château, pour étudier les avantages possibles de l'immigration gitane. Parce qu'ils arrivent encore en Allemagne par milliers, alors que tout est fait pour les en empêcher.

Je n'ai pas besoin de visa pour me rendre à Machern. Les membres de la communauté européenne sont libres d'aller et de venir.

Mais certains des Tziganes invités, retenus par les autorités frontalières, manquent une partie des discussions, voire le congrès tout entier. L'un d'eux est député. Alors quelle chance ont les autres ? Cependant, malgré les humiliations, ces gens refusent de baisser la tête.

Un spécialiste de l'immigration, dont la tâche est de préparer les Mozambicains expulsés en vue d'un difficile retour au pays, explique aux participants les « trucs » qu'il transmet aux candidats malheureux avant qu'ils soient emmenés en troupeau dans leur charter. Il griffonne au tableau :

Bescheiden Sein !
Vertrauen Haben !
Fehlschlage Einkalkulieren !

Soyez modestes, ayez confiance, calculez les risques. *Bescheidenheit* : la modestie. Voilà les conseils gratuits que les expulsés reçoivent en guise de compensation. Un Hongrois chargé de créer des emplois pour les Tziganes présente diverses « stratégies de développement » et autres « stratégies de survie », cette dernière catégorie incluant le collectage de bouteilles consignées.

Lors de l'ultime séance de synthèse, à laquelle chacun doit assister, il ne reste que trois Gitans : deux hommes d'affaires en quête d'investisseurs, et Nicolae Gheorghe, l'activiste omniprésent. Que sont devenus les trois autres leaders gitans ? Où est Gheorghe Raducanu, le seul député tzigane en Roumanie ? Et où est Vasile Burtea, représentant éloquent du ministère roumain du Travail et de la Protection sociale, « Socioliste [sic] et économiste », selon sa carte de visite ? Où sont passés les cheveux bleus de Nicolae Bobu, avocat et *Diplomat in drept* (« diplômé en droit »), président du Syndicat général des Tziganes en Roumanie, et *« ex parlamentar »*, d'après sa carte professionnelle ?

Tandis que les différents ateliers rendent compte de leurs conclusions, les organisateurs du congrès regardent, d'un air exaspéré, les trois sièges laissés vides au premier rang. Ces Allemands, réellement désireux de trouver des solutions viables pour les immigrés gitans, murmurent entre eux. Et alors que je ne cherchais pas vraiment, je les ai trouvés.

Sortie prendre l'air sous la bruine est-allemande, j'admire, du haut du grand escalier baroque du *Schloss*, les flaques bleues sur le parking récemment goudronné. C'est là que se trouve l'élite des Tziganes roumains, ces spécialistes qui font l'école buissonnière, qui gloussent de plaisir en contemplant des voitures à deux portes qui ressemblent à des jouets, les Trabant jumelles qu'ils viennent d'acheter pour 75 et 150 deutsche marks (300 et 600 francs). Les trois hommes ressemblent à de jeunes garçons, ils paraissent encore plus petits dans leurs costumes étriqués ; ils plongent avec curiosité sous le capot de leurs nouveaux véhicules, comme le feraient tous les adolescents du monde. Ils jubilent, et après tout, c'est là ce pourquoi la plupart des Tziganes viennent en Allemagne : acheter des voitures afin de les revendre à l'Est, sans que cela coûte un sou au système social allemand.

Je demande au député comment ils ont si vite appris où acheter des voitures, malgré leur allemand limité et la pluie abondante. Il hausse les épaules et éclate de rire. Question stupide. Non, ces gens-là n'ont pas besoin qu'on leur apprenne les stratégies de survie.

Des Gitans comme les délégués de Machern avaient emprunté cette voie plusieurs siècles avant que le nationalisme ethnique ne commence à s'exprimer en Allemagne ; il y a cinq cents ans, beaucoup d'autres s'étaient installés en territoire germanique. Pourtant, les Sintis ne sont pas encore reconnus comme *Volksgruppe* au même titre que d'autres minorités comme les Danois ou les Sorabes. A quel moment un étranger devient-il un autochtone ? Sous sa forme initiale, la Constitution américaine définissait les descendants d'esclaves africains comme humains à 60 % ; de nos jours, ce sont les seuls Indiens qu'on appelle *native Americans*, terme impropre puisque bien d'autres ethnies peuvent se dire « natives » des Etats-Unis. Les Sintis ne seront jamais considérés comme allemands, même s'ils sont nés en Allemagne. Mais leurs hôtes, qui ont des frontières avec huit autres pays, croient-ils vraiment qu'il peut exister un Teuton de pure race hors du laboratoire de Frankenstein ? Evidemment non. C'est l'*idée* d'un Allemand au sang pur qui est au cœur de l'identité allemande, et par extension les valeurs culturelles liées à la race. Les Tziganes roumains connaissent cette forme de pensée, après des années de rhétorique de Ceauşescu sur les Daces, les proto-Roumains « purs ». Tous les habitants de l'ex-bloc communiste partageaient (ou subissaient, dans le cas des minorités) ce rêve d'un état monoracial ; l'Allemagne était le modèle.

Dans l'idée que l'Allemagne se fait d'elle-même, c'est la notion sentimentale de *Volk* qui est à l'œuvre. Ce mythe était à l'origine une réaction à la glorification française de l'individu, et offrait une idéologie unifiante pour une population dispersée, surtout dans l'est du pays. L'intelligentsia romantique, peut-être rassemblée autour de ces mêmes *Schloss* au début du XIXe siècle, conçurent la notion de *Volk*, incarnée par l'archétype de l'Allemand tel qu'on le retrouve partout aujourd'hui encore : blond, robuste, propre et actif. Les petites Heidi qui figurent sur les paquets de biscuits allemands illustrent cet idéal : un corps sain (joues roses et beaux cheveux blonds) et un esprit sain grâce à l'adhésion (ou à la soumission) joyeuse et industrieuse au *Volk*.

Cette notion de *Volk* explique le mépris particulier que s'attirent particulièrement les Tziganes, parmi tant d'autres étrangers. Tout d'abord, ils apparaissent comme l'exact contraire du *Volk* allemand : sales, basanés, retors, oisifs, ils se veulent antisociaux. Mais plus subtilement, ces peuples représentent bel et bien un *Volk*. Ils restent entre eux et préservent leurs coutumes, leur langue, leur communauté étroitement liée, qui compte plus que l'individu. Parmi les siens, du moins, le Gitan est un être communautaire, tel que l'Allemand ne peut l'être qu'en fantasme. La citoyenneté fut proposée aux Allemands « ethniques » résidant à l'étranger, comme récompense pour avoir refusé d'adopter le mode de vie barbare (slave) pendant un séjour à l'est long de plusieurs siècles ; mais ici, sous leurs yeux, s'affiche un groupe qui refuse obstinément l'assimilation.

Durant l'automne 1992, puis de nouveau en 1993, je parcours les nouveaux Etats, les *Länder* de l'est, pour voir comment sont accueillis les immigrés récents. Les bandes de Gitanes (on ne rencontre jamais de Gitan solitaire) sont devenues monnaie courante. A en juger d'après leurs vêtements, il s'agit surtout de Kalderash originaires de Roumanie. Avec leurs longues jupes rouges aux motifs extravagants, avec leurs bébés qu'elles portent sur la hanche dans de petits hamacs, elles apportent la seule touche de couleur dans la grisaille des rues de l'ex-Allemagne de l'Est.

Une troupe de Gitanes et d'enfants se massent devant la porte du procureur à Cottbus, ville verdoyante voisine de Berlin et de la frontière polonaise. Selon le garde, elles attendent un rendez-vous depuis plusieurs jours, et espèrent obtenir la libération de leurs compagnons incarcérés en promettant de fuir une Allemagne qu'elles ont assez vue. A la fin de la journée, toujours déployées sur les larges marches de l'entrée principale, elles n'ont pas l'air d'avoir beaucoup progressé. Il semble courageux de camper devant ces bureaux, étant donné leur statut légal précaire, mais on imagine aisément que leur attitude languissante (elles n'ont rien à perdre) et leurs vêtements voyants peuvent paraître provocants aux yeux des Allemands. Elles ne parlent à personne, elles ne *font* rien, mais leur présence même peut être jugée agressive. Quel que soit leur comportement, et malgré une population bien intégrée, installée depuis longtemps, d'environ 70 000 Tziganes en Allemagne, ces immigrés récents sont devenus, par leur simple apparence, l'emblème de l'étranger impossible à assimiler.

Par opposition aux autochtones, les Gitanes se meuvent avec une grâce ondoyante qui les fait ressembler à une poignée de confettis lâchés dans ce paysage urbain lugubre. Mais un autre détail leur donne l'allure d'une apparition anachronique : comme les fantômes du passé dans les films, elles sont en costume d'époque. Les hommes, qu'on ne voit guère, même s'ils sont traditionnellement chargés des échanges avec les *gadje*, portent encore la moustache mais ont échangé leur tenue folklorique contre le costume à bon marché et les fripes d'occasion des pauvres du monde entier. Les femmes auraient pu jouer dans un film sur l'immigration en 1900, homologues « ethniques » des hommes en redingotes et haut-de-forme qu'on voit arriver à Ellis Island dans *L'Immigrant* de Charlie Chaplin. Les femmes arborent les mêmes jupes amples, les mêmes foulards fleuris noués par derrière, qui signifient depuis toujours leur origine gitane.

Sauvage, indomptable, sensuelle, Carmen, la première femme fatale à l'œil noir est, telle que la décrit Prosper Mérimée, « une pouliche du haras de Cordoue ». La Gitane est aussi une voleuse de grand talent. Et une meurtrière. Aux préjugés s'ajoutent les fantasmes romantiques, qui trouvent un triste écho chez les Gitans eux-mêmes, toujours désireux de montrer que, au contraire des imposteurs qui campent un peu plus loin, ils sont les *vrais* Gitans. Même le stéréotype de la danseuse aux castagnettes apparaît comme une créature dangereuse, dont la menace se matérialise n'importe où, même parmi les femmes hirsutes enfermées derrière le grillage d'un camp de réfugiés. Le Gitan incarne la quintessence de l'étranger, et les étrangers ne sont jamais bienveillants.

Tout commence par la crainte. « Tais-toi, tais-toi, n'aie pas peur, / Le Rétameur noir ne te prendra pas », dit une berceuse écossaise qui n'a rien de bien rassurant. En Bulgarie, lors du carnaval traditionnel (qu'on trouve encore parmi les paysans de cette région reculée qu'on appelait jadis la Thrace), la Peste est représentée par une vieille Gitane ou, détail plus sinistre, par un lourd chariot tiré par des Gitans harnachés.

Cependant l'espion est peut-être le plus vieux de ces stéréotypes lugubres. Avec leur langage inconnu, leur teint basané et leurs origines ambiguës, avec leur connaissance des clôtures et des lois locales et leur tendance à fréquenter les frontières, avec leur indifférence aux coutumes régionales et leur insoumission, les Gitans étaient particulièrement exposés à cette accusation. Dépourvus de patrie, et même du désir d'en avoir une (condition à la fois unique et impénétrable, aujourd'hui comme alors), il *faut* qu'ils soient en réalité au service de quelque pays ou souverain étranger.

Les Allemands, avec leur empire aux marges du monde chrétien, étaient spécialement séduits par la théorie de l'espionnage, qui fait surface pour la première fois en 1424 dans le journal tenu par un prêtre bavarois nommé Ratisbon. Les premiers édits impériaux à l'encontre des Gitans, publiés par l'empereur Maximilien en 1497, 1498 et 1500, les désignent comme espions à la solde des Turcs.

Mais c'est une autre imposture qu'on attribue aujourd'hui au *Scheinasylanten*, faux demandeurs d'asile ou, selon l'euphémisme politique, réfugiés « économiques ». *Tous* les immigrés recherchent une vie meilleure ; en outre, les déracinés sont souvent les membres les plus actifs de leur société (le réfugié économique est le héros du rêve américain). Pourtant, ces Gitans ne sont pas seulement ambitieux, car on devient souvent réfugié « économique » à cause de politiques discriminatoires, par exemple les stratégies d'expulsion ciblée. Plus généralement, en tant que Gitans, ce sont eux qui ont le moins de chances de trouver un emploi, un logement ou une école dans l'ex-bloc communiste.

S'il est difficile d'identifier l'immigrant « authentique » (par opposition au « faux » réfugié économique), c'est en partie un problème de vocabulaire. Personne ne sait comment désigner les Gitans. Dans chaque langue, il existe un terme à connotations exclusivement sociales. *Cigan*, *ţigan*, *Cygani*, tous ces termes décrivent un comportement : hérétiques, voleurs, brigands, mendiants importuns. En Europe de l'Est, ces mots renvoient également au machisme, à la sensiblerie, aux vêtements voyants, au mensonge en général. Pourtant, beaucoup de Gitans aiment le mot « gitan », un peu comme certains homosexuels emploient eux-mêmes certaines appellations péjoratives, par défi ; ils n'ont pas honte et refusent de croire qu'un autre nom modifierait les attitudes à leur égard.

Chaque pays dispose d'un terme moins dégradant : bohémiens, romanichels, « Sintis » en Allemagne ; ces mots sont souvent employés par les non-Gitans pour distinguer entre ceux qu'on estime avoir choisi un « mode de vie » et ceux qui appartiennent à un peuple noble et surtout disparu.

L'expression allemande « Sintis et Roms » a remplacé *Zigeuner*, mot devenu aussi insultant que « nègre ». Mais là encore, l'appellation est trompeuse, car cette association de deux noms est peu claire pour les profanes, qui n'y voient qu'une tautologie maladroite ou inoffensive, comme « gay et lesbien »). En fait, parler de « Sintis et Roms » revient à accoler deux groupes distincts. Par ailleurs, depuis que les Gitans ont adopté le terme « Roma » pour désigner l'ensemble de leur peuple, dire « Sintis et Roms », c'est un peu comme dire « juifs et Séfarades » pour désigner les juifs.

Pendant mon séjour à Cottbus, un journaliste qui couvre les attaques xénophobes pour un quotidien local comparaît devant un conseil de la presse allemande pour avoir utilisé le terme *Zigeuner*. Néanmoins, ces nuances n'ont pas encore été totalement assimilées : à Bonn, j'achète des « Zigeuner Chips » (*krosser, würziger !*, plus craquantes, plus épicées) : il ne viendrait à personne l'idée de vendre des « Chips juives », même si l'analogie n'a rien d'absurde dans la mesure où des centaines de milliers de Tziganes ont été éliminés par les nazis. On trouve en Grande-Bretagne des chocolats « Gypsies », mais nous sommes en Allemagne, où *Zigeuner* rappelle le Z tatoué sur le bras des premiers Gitans arrivés à Auschwitz.

Les violences récentes sont sans doute en partie une réaction au pacifisme difficilement imposé par l'Histoire à la nation allemande. Le sentiment anti-Gitan offre un riche potentiel de catharsis. Alors qu'on impose continuellement aux Allemands de demander pardon pour le génocide des juifs, les sentiments et les possibles doléances des Tziganes ne semblent intéresser personne. Pas même les tziganes.

La distinction entre « authentiques » et faux immigrés apparaît déjà dans les anciennes lois anti-Gitans, à travers toute l'Europe, et en particulier en Angleterre, en Ecosse et en Allemagne. En territoire germanique, c'est Bismarck qui, en 1886, codifia la discrimination déjà en pratique entre *inländische Zigeuner* et *ausländische Zigeuner*, gitans indigènes et étrangers, distinction qui devait s'avérer commode pour expulser tous les intrus venus d'ailleurs (tandis que ceux qui étaient reconnus comme *inländische* étaient recensés et surveillés par la police). Au XVIIIe siècle, empruntant une tactique néerlandaise, les Allemands dressèrent le long des routes des panneaux où étaient représentés les châtiments (fouet, bastonnade et même pendaison) auxquels pouvaient s'attendre les Gitans arrêtés. En même temps, des récompenses étaient promises aux informateurs. La chasse à l'homme avait commencé. La République des Pays-Bas était le théâtre de *Heidenjachten* intensives (« chasses aux païens », chasse aux Gitans en réalité) au XVIIIe siècle. En 1835, un propriétaire terrien de Rhénanie inscrit sur son tableau de chasse, parmi les animaux capturés et tués, « une Gitane et l'enfant qu'elle allaite ».

En 1589, bien avant que cette chasse devienne un sport à la mode, le Danemark réservait la peine de mort aux chefs gitans ; cinquante ans après, la Suède prescrivait la pendaison à tous les Gitans mâles. Entre 1471 et 1637, sans la circonspection qui caractérise aujourd'hui l'Union européenne, les Etats-nations s'associèrent au sein d'une coopérative de la cruauté. Lucerne, Brandebourg, l'Espagne, l'Allemagne, la Hollande, le Portugal, l'Angleterre, le Danemark, la France, les Flandres, l'Ecosse, la Bohême, la Pologne, la Lituanie et la Suède adoptèrent une législation anti-Gitan. En

Angleterre, on pend et on expulse ; en France, sous Louis XIV, on marque au fer rouge et on rase la tête. Les provinces rivales cherchent à se distinguer : la Moravie coupe l'oreille gauche des Gitanes ; la Bohême préfère la droite.

Et les Gitans ne sont pas difficiles à trouver. Dès 1686, Frédéric-Guillaume, Grand Electeur de Brandebourg et premier prince d'Allemagne, décide d'interdire aux Gitans le commerce et la résidence sur ses terres. Comme le souligne Angus Fraser dans son étude exhaustive des lois anti-Gitans, « dans ce genre de législation, la stigmatisation qui remontait aux premiers édits impériaux était réitérée sans nouvelle discussion ». C'est ainsi qu'en 1710, le prince Adolphe-Frédéric de Mecklembourg-Strelitz autorise à fouetter et à marquer au fer les Gitans, même s'ils ne sont accusés d'aucun délit, à les expulser et à les exécuter s'ils reviennent ; les enfants de moins de dix ans sont confiés à des familles chrétiennes. Un an après, l'Electeur Frédéric-Auguste de Saxe permet de tirer sur tout Gitan qui résiste à l'arrestation ; en 1714, dans l'archevêché de Mayence, il est décidé que tous les Gitans seront exécutés sans jugement parce que leur mode de vie est déclaré hors-la-loi (en 1725, la pendaison est décrétée en Prusse pour tous les Gitans âgés de plus de 18 ans, sans jugement. En 1734, la limite d'âge est abaissée à 14 ans dans certaines provinces, avec récompense à la clef). Alors que les Gitans voyagent par petits groupes et n'offensent que les susceptibilités esthétiques, la liste s'allonge indéfiniment, et l'on distingue entre vrais et faux Gitans ; les variations sont mineures. En 1905, Alfred Dillman écrit dans son *Zigeunerbuch* (à l'intention du ministre de la Sécurité intérieure à Munich) : « il n'existe presque plus aucun véritable Gitan ». L'année suivante, en Prusse, apparaît la première « prescription » destinée à « combattre la non-créature gitane », le *Zigeunerunwesen*.

La différence entre Gitans autochtones et étrangers se métamorphose au gré d'innombrables fausses distinctions entre Gitans nomades et sédentarisés, autre façon de déterminer qui sont les « vrais » Gitans. Très souvent, le châtiment engendre le crime : de même que les Gitans étaient exclus des églises parce qu'ils étaient irréligieux, de même la confiscation de leurs biens les obligeait à devenir nomades ou mendiants. Bien que les nomades aient parfois été vus comme les Gitans purs, nobles, le nomadisme a souvent été cité comme preuve de dégénérescence morale. Dans les années 1950, une loi tchèque l'explique : « Le nomade est celui qui, en groupe ou individuellement, erre d'un lieu à l'autre en évitant le travail honnête ou qui gagne sa vie de manière honteuse. »

Jerzy Ficowski, poète polonais, mécène de Papusza et avocat de la sédentarisation, offrit aux lecteurs du *Journal de la Société pour le folklore tzigane* ce compte-rendu de la situation en Pologne dans les années 1950 : « Le premier grand projet des autorités consistait à persuader les Tziganes de travailler dans les fermes d'Etat. » 112 Gitans pauvres venus de la région montagneuse de Nowy Targ, dans le sud du pays, furent envoyés dans les fermes de Szczecin, dans le Nord-Ouest. Malgré une nette amélioration de leurs conditions de vie, moins de la moitié d'entre eux restèrent là-bas. « La seconde grande entreprise était l'emploi des Tziganes à Nowa Huta. » Ce vaste complexe industriel regroupait une « communauté » et des aciéries apparues dans les années 1940. Environ 160 Gitans furent « pilotés » vers le site, bientôt rejoints par d'autres encore. Ils étaient logés dans des immeubles particuliers (à l'écart du reste de la population). Ficowski mentionne une « crise » du logement parmi les ouvriers tziganes, mais il évoque aussi les réussites. Les enfants étaient scolarisés et certains adultes illettrés suivaient également des cours. « Le journal de Nowa Huta, *Nous construisons le socialisme*, mentionne fréquemment les constructeurs gitans de la cité socialiste. Le 14 juillet 1952, par exemple, il a publié la photographie d'Irène Gabor. » Déçu, Ficowski avoue un peu trop vite les autres résultats de cette tentative visant à créer un prolétariat gitan :

> Parfois, cependant, le besoin « anarchique » d'indépendance absolue pousse les Tziganes à fuir le confort de Nowa Huta pour retrouver une vie misérable [...]. Non seulement les nomades, mais aussi les Gitans montagnards partent quelquefois. Les Tziganes sont attirés moins par la vie nomade que par le rejet de l'autorité et l'absence de discipline et de subordination. « Nous partons chercher la liberté », disent-ils en quittant Nowa Huta pour reprendre leur ancien mode de vie. L'année 1952 a vu se produire un événement inconcevable pour des observateurs non gitans. Certaines familles de l'immeuble 37 sont allées vivre dans des baraquements en planches, dans un endroit boisé non loin de Nowa Huta. Ils ont dit qu'habiter une maison, c'était comme vivre en prison.

Leur départ n'est peut-être pas aussi étonnant que Ficowski l'imaginait, du moins pour ceux qui ont pu visiter Nowa Huta. Cette banlieue industrielle de Cracovie est aujourd'hui mentionnée dans les guides touristiques comme parfait exemple des désastres écologiques que peuvent engendrer ces régimes optimistes. La situation paraissait sans doute différente il y a quarante ans, mais les « maisons » dont le refus choquait Ficowski sont encore là : des appartements anonymes pris dans la terne monotonie d'immenses usines, qui continuent à fournir plus de la moitié de la production polonaise d'acier, dans un dégagement continu d'épaisses fumées qui piquent les yeux.

Beaucoup de Gitans restent mobiles selon un rythme saisonnier. D'autres se déplacent régulièrement, environ tous les dix ans ou même après avoir passé trente ans au même endroit. Lorsqu'on leur a permis de se fixer (au lieu de les y contraindre), ils se sont généralement sédentarisés. Par exemple, même si le voyage allait peu après être interdit, dès 1893 un recensement en Slovaquie indiquait que moins de 2 % des 36 000 Gitans locaux étaient nomades. Par la suite, durant les deux décennies qui précèdent la Première Guerre mondiale, près d'un *quart* de tous les Slovaques blancs (plus de 500 000 personnes) émigrèrent vers les Etats-Unis.

Le fait que des terrains municipaux (y compris des terrains cachés) sont aujourd'hui mis à la disposition des Gitans indique que la réaction accablée du public est autant liée au mépris des valeurs « normales » (fondées sur l'inviolabilité de la propriété privée) qu'aux immondices. Partout, les autorités sont soutenues par le commun des mortels : dans un monde éclairé, ou du moins dans un monde bercé par l'euphémisme, il est toujours bien vu de détester les Gitans.

En Grande-Bretagne comme en France, les Gitans ne sont plus simplement expulsés. La législation varie d'une région à l'autre (et souvent de manière contradictoire) mais elle applique la même politique de rejet. Les Gitans d'Europe de l'Est tendent à vivre dans des ghettos à l'extérieur des villages. La réticence à leur fournir des zones de campements propres et légitimes signifie qu'à l'Ouest les emplacements réservés se trouvent également à la lisière des villes, généralement sur la décharge municipale ; les Gitans deviennent ainsi ce qu'ils sont censés être : sales et malodorants, porteurs de microbes. Rien d'étonnant à ce qu'ils partent « volontairement ».

En Grande-Bretagne, la situation a paru s'améliorer avec la loi de 1968 sur les emplacements destinés aux caravanes, qui imposait aux autorités locales de mettre des terrains à la disposition des nomades. Mais il est apparu que cette loi n'avait pas seulement pour but d'améliorer les conditions de vie des Gitans : il s'agissait aussi de les sédentariser (« L'on espère qu'à long terme, ils seront complètement intégrés au sein de la population résidente »). Mais les autorités locales britanniques, comme la noblesse Habsbourg et les princes allemands, ont refusé de coopérer. Par exemple, vers le milieu des années 1970, dans les West Midlands, plus d'un million de livres ont été dépensés pour chasser les Gitans des routes « publiques » ; pendant la même période de cinq ans, seules 45 familles se sont vu accorder un emplacement légal.

Malgré les efforts de la Chambre des Lords pour conserver cette loi, le Parlement l'a abrogée en 1994, sur le principe que les Gitans devaient payer pour obtenir leur propre terrain. En même temps, le gouvernement a resserré sa politique d'urbanisme, ce qui rendait cette démarche pratiquement impossible (et lorsqu'on a acheté un terrain, il faut encore déposer des demandes spécifiques pour obtenir l'autorisation d'y vivre, d'y construire un abri, d'y construire une maison, une écurie, etc. ; 95 % des dossiers sont refusés). Faisant écho au vieux débat sur les Gitans vrais ou faux, le ministre de l'Intérieur Michael Howard a étonné les députés en mettant en relief la question marginale des « hippies New Age » et l'un de ses secrétaires d'Etat a brandi le spectre des hordes nomades : « Nous voulons abroger cette loi [parce que] le nombre de ceux qui aspirent au nomadisme a augmenté », a-t-il déclaré, faisant allusion au « bond » quantitatif, passant de 9 800 personnes en 1968 à 13 700 vingt-six ans après. Personne ne parle jamais des quelque 4 000 familles, soit environ 18 000 personnes, qui parcourent les routes parce qu'elles attendent de pouvoir se poser sur un emplacement officiel et non parce qu'elles « aspirent au nomadisme ». L'abrogation de la loi de 1968 a aussitôt dégagé les autorités de l'obligation de fournir ces emplacements et leur a donné les moyens de clôturer et d'exclure (une commune du Sussex a déjà choisi de fermer son terrain). La conséquence inéluctable est bien entendu un accroissement du nombre des « nomades ». La même année, les difficultés que ces derniers rencontrent ont été encore aggravées par le vote de la loi sur la justice criminelle et l'ordre public : entre autres choses, stationner et voyager deviennent des délits.

Dans certains pays d'Europe occidentale, la sédentarisation des Gitans a été accomplie (mais sans intégration), comme c'est globalement le cas à l'Est. Et c'est un désastre. Les emplois traditionnels, déclarés, leur sont interdits, par exemple, en Grande-Bretagne, par la loi de 1964 sur les ferrailleurs : pour la moindre transaction de chiffonnier, il faut désormais fournir tout un dossier et une facture détaillée, tâche insurmontable pour la plupart des nomades à peine alphabétisés (l'illettrisme atteint un taux d'environ 70 %). Autre barrière juridique : il est interdit d'exercer la moindre activité professionnelle sur les emplacements réservés au campement (même décharger un camion). En même temps, les Gitans qui s'installent sur les emplacements officiels n'ont pas le droit de les quitter pour une période prolongée, et ne peuvent donc plus s'engager pour les travaux agricoles saisonniers qu'ils accomplissent depuis toujours : cueillir les cerises et les pommes, ensacher les pommes de terre, ramer le houblon et démarier les betteraves. En Angleterre, le mode de vie traditionnel des Gitans a disparu. Mais il n'y a là rien d'inévitable. Ce n'est pas la mécanisation, la pince-à-linge en plastique, fabriquée à la machine, qu'il faut réellement accuser. C'est plutôt l'action des législateurs qui ont voulu apaiser des peurs universelles mais infondées. Les lois votées depuis quelques années seront sans doute plus dommageables pour les traditions gitanes que la révolution industrielle. Sur tous les espaces de campement publics ou privés, les nouveaux règlements excluent presque toutes les activités qui garantissent aux Gitans une certaine indépendance. On leur a interdit le commerce des sapins de Noël, de la ferraille, des chevaux et des voitures, tout comme les métiers itinérants : élaguer les arbres, goudronner les routes et fabriquer des clôtures. Les Gitans n'ont donc d'autre solution que de se faire entretenir par l'Etat. Très souvent, ceux qui ne se remettent pas en route deviennent, comme les Indiens d'Amérique dans leurs réserves, des Gitans à problèmes.

Mais parmi les Gitans riches et pauvres, à l'Ouest comme à l'Est, l'*impression* de nomadisme persiste, renforcée par l'aspect provisoire qu'ont même leurs maisons construites pour durer. Par exemple, à Chişinău, capitale de la république de Moldavie, indépendante depuis peu, je rencontre un Tzigane originaire de Roumanie et qui s'est fait une petite fortune en fabriquant des sous-vêtements « Chanel ». Il emploie dans son usine plus d'une centaine de couturières, roumaines ou russes ; aucune Gitane, ce dont le marchand de lingerie est très fier. Il m'invite à visiter sa maison toute neuve, un vrai palais, avec neuf tours, des balcons donnant sur une cour intérieure, trois grands salons dont les murs opalescents sont ornés d'extraordinaires scènes pastorales où l'on voit des Gitans très romantiques dans leurs roulottes. La famille est tellement riche qu'elle craint pour sa sécurité et se protège des voisins jaloux grâce à d'énormes chiens de garde. Mais il n'y a ni toilettes ni salle de bains dans ce château ; ils y vivent depuis plus d'un an, mais des fils électriques jaillissent de la plupart des murs, comme si l'argent avait manqué pour l'achèvement des travaux (ce n'est pas le cas). Les femmes font la cuisine en plein air, sur un feu dans la cour, où mange et dort toute la famille, les enfants entassés, comme dans une tente. Jean Cocteau avait remarqué ce trait de caractère chez le célèbre guitariste gitan Django Reinhardt : « Il a vécu comme on rêve de vivre : en roulotte. Et même lorsque ce n'était plus une roulotte c'était encore une roulotte. »

Les sédentaires ont peur des nomades non parce que ce sont des étrangers, mais parce qu'ils sont *trop proches* : ils nous rappellent ce que nous sommes vraiment. Ce que Herbert Spencer appelait notre « instabilité héritée d'ancêtres nomades » (et c'est à lui, non à Darwin, que l'on doit l'expression « survie du mieux adapté ») ressemble aux fantaisies des écrivains voyageurs et n'apporte pas grand-chose aux malheureux qui s'installent de façon temporaire, quand c'est possible. Mais la plupart des Gitans, comme les Esquimaux Caribou avec leur « Grande Agitation », ont aussi conservé quelque chose de leur passé nomade ; cette réputation leur permet de se distinguer, à leurs propres yeux, des indéracinables qui les entourent.

C'est la peur suscitée par les Gitans, parfois accompagnée ou renforcée par le sous-peuplement local, qui a donné lieu à toutes les tentatives d'assimilation. Il existe pourtant une motivation plus ancienne et plus essentielle : les sociétés féodales avaient besoin d'eux comme artisans, comme main-d'œuvre. Les premiers efforts systématiques (« éclairés » par rapport au marquage ou aux massacres perpétrés sous d'autres régimes, en d'autres temps) sont vraisemblablement ceux des monarques Habsbourg, l'impératrice d'Autriche Marie-Thérèse (1740-1780) et son fils Joseph II, qui partagea le trône avec elle à partir de 1765. Seuls les régimes communistes, avec une tactique similaire, ont tenté une transformation sociale des Tziganes d'une telle ampleur. Sous ces souverains, les Gitans de Slovaquie furent considérés comme serfs, et il leur était interdit de se déplacer, de posséder ou de vendre des chevaux, de parler le romani, d'avoir des chefs, et souvent d'élever eux-mêmes leurs enfants (qui, suivant le modèle allemand, étaient confiés à des familles chrétiennes). Marie-Thérèse exigeait que les Gitans soient appelés Ujmagyar, nouveaux Hongrois, ou Neubauern, nouveaux paysans, et remodelés selon cette image. Les réformes les plus positives (améliorer l'instruction et le logement, par exemple) n'eurent aucun résultat parce que la noblesse hongroise refusait d'en supporter le coût. Quelques semaines avant sa mort, Joseph II rédigea lui-même son épitaphe : « Ci-gît Joseph II, qui échoua dans toutes ses entreprises. »

Assurément, après sa mort en 1790, les Gitans reprirent une vie normale : persécutions perpétuelles, calomnie généralisée (dont l'accusation de cannibalisme). D'un autre côté, personne ne s'intéressait plus à leurs enfants, et une société philanthropique apparaissait de temps à autre, comme celle que fondèrent en 1929 des docteurs slovaques pour introduire des acteurs tziganes dans les théâtres et pour parrainer la tournée d'une équipe de football exclusivement constituée de Tziganes. Mais la pauvreté croissante était peut-être pire que les persécutions. « L'incarcération n'a pas sur eux l'effet d'un châtiment, note un fonctionnaire slovaque en 1924, parce que l'emprisonnement ne fait qu'améliorer leurs conditions de vie. » Après la guerre, après les sévices que leur infligea la garde Hlinka, organisme fasciste de Slovaquie, des milliers de Tziganes désespérés émigrèrent vers l'ouest, vers la Bohême et la Moravie. Il y avait du travail pour eux dans les centres industriels, il y avait de la place (dans les maisons abandonnées par les Allemands des Sudètes) et il n'y avait pas d'autres Gitans ; seuls 600 Gitans tchèques avaient échappé au génocide perpétré par les nazis.

Le parti communiste n'était pas sans attraits pour les Tziganes, comme pour les juifs : le parti recrutait des Gitans, et partout l'Armée rouge avait laissé un excellent souvenir. Pourtant, il ne fallut pas longtemps pour que cet afflux au pays de l'espoir soit délibérément et tragiquement détourné. La crainte habituelle des hordes gitanes inspira d'ambitieuses campagnes de « dispersion maximale » : en 1965, il ne s'agissait plus d'expulsion mais d'un projet anticonstitutionnel de « Transfert et dispersion », avec planning démographique et quotas stricts. Le résultat fut la séparation de familles nombreuses, réinstallées de force aux quatre coins du pays. Dans ce contexte, il paraît d'autant plus déprimant que le gouvernement tchèque post-communiste manipule ou impose la migration des Gitans, cette fois vers l'Est, de retour vers la Slovaquie.

Depuis 1993, tous les Slovaques vivant en territoire tchèque doivent demander la citoyenneté, même si, selon le modèle allemand, ils sont nés en territoire tchèque. La loi semble conçue pour priver de droits civils, puis exclure les Gitans en particulier ; presque tous les 300 000 Gitans vivant en république tchèque (ou leurs parents) sont partis ou ont été chassés de Slovaquie. Pour obtenir la citoyenneté, il faut désormais parler couramment le tchèque (la plupart des Gitans parlent le romani et le slovaque), il faut avoir eu une résidence fixe depuis au moins deux ans, et un casier judiciaire vierge depuis cinq ans. Fait significatif, cette dernière exigence fait le pont avec la période communiste, quand beaucoup de Tziganes chômeurs ou travaillant à leur compte étaient arrêtés pour des crimes comme « négligence » ou « absentéisme au travail », fréquemment utilisés comme prétextes pour confier les bébés gitans aux homes d'enfants nationaux. La loi encourage la violence contre les Tziganes (dès avant son application, certains Tchèques d'Ústí nad Labem ont pris les devants en forçant une Gitane native de Tchécoslovaquie à aller accoucher en Slovaquie), ainsi qu'un accroissement du nombre de demandeurs d'asile. Les deux Etats se renvoient ainsi plusieurs familles comme dans une partie de ping-pong. Des milliers de personnes, peut-être des centaines de milliers, risquent de se retrouver sans citoyenneté, ni en république tchèque, ni en Slovaquie ; autrement dit, apatrides.

Si les Européens de l'Est viennent d'adopter la préférence occidentale traditionnelle pour l'expulsion, il n'y a rien de neuf dans l'idée que c'est un crime d'être un Gitan. Tout aussi grave est le crime consistant à *faire semblant* d'être un Gitan (le traître, l'espion et le « prétendu Egyptien »), comme s'il existait ailleurs des Gitans meilleurs, plus nobles, différents des nôtres.

Bien entendu, à l'époque élisabéthaine, les Anglais croyaient réellement que les étrangers se noircissaient délibérément, au brou de noix, même si cela revenait à inciter la population locale à les mettre dehors. Selon un pamphlétaire anglais de 1610, « ils vont toujours par centaines d'hommes ou de femmes, et font que les visages soient noirs, ainsi qu'égyptiens ». La tache ne s'efface pas facilement. En avril 1969, un Anglais que ses nouveaux voisins inquiètent déclare au *Daily Telegraph* : « Si les Gitans ont l'air noir, c'est simplement qu'ils ne se lavent pas. » On les soupçonne de parler l'argot des voleurs, preuve de criminalité du point de vue de ceux qui ne le comprennent pas.

Le mot espagnol *gitano*, comme l'anglais *gypsy*, vient d'« Egyptien », étiquette persistante qui fit son apparition dans la poésie populaire byzantine. Cette appellation fut reprise par les Gitans qui devaient se présenter aux autorités locales ; peut-être croyaient-ils qu'il valait mieux venir de quelque part plutôt que de nulle part, et de préférence d'un pays incontestablement exotique (détail utile pour les diseuses de bonne aventure).

Les Gitans ont souvent tiré profit du mystère de leurs origines. Au XVe siècle, ils avaient déjà compris que les apparences comptent au moins autant que la réalité, et qu'une parenté aristocratique, si vague soit-elle, est indispensable. Le statut de pèlerin était également précieux : les Gitans avaient dû remarquer, durant leur périple en Grèce et à Byzance, que ces voyageurs étaient privilégiés. C'est ainsi qu'apparurent les ducs, comtes, capitaines et rois de la Petite Egypte, avec leurs foules bigarrées de prétendus pèlerins.

Les premiers Gitans en Occident voyageaient toujours sans sauf-conduit, ces premiers passeports en vigueur au Moyen Age et miraculeusement fournis aux Gitans par Sigismond, roi de Hongrie (1368-1437). C'est le sceau officiel qui permettait aux Gitans de passer et, pendant cinquante ans, de se faire passer pour des pèlerins (en quête d'aumônes, bien sûr) durant un séjour pénitentiel de sept années hors de la Petite Egypte.

Ils ne se plongeaient pas dans le thé pour se noircir, mais ils étaient comédiens par vocation et par nécessité ; naturellement, il fallait sans cesse remettre à jour leur comédie. Quelques décennies après leur arrivée en Europe occidentale, seul répit que les Gitans aient peut-être jamais connu, les pèlerinages passèrent de mode. A la fin du XVIe siècle, les brefs papaux avaient à peu près autant de valeur que les deutsche marks à la fin des années 1920 ; l'Eglise « réformée » de Luther attirait des hordes de catholiques et d'orthodoxes ; l'idéalisation franciscaine de la pauvreté n'était plus qu'un lointain souvenir, hélas pour les mendiants. Les Eglises protestante et surtout calviniste étaient très véhémentes à l'encontre des aumônes et des Gitans qui les recevaient. En 1528, dans la préface d'une édition du *Liber Vagatorum*, Martin Luther dénonce la tromperie de ces vagabonds et approuve la répression institutionnalisée. Dans l'époque post-pèlerinage, les Gitans décidèrent de se montrer sous leur vrai jour, comme artistes itinérants, artisans et commerçants ambulants. Cela ne leur permit pas de se faire mieux accepter, surtout auprès des artisans et commerçants locaux, dont les guildes, ancêtres des syndicats, étaient plus efficaces que toute force de police pour faire déguerpir la concurrence.

Plus les Gitans semblent exotiques, plus on les trouve « authentiques » et, paradoxalement, plus ils deviennent acceptables (dans l'imagination locale, sinon dans la taverne locale). Le gagnant est celui qui correspond le mieux au stéréotype. Lorsqu'ils portent leurs vêtements (ou déguisements) traditionnels, les Gitans sont confinés dans le domaine rassurant du folklore ; l'étrange est domestiqué, rendu inoffensif. Les Gitans qui ont abandonné la tenue traditionnelle ne sont plus si agréables à regarder ; ils ne sont plus considérés comme tribu mais comme nuisance. En même temps, la mode s'empare de tous les clichés : depuis les grands bals costumés du XIXe siècle en Angleterre et en France, où les dames se costumaient en paysannes italiennes, en odalisques turques ou en Gitanes, jusqu'au « look tzigane » introduit par Yves Saint-Laurent dans les années 1960. Dès qu'ils peuvent faire l'objet d'une assimilation vestimentaire, les étrangers qui vivent en dehors de la ville cessent de paraître aussi dangereux.

Du point de vue gitan, l'exotisme a aussi son utilité. Avant l'époque du tourisme de masse, les gens payaient plus pour voir danser de curieux étrangers bizarrement vêtus. Et c'est leur origine indienne qui les a aidés à obtenir un statut ethnique particulier au sein des Nations unies. La réputation d'être « étranger » permet surtout d'éviter le contact avec les autochtones. C'est pour cette raison que John Nickels, Gitan américain relativement riche qui dirige la salle de jeux de Wildwood, dans le New Jersey, n'a pas envoyé ses fils à l'école : il avait peur qu'ils ne fréquentent les « filles américaines », qu'ils ne fassent peut-être même un mariage mixte, menace à long terme pour la survie des Gitans.

L'étranger s'expose évidemment à l'expulsion, même si les autorités n'ont pas toujours cru avoir besoin d'un pareil prétexte. Dans l'Angleterre du XVIe siècle, quand il devint clair que beaucoup de ces Egyptiens étaient en fait nés sur place, un nouvel édit « pour éviter tous doutes et ambiguïtés » fut passé, et la peine de mort (qui resta en vigueur de 1562 à 1783) fut étendue non seulement à ceux qui formaient « une compagnie ou fraternité de vagabonds, communément appelés ou s'appelant Egyptiens » mais aussi à ceux « qui se contrefont, se transforment ou se déguisent dans leur vêtement, leur langage ou leur comportement ». Ceux qui s'en tiraient le mieux étaient les bandits et « mendiants robustes » qui devaient être « sévèrement fouettés, brûlés jusqu'aux nerfs de l'oreille droite avec un fer rouge d'environ un pouce de diamètre ». Et la peine de mort fut bientôt étendue encore, pour englober « ceux qui sont ou *deviendront* membres de la fraternité ou compagnie des Egyptiens » (c'est moi qui souligne).

L'énigme, c'est que la survie des Gitans a toujours exigé une certaine adaptation (hélas pour leurs défenseurs, cela implique la tromperie) et une révision constante de leur identité « ethnique ». La plupart des Gitans exercent plusieurs professions à la fois au cours de leur vie ; du point de vue gitan, il n'y a rien d'anormal ou d'incohérent dans le fait d'être à la fois député et marchand de voitures d'occasion. S'ils sont en partie responsables de leur image ambiguë et parfois terrifiante, c'est parce qu'ils n'ont pas voulu se contenter d'être les victimes de cette image. Je pense que c'est avec admiration (mais à une époque très mal choisie, en 1943) que le gitanologue R.A.S. Macfie écrivit dans le *Journal de la société folklo-*

rique gitane : « Si prompts que soient les Gitans à changer de religion et de folklore et à ajouter des mots nouveaux à leur vocabulaire, les ruses grâce auxquelles ils vivent n'ont jamais changé. »

Depuis la guerre, dans l'ex-bloc communiste, l'assimilation forcée a été plus insidieuse, notamment par la stérilisation des femmes lors d'accouchement à l'hôpital et très souvent à leur insu (surtout dans l'est de la Slovaquie). Des mesures moins sournoises se sont également prolongées, dont la confiscation des enfants par des œuvres chrétiennes, pratique restée courante en Suisse jusque 1973.

Et il n'y a jamais aucune pitié pour les Gitans qui protestent. Dans les années 1980 encore, en Pologne, les Tziganes qui ne s'étaient pas soumis aux lois de sédentarisation votées en 1964 ont finalement été expulsés et privés de leur citoyenneté. Un sort comparable était réservé aux Gitans chassés d'Allemagne à la fin des années 1970 puis rejetés par leur Yougoslavie natale. Ils ont parcouru l'Europe par autobus entiers durant une dizaine d'années. L'appellation d'« apatride », attribuée après guerre aux Tziganes qui avaient survécu aux camps, était alors un moyen commode de se débarrasser d'eux ; ils étaient promenés d'une administration à l'autre, de pays en pays. Aujourd'hui, le statut d'apatride garantit la protection, selon les termes de la convention de Genève. Mais les Gitans ne satisfont plus aux exigences, puisqu'ils sont appelés Roumains, Bulgares, etc., même s'ils ne sont pas reconnus comme tels dans les pays concernés.

Tous les Etats européens ont eu leur croisade grandiloquente contre les Gitans. Mais du simple point de vue de la quantité de lois anti-gitans, le Saint Empire romain, complexe de territoires créé par Charlemagne mais toujours symbolisé par la couronne allemande, vaut tout le reste de l'Europe. L'Allemagne a toujours été à l'avant-garde.

7

L'engloutissement

« Nous sommes tous mi-Judas, mi-Jésus », déclare à une équipe de télévision polonaise un grand Gitan estonien, barbu, radieux sous les projecteurs. « C'est la chance qui décide. » Il explique pour quelle raison, selon lui, les nazis ont tenté d'anéantir les Tziganes.

Il est plus de minuit, et les caméras sont plantées à l'intérieur du camp de la mort de Birkenau, cinquante ans jour pour jour après qu'eut pris fin le massacre des quelque 21 000 Tziganes d'Auschwitz. Pour la première fois, les Gitans ont convergé de l'Europe entière, dans des dizaines d'autobus principalement venus des pays de l'Est, pour honorer la mémoire de leurs parents assassinés. Des centaines de personnes veillent toute la nuit dans le camp et, en dehors de quelques thrènes improvisés, à une voix, on n'entend ni chant ni musique ; ils sont simplement assis ensemble, sans cérémonie, à l'aise dans leurs survêtements, leurs shorts et leurs chemises imprimées.

Le lendemain, par 40° à l'ombre, les hommages officiels occupent plusieurs heures ; là encore, le fait est sans précédent. Le Premier ministre polonais, Waldemar Pawlak, prononce un discours, de même que les ambassadeurs israéliens et polonais. On lit à haute voix les lettres de Václav Havel, de Lech Wałęsa et du pape. Rajko Djurić, poète tzigane et président de l'Union gitane internationale, lance un appel passionné à la reconnaissance du génocide. Le Shero Rom, le chef des gitans polonais, prononce une lamentation lyrique dans le plus pur style traditionnel. On peut dire, sans ironie, que son apparence seule atteste du caractère exceptionnel de la journée : il arbore un costume noir luisant, des chaussures en cuir bordeaux, un grand chapeau de paille et, sur son énorme bedaine, une large cravate en tissage de perles attire tous les regards. Plus tard, dans la cathédrale moderne de la ville d'Auschwitz (qui ressemble inévitablement à un vaste crématorium en béton et en briques), le cardinal de Cracovie, revêtu de la pourpre, célèbre une grand-messe de trois heures, à grand renfort d'encens, en honneur des victimes tziganes. Un prêtre tzigane lit la liturgie en romani et un chœur angélique d'enfants tziganes chante sur la galerie. Fait incroyable en ce mercredi après-midi torride, et lors d'une messe pour les Gitans, le bâtiment est plein à craquer, de Polonais principalement.

La nuit de la veillée, vers deux heures du matin, je commence le long parcours qui doit me mener jusqu'à l'hôtel à Oświęcim, la ville d'Auschwitz. Pour rejoindre la grand-route, je fais le tour du camp, mais j'ai l'impression que je n'en finirai jamais. Tous les cinq mètres, les étais en béton marquent la frontière : ils sont encore reliés par des barbelés, et leurs extrémités se replient vers l'intérieur du camp comme des périscopes. Tout à coup, je ne vois plus la lumière des bougies, des torches et des équipes de télévision. Mais ce n'est sans doute pas l'obscurité qui me pousse à revenir vers les Gitans et leurs bus. Ce sont les chiens qui aboient, c'est Auschwitz, Auschwitz de nuit. De retour sur la scène de la veillée, je trouve un ami en la personne de Karpio, grand gitan polonais ombrageux qui m'emmène en voiture. Il me raconte que ses grands-parents sont morts dans le camp et il hausse les épaules avec une indifférence peu convaincante lorsque je lui demande ce qu'il pense de cette commémoration. Karpio garde sa véhémence pour les Sintis, les Gitans allemands, qui ont refusé dédaigneusement de se joindre aux autres et qui ont organisé leur propre mini-cérémonie, sur invitation exclusivement, au consulat allemand de Cracovie. « Des fascistes ! » estime Karpio.

Cette nuit, je veille moi aussi, mais bien malgré moi. L'hôtel Glob surplombe la gare principale et le bâtiment tremble chaque fois que passe un train de nuit, dans un vacarme de cliquetis et de mugissements. Même l'indicateur des chemins de fer interdit d'oublier qu'on est à Auschwitz. Je m'étends sur la minuscule couchette, pardessus la couverture qui gratte, et je m'interroge sur les propos du Gitan estonien : « C'est la chance qui décide. »

Baxt, la chance, peut aussi se traduire par « destinée ». Le surlendemain, par hasard, je survole la Pologne dans le même avion que le poète tzigane Rajko Djurić, qui vit à Berlin, exilé de sa Belgrade natale. A six heures du matin, tandis que l'hôtesse de la LOT nous offre des barres chocolatées, nous parlons de l'Ancien Testament, du sens de l'histoire chez les juifs, et je l'interroge sur la *baxt*.

« *Baxt*, dit Rajko en levant les sourcils et en baissant les yeux, c'est l'idée essentielle pour les Gitans en ce bas monde. »

Ce mot compte plus que *devel*, Dieu, ou *beng*, le diable. L'idée de *baxt* peut être très terre à terre, quand on joue au casino. Ou ce peut être une femme. Certains considèrent que leurs enfants sont leur *baxt*, selon Rajko. Tout peut l'influencer, notamment la manière dont on suit les traditions : respecter les *mule*, l'esprit des morts, et éviter les souillures de toutes sortes (« si je suis impur je n'ai aucune possibilité de *baxt* »). *Baxt* s'oppose à la cohésion sociale, estime Rajko, car elle ne se mesure pas collectivement. Sous sa forme la moins noble, ce n'est qu'un fatalisme, qui encourage la passivité chez les Gitans.

Rajko a été très éloquent au mémorial de l'holocauste. Tandis qu'il parlait, les participants agitaient de petits drapeaux portant le slogan *na bister 500 000*, sous une roue brisée : « N'oubliez pas les 500 000 », le demi-million de Gitans assassinés. Lors de l'atterrissage à Varsovie, il ajoute : « Avant tout, *baxt* concerne le présent et l'avenir proche. »

Les Gitans n'ont pas de mythe concernant la création du monde ou leurs propres origines ; ils n'ont aucune notion d'un passé historique glorieux. Très souvent, leurs souvenirs ne dépassent pas trois ou quatre générations, c'est-à-dire les événements et les personnes dont se souviennent les plus âgés de la communauté. Le reste, c'est de l'histoire ancienne. Ce sentiment leur vient peut-être de l'époque du nomadisme, quand ils laissaient les morts derrière eux, au sens propre, mais il persiste chez un peuple qui, même sédentaire, a peine à survivre.

La Deuxième Guerre mondiale et ses traumatismes sont incontestablement inscrits dans les mémoires, mais il n'existe aucune tradition de commémoration, ou même d'évocation des événements. Certains pensent qu'il serait dangereux d'en parler : « Pourquoi leur donner des idées ? » demande un jeune Gitan hongrois, cinquante ans après. Les Tziganes étaient, avec les juifs, le seul groupe ethnique dont les nazis avaient programmé l'extermination. C'est une histoire qui reste méconnue, même chez les Gitans qui ont survécu.

A Balteni, à une quarantaine de kilomètres de Bucarest, je rencontre une survivante de la déportation en Transdnistrie, région de l'Ukraine occupée par la Roumanie pendant la guerre. Ici, selon la Commission roumaine des crimes de guerre, 36 000 Tziganes ont trouvé la mort entre 1942 et 1944.

« Il y avait beaucoup, beaucoup de gens », déclare Drina, en plissant les yeux comme si elle tentait de revoir cet hiver au cours duquel, cinquante ans avant, sa famille fut massée, avec des centaines d'autres, dans des trains qui les déposèrent au nord d'Odessa, à l'est du Bug. Je sais qu'ils ont été jetés dans des fourgons à bestiaux ; il fallait des semaines pour aller de Bucarest jusqu'aux camps situés en territoire occupé. En voyant le corps frêle de Drina frissonner sous le soleil, je comprends qu'il faisait très froid. Elle semble avoir envie de me dire quelque chose. Elle s'interrompt un moment, la main sur le front, les yeux rivés au sol, comme si elle n'avait pas revu ces souvenirs depuis très longtemps, comme si elle avait du mal à les retrouver. On dirait que personne ne lui a jamais posé cette question. Puis elle se remet à parler, d'une voix claire, sans émotion, comme si elle faisait une déposition lors d'un procès. Lorsqu'elle raconte la dangereuse traversée du Dniestr, avec, de l'autre côté, les territoires occupés et le champ qu'elle devait habiter pendant deux ans, ses enfants et petits-enfants se rassemblent pour écouter, comme si eux non plus n'avaient jamais entendu ce récit fascinant. Certaines des femmes présentes chassent les enfants.

« Tout le monde était pressé de faire partie du premier voyage. » Je lève les yeux vers Igor, l'ami roumain qui me sert d'interprète. « Oui, oui, ajoute Drina en voyant mon air dubitatif. Vous voyez, les bateaux étaient en papier. » Elle s'arrête pour chercher un modèle et ramasse un bout de carton qui traîne à nos pieds, dans la poussière. « Oui, les bateaux étaient comme ça. Ils coulaient au bout de trois ou quatre voyages. On essayait d'être de la première traversée. » Je devine que Drina, alors âgée d'une dizaine d'années, a vu un bateau couler, sans doute surchargé de déportés.

Peu avant que je rencontre Drina, le Parlement roumain a respecté une minute de silence en l'honneur du maréchal Ion Antonescu, leader fasciste responsable de la mort de 270 000 juifs et de la déportation des Tziganes (on fêtait le 45e anniversaire de son exécution pour crimes de guerre). Les déportations vers la Transdnistrie sont maintenant expliquées comme un effort de la part du maréchal pour « sauver » les Gitans des camps de la mort en Pologne (au cours de son procès, Antonescu a proposé une autre justification : « les vols et les meurtres perpétrés à Bucarest et dans d'autres villes étaient étouffés et la population a imploré ma protection »). Le roi Michel de Roumanie, avec ses propres espoirs de restauration, a fourni une autre version, plus convaincante, en 1991 : « Les Tziganes ont été choisis comme victimes spécifiques principalement parce qu'ils n'avaient ni défenseurs ni protection hors de Roumanie. Les nomades persécutés étaient des cibles faciles puisqu'ils n'avaient pas de papiers d'identité. »

Drina ne donne aucun détail sur sa famille, mais elle laisse entendre que bon nombre de ses membres sont morts en Transdnistrie. On dirait que, dans sa famille, la mort n'est jamais loin. Quatre jours avant qu'elle me parle, elle a perdu son petit-fils de sept ans, Luciano. C'est ainsi que nous nous sommes rencontrés : parce que je sais conduire et parce que mon ami Igor a une voiture qui a servi de corbillard.

Les Tziganes Kalderash, encore majoritairement nomades, sont restés proches du mode de vie traditionnel. Les hommes fabriquent des *kazans* en cuivre, de petits alambics artisanaux, et les femmes parcourent le camp, portant des fagots et des seaux d'eau, vêtues de longues jupes fleuries, leurs deux longues nattes nouées ensemble dans le dos et garnies de « pièces d'or » en guise de bijoux (comme ils ont perdu leur or, ils utilisent des étiquettes industrielles numérotées, en aluminium). On voit quelques chiens à la queue coupée, des chevaux qui cherchent de quoi manger dans l'herbe sèche. Les enfants ont l'air timide et farouche ; les femmes, qui se méfient des curieux, perdent rarement leur expression hostile, même en présence d'un invité. On a peine à croire qu'ils vivent si près de la capitale et non au fond d'une épaisse forêt, ou dans le souvenir d'un Gitan d'aujourd'hui.

Environ un mois après, une nuit, nous revenons, Igor et moi, au camp où habite Drina. Il se trouve à environ un kilomètre de l'autoroute et on le raterait facilement : il n'y a pas de route, juste un champ plein de nids-de-poules qu'il faut traverser en voiture. Les Radu possèdent une maison en briques à moitié bâtie, près de l'entrée du camp, mais l'été, ils l'abandonnent en faveur d'une tente, trois mats sur lesquels sont tendus de grands morceaux de toile marqués de traînées de fumée, de la hauteur de deux hommes en son centre. A l'intérieur, ça sent le bois brûlé.

Les hommes se vautrent sur les ballots de paille qui forment le mobilier de la tente, ou s'allongent sur le côté en s'appuyant sur un coude ; les femmes sont agenouillées ou accroupies. Igor et moi, nous nous asseyons en tailleur et nous partageons leur repas carbonisé : épis de maïs rôtis, tomates, oignons et romarin. Nous mangeons tous avec les doigts dans quelques assiettes en fer-blanc cabossées. Le feu fait ressortir le goût de la nourriture, à moins que ce ne soit le goût du feu : tout a la même saveur, succulente.

Durant cette période de deuil, l'alcool est interdit, et il n'est apparemment question que de pertes et de manques, mais l'humeur est presque festive. Florică, l'une des femmes à la mine hostile, me donne sa recette préférée. « Les meilleurs poulets, on ne peut pas les acheter. Ce n'est pas la même chose. Il faut en trouver un, le voir courir, les plus rapides sont les meilleurs. » Quand on a « trouvé » un poulet véloce, on l'enrobe d'argile, avec les plumes, et on le fait rôtir, mais *lentement*, insiste-t-elle avec sévérité, « à l'intérieur » d'un feu : des flammes au-dessus et en dessous, jusqu'à ce que tout le bois soit brûlé. Ensuite, on le laisse reposer un long moment dans les cendres, jusqu'à ce qu'elles disparaissent à leur tour. Puis l'argile se détache. Elle m'en fait la démonstration, trônant avec un port de reine ; à voir ses gestes, on croirait qu'elle ouvre un énorme atlas. Les plumes restent dans l'argile, et voilà votre poulet, lisse et tendre « comme un œuf ». Durant le deuil du petit-fils de Drina, la viande est également interdite, et dans la pantomime de Florica, le poulet a pris la taille d'un mouton.

Nous apprenons comment, une vingtaine d'années auparavant, la police de Ceauşescu, la Securitate, est venue fouiller les tentes et les filles, et a dérobé tout l'or qu'elles portaient dans les cheveux et autour du cou ; cette expérience a été vécue par de nombreux Kalderash roumains, qui gardent toute leur fortune sous forme d'or (qu'on peut porter sur soi). L'or est la dot qui assure le prestige de la famille et garantit un bon mariage aux filles. Les pièces luisantes, avec leurs profils de souverains barbus, leurs devises, leurs millésimes, reflètent la présence d'un ancêtre, vivant, prospère et libre dans ces territoires. Chez les Tziganes, on ne conserve pas les monnaies précieuses dans des écrins en velours ou dans des feuillets en plastique transparent ; on les perce et on les étale sur la gorge, sur les cheveux, comme preuve d'appartenance à une tribu aristocratique (les Gitans déracinés, sédentarisés ou autrement méprisables n'ont pas de pièces d'or). Plusieurs orgueilleuses Kalderash m'ont laissé regarder de près les pièces qu'elles portent : de l'or jaune épais ou mince, souvent vieux d'un siècle.

Sous la tente, j'évoque le « roi des Gitans roumains » auto-proclamé, Ion Cioaba, riche Kalderash de Transylvanie, qui a beaucoup parlé aux journalistes de la restitution de l'or des Kalderash. Cette idée paraît les amuser ; personne ne pourrait leur faire croire qu'ils reverront leurs pièces à l'effigie de François-Joseph. Il semble inutile de mentionner les dommages de guerre.

Lina, autre femme à la mine peu engageante, « se rappelle » l'avant-guerre (elle n'a pas quarante ans), lorsqu'ils voyageaient sans cesse ; ils devaient « déterrer les enfants dans la neige » et même par ces longs hivers dans le camp, aucun d'entre eux n'est jamais tombé malade. « Nos enfants n'y résisteraient pas », déclare-t-elle, en se souvenant peut-être de Luciano. Ce sont ces vérités simples, évocatrices d'un flux ininterrompu de catastrophes, qui me font comprendre leur manque d'intérêt apparent pour leur passé tragique et mouvementé.

Le père de l'enfant mort est inconsolable mais calme, tandis que la mère et les tantes parlent de Luciano avec passion, en racontant surtout leur longue quête d'un traitement médical. Elles ont parcouru tous les hôpitaux de Bucarest et, alors que l'enfant n'a jamais été réellement examiné, on les renvoyait chaque fois chez elles avec un diagnostic différent, mais toujours horrible (d'abord la méningite, puis le sida, maladie surtout infantile en Roumanie), et un petit garçon de plus en plus malade. Les Radu auraient été plus convaincus si les médecins avaient été francs et avaient avoué que la maladie consistait à « être gitan ». C'est un mal qui s'aggrave et, à en juger d'après les réactions des gens, un mal contagieux et qui défigure ses victimes. Igor me confirme ce préjugé en vigueur chez les « manteaux blancs » (nom que les Radu donnent aux docteurs). Il a rencontré la famille un jour où ils faisaient de l'auto-stop ; ils essayaient d'emmener Luciano à l'hôpital, pour la cinquième fois (« Tu t'imagines devoir faire du stop pour aller à l'hôpital avec un enfant malade ? » demande Igor. Et avec toute la famille ?). Il a proposé de les accompagner, dans l'espoir de faire honte à ses compatriotes peu scrupuleux. Un médecin a fini par accepter d'examiner le petit garçon. Ayant deviné qu'il souffrait de malnutrition et de manque de soins, le docteur a remis l'enfant à Igor en haussant les épaules et en ajoutant : « ces gens-là sont indécrottables ».

A l'arrêt suivant, à l'Hôpital n° 9 de Bucarest, le personnel tenait à ce que Luciano reste en observation, contre la volonté de sa famille. Chez les Gitans, séjourner à l'hôpital, quand ce n'est pas pour accoucher, signifie nécessairement la mort. Mais Igor a réussi à persuader les Radu qu'ils n'avaient pas le choix et ils se sont installés à contrecœur dans la salle d'attente, puis dans les jardins de l'hôpital, pendant trois jours. Igor me décrit en riant le nombre croissant de parents et d'amis réunis dans ce campement et l'inquiétude grandissante du personnel de l'hôpital, soulagé de rendre l'enfant pour mettre fin à ce *hadj* imprévu. Quelques mois auparavant, deux mille Gitans venus de toute la Grande-Bretagne, d'Europe et des Etats-Unis s'étaient réunis au Derbyshire Royal Infirmary pour rendre un ultime hommage à Patrick Connor, membre très respecté de la communauté nomade anglaise. Comme les Radu, ils ont occupé la cafétéria et les toilettes jusqu'au jour où ils ont été chassés, puis ils ont campé pendant deux semaines à l'extérieur. Tous ces gens étaient rassemblés pour dire adieu, mais aussi pour demander pardon et pour apaiser l'esprit du mourant, qui aurait pu leur causer de graves ennuis dans l'au-delà. Tout cela devait être accompli *avant* le décès.

Avec un enfant de sept ans, il n'est pas question de demander pardon, mais la famille de Luciano pensait peut-être que son esprit serait aussi malheureux qu'eux, mécontent de ne pas avoir eu droit à toute sa part de vie. Et l'on devine que pour les Gitans, comme pour tout le monde, la mort d'un enfant est particulièrement difficile à supporter, et ne peut sans doute être comprise que comme une intervention de forces maléfiques.

Dans le monde entier, les Gitans déploient des efforts inouïs pour éviter la mort. Non seulement la mort des êtres chers, mais de tout individu connu. Cela va plus loin que la compassion et dégénère en superstition, qui exige bien plus. Lors de la veillée mortuaire, on essaie de faire peur à la mort, en poussant des cris, ou en relevant ses jupes pour un numéro d'exhibitionnisme. On tente de tromper la mort en remplaçant le nom du malade par celui d'une personnalité détestable (un voleur connu, ou un policier) dans l'idée que personne, même la mort, ne voudrait habiter cette âme-là. D'autres se risquent à détourner la malchance vers quelqu'un d'autre. En Grande-Bretagne, dans les années 1940, Brian Vesey-Fitzgerald a relaté comment les Gitans atteints de maladies pulmonaires tentaient un transfert symbolique en respirant trois fois dans la bouche d'un poisson vivant, avant de le relâcher dans l'eau où il avait été pêché. Ils avaient l'espoir que la mort dupée s'en prendrait au poisson.

Finalement, le dernier docteur a dit à Igor, et non aux parents, que Luciano souffrait d'une énorme tumeur au cerveau. En tout cas, il était clair pour tout le monde, sauf pour la famille, qu'il allait bientôt mourir. Comme Igor hésitait, ne sachant trop comment annoncer la nouvelle à la foule rassemblée à l'extérieur, une infirmière lui demanda pourquoi il avait mis le doigt dans cette histoire. De leur côté, les Radu n'étaient pas prêts à accepter le diagnostic. L'enfant était fragile, souffrant, affaibli, mais sa famille voyait là une guerre à mener, même après avoir perdu la bataille. En observant la fureur des Radu contre la mort, même après le décès de l'enfant, j'ai cru comprendre la réticence des Gitans à affronter directement un épisode de leur histoire marqué par des morts violentes à une échelle massive.

Les difficultés des Radu n'ont pas pris fin avec la mort de Luciano. Quand j'arrive au volant du break Dacia d'Igor, l'enfant est mort depuis quatre jours. Après les habituels trois jours de deuil, il est grand temps de l'enterrer, étant donné la chaleur de l'été. Le cercueil est placé à l'entrée d'une tente taille « enfant », dressée pour l'occasion, devant laquelle les pleureuses forment un cercle, assises à terre, leurs jupes déployées comme des soucoupes. Plus loin, les hommes détaillent à Igor le mal qu'ils ont eu à trouver un prêtre et une vraie messe pour Luciano. Je reste devant la petite boîte en pin, encadrée par l'ouverture de la tente, et je vois un très petit garçon mort, coiffé d'un panama.

Luciano porte un pull marron tout propre et un jean tout neuf. Ses poches sont pleines : des liasses de billets bleus, en lei, dans l'une, un peigne, un petit miroir et un nécessaire de couture dans l'autre, pour la route. Ses pieds sont chaussés de sandales en plastique récemment sorties de l'usine, marron foncé et moulées en forme de chaussures lacées, avec coutures et lacets, deux nœuds bien faits, en relief. Il a une main sur le cœur et, même si les ongles sont très longs, comme s'ils poussaient encore, la raideur des doigts, semblables à des griffes, ne laisse pas place au doute. Son chapeau est incliné avec une désinvolture de gangster et cache une bonne partie de son visage ; on ne voit vraiment que sa petite bouche entrouverte aux lèvres fendues. Au fond du cercueil, à côté de sa tête, on a déposé une maquette de bateau en balsa.

A midi, on nous renvoie à Bucarest, avec quatre membres de la famille de Luciano, pour acheter de la nourriture en vue du *pomana*, la fête funéraire. Pendant les premiers jours de deuil, il est interdit de se laver ou de se peigner les cheveux ; le groupe hirsute produit une vive impression. Sans jamais cesser de hurler, ils se battent pour être servis avant tout le monde et pour faire baisser les prix. C'est ce que les gens font sur les marchés, c'est à cela que servent les marchés. Mais la boulangerie, avec sa belle vitrine, semble exiger une autre attitude. Les Roumains fatigués y font sagement la queue, en déplaçant peu à peu leurs lourds paquets vers l'avant, comme les passagers d'un vol longue distance lors du contrôle des papiers dans un aéroport. Abrutis par la chaleur et le chagrin, craignant d'être en retard, nos amis se dirigent vers la tête de la file et jettent leur argent vers l'employée terrorisée sous sa toque en papier, en exigeant tout le pain du magasin. Ils n'obtiennent pas tout ce qu'ils demandent, mais pendant que quelques clientes dans la queue sifflent ou crachent dans leur direction, ils se font servir. C'est le moyen le plus rapide de les faire partir.

Au retour, ils jacassent à l'arrière ; ils ont déjà oublié ces humiliations routinières et font comme si nous n'existions pas, Igor et moi. Ils ne lèvent les yeux que si l'on frappe à la vitre. Nous sommes pris dans un embouteillage à la gare du Nord de Bucarest, lorsqu'une femme d'une cinquantaine d'années s'avance en titubant pour nous saluer ; elle n'a plus qu'une dent et du sang lui coule entre les jambes. Elle vient de danser une java d'ivrogne pour distraire les automobilistes, et elle ne porte qu'un drapeau roumain en guise de pagne, avec un trou au milieu, là où se trouvaient la faucille et le marteau. Les yeux mi-clos, elle éclate d'un rire terrifiant. Igor, qui ne se choque pourtant de rien, en reste pétrifié, muet. Mais nos passagers gloussent : ils ont l'air de trouver cela vraiment drôle. Ou peut-être, après la boulangerie, ils s'amusent de voir quelqu'un qui est incontestablement plus misérable et plus effrayant qu'eux aux yeux de la foule.

Le soulagement éprouvé en nous voyant revenir sains et saufs, et chargés de victuailles, est de très courte durée. Igor et moi devons ensuite nous assurer les services du prêtre orthodoxe local, un vieux charlatan barbu qui, après avoir refusé d'enfiler sa soutane pour un petit Gitan mort, prend une pose bienveillante pour une photo qu'il me supplie de prendre. Ils ne viennent jamais à l'église, se plaint-il, ils ne se marient même pas à l'église. C'est vrai : les Gitans ne se marient ni à l'église ni à la mairie ; ils ont leur propres cérémonies, leurs propres fêtes, ils fondent leurs familles, et c'est seulement quand quelqu'un meurt qu'ils ont besoin, ou envie, de l'église. La mort est pour eux chose terrible, sans comparaison, et le recours à l'église et au *gadjo* qui l'habite est une précaution supplémentaire. Le prêtre se détend un peu lorsqu'il apprend que je suis américaine ; il est gagné à notre cause dès que je glisse dans sa main sèche une liasse de billets bleus presque sans valeur.

Les funérailles de Luciano ont commencé ; les Radu et leurs amis se dirigent vers l'église, pieds nus sur les routes de terre rocailleuse. Il y a deux voitures. Je conduis la première (une Yugo multicolore, dont on a vaguement gonflé le moteur, et qui appartient à l'un des jeunes hommes), avec le prêtre à côté de moi. Igor suit dans son break, avec le corps de Luciano coincé à l'arrière. J'ai un klaxon musical, que son propriétaire, très fier, m'incite à utiliser sans arrêt, malgré l'accompagnement déjà assourdissant des zurlas stridentes, des couvercles de casseroles en guise de cymbales de part et d'autre de la voiture, et des pleureuses dont les hurlements ferment la marche. Je ne crois pas que la voiture aurait pu rouler vite, mais je ne peux pas non plus la faire avancer au rythme du cortège, et elle cale toutes les deux minutes. De temps en temps, on me fait signe de m'arrêter pour que les enfants puissent jeter des grains de blé à tous les carrefours, contre les mauvais esprits (tout ce qui a forme de croix inspire des mesures préventives). Je m'arrête aussi chaque fois que la voiture d'Igor cale : la porte arrière s'ouvre toute seule et le cercueil glisse à moitié dehors. Par-dessus les klaxons et le bruit des couvercles, le prêtre me fait la conversation en criant : il n'est jamais allé en Amérique, mais il a pris l'avion ; quelle est mon opinion sur la campagne roumaine ?

A l'intérieur de la petite église blanchie à la chaux, il fait sombre et frais, et le calme règne enfin. Les innombrables sœurs et cousins du défunt se tiennent autour de lui, un long cierge allumé à la main, et les sanglots discrets soulèvent régulièrement le ventre du père de Luciano. La cérémonie est pourtant perturbée à chaque instant ; cette scène émouvante est gâtée par le vacarme d'un sacristain ivre, près de l'autel.

Quand nous retrouvons la canicule, aux gémissements s'adjoignent les gesticulations violentes : on se frappe la poitrine, on s'arrache les cheveux. Une femme tombe contre moi et s'écroule, prise de convulsions, les yeux révulsés ; les autres, pour ne pas être en reste, prennent d'assaut la fosse creusée juste à l'extérieur du cimetière. Ils n'ont pas le droit d'enterrer leurs morts auprès des non-Gitans de Balteni. Cela leur convient peut-être, car ils ont peur des cimetières. Le prêtre asperge le corps de vin rouge, tiré d'une bouteille ordinaire, on cloue le couvercle et le cercueil de Luciano est descendu dans un caveau ouvert à l'avant. On dirait une grande niche à chien. Certaines personnes, en costume folklorique, le scellent avec des pelletées de ciment frais. C'est ensuite, au cours de la *pomana*, que je rencontre Drina, la grand-mère de Luciano, qui a survécu aux déportations de la guerre. C'est là, à cinquante mètres de la tombe de l'enfant, qu'elle me parle des bateaux en papier sur le Dniestr.

Dans les années 1960, le musicologue britannique Bert Lloyd a écrit que beaucoup des Gitans qu'il a rencontrés lorsqu'il collectait leurs chants « ne pouvaient pas identifier la période de la guerre ». Il parlait de ceux qui étaient restés libres en Roumanie pendant la guerre, comme de ceux qui avaient vécu la déportation. Drina s'incrit dans la deuxième catégorie. Et peut-être l'incertitude, le manque d'engagement dont elle fait preuve ne sont-ils pas si surprenants. Cinquante ans après, ces gens ne peuvent toujours trouver ni médecin ni prêtre et ils sont incapables de faire leurs courses sans déclencher une émeute.

A quinze ans, Karoly Lendvai a perdu tous ses proches. Dans la ville de Szengai, à cent vingt kilomètres au sud-ouest de Budapest, lui et sa famille furent pris dans une rafle de la police hongroise et ils durent parcourir à pied soixante kilomètres, vers Komárom, au nord, jusqu'au camp d'internement de Csillag, dirigé par les Croix fléchées, les fascistes hongrois. Cinquante ans après, les souvenirs de Karoly Lendvai sont encore très clairs. Voici ce qu'il a confié à un journaliste de l'agence Reuters durant l'été 1994.

« Tandis qu'on nous faisait avancer, d'autres se sont joints au groupe, d'autres Tziganes et d'autres gendarmes. Certains bébés sont morts en chemin, ceux qui tentaient de s'enfuir étaient abattus et leurs cadavres restaient sur le bord de la route. Personne ne sait qui ils étaient [...]. Nous sommes restés dans le camp environ deux semaines presque sans nourriture [...]. D'autres gens sont morts quand le typhus est apparu, et d'autres ont été tués. On jetait les morts dans une grande fosse couverte de chaux vive. Les cadavres s'empilaient, couche après couche. Je ne sais pas à quel moment la fosse a fini par être remplie parce qu'un jour, on nous a jetés dans des fourgons à bestiaux pour nous emmener Dieu sait où. »

Lendvai a été sauvé par un raid aérien. Dans la confusion des sirènes et des bombardements, il s'est échappé dans les bois où il est resté caché « pendant près d'un an [...] je n'ai jamais revu les autres ». Lendvai ne connaissait pas le mot Holocauste et, à soixante-cinq ans, il n'arrivait pas à croire que tout cela était arrivé simplement parce que les Gitans étaient des Gitans ; mais il savait que tous les membres de sa famille avaient été assassinés. Les prisonniers du camp d'internement de Csillag étaient transportés vers Auschwitz.

« Crève, Gitan juif ! » Lendvai se rappelle avoir entendu un membre des Croix fléchées lui lancer cette invective alors qu'on le poussait dans le train. Cette malédiction l'étonnait encore, et il s'interrompit pour demander au journaliste : « Pourquoi, mais pourquoi m'a-t-il appelé juif ? »

Les estimations du nombre de Gitans morts durant la guerre fluctuent, pour la seule Hongrie, entre 10 et 80 000 ; ce flou a permis très récemment aux historiens révisionnistes comme László Karsai de formuler l'hypothèse absurde que quelques centaines de Gitans au plus auraient « disparu ». Le sort de nombreux Gitans tchèques reste mystérieux, malgré les documents découverts en 1994 par Paul Polansky, historien amateur de Spillville (Iowa) : au moins 8 000 Tziganes furent assassinés, dont la moitié en territoire tchèque. Avant guerre, la population gitane en Pologne était bien moins abondante ; sur environ 50 000 Tziganes, plus d'un sur cinq est mort. Mais là encore, dans un pays où furent commis la plupart des meurtres, l'amnésie est endémique. Peu après la guerre, Jerzy Ficowski notait :

> A l'exception de deux chants d'Auschwitz, très rarement interprétés, je n'ai remarqué aucune trace des années de guerre dans la vie actuelle des Tziganes polonais. Ils mentionnent rarement leur martyre et n'aiment pas s'attarder sur ce sujet [...]. Leur mode de vie n'a pas changé du tout. Les fours des camps d'extermination ont été oubliés. Leur fertilité est considérable et le taux de croissance de la population est très élevé. La vitalité des Tziganes a triomphé de la mort.

Le mot gitan pour désigner leur holocauste est *porraimos*, l'engloutissement. Ce terme, référence terrible aux événements proprement dits, décrit aussi la manière dont les Tziganes nient ou dissimulent ce qu'ils ont subi pendant la guerre (fait significatif, « porraimos » est un mot encore moins répandu parmi eux que « holocausto »).

La visite des sites des crimes nazis ne suffit pas pour comprendre ce qu'ont subi ceux qui y ont vécu et y sont morts. Certains groupes de victimes sont invisibles (les homosexuels, par exemple) parce qu'ils ont été activement exclus. Pourtant, même là où les atrocités sont illustrées en détail, l'innommable se rapproche de l'inimaginable. Les écrivains commencent à dire ce que la plupart des visiteurs des camps de la mort gardent comme un secret terrible : ils n'ont presque rien ressenti à Auschwitz, par exemple ; ils s'interrogent surtout sur le sens de cette visite rendue à un lieu affreux et sacré, devenu un musée, une destination pour touristes, rempli d'enfants et jonché de canettes de Coca. A Cracovie, de superbes affiches, des dépliants sur papier glacé proposent aux vacanciers des excursions d'une journée, dans les monts Tatras, dans une mine de sel, à Auschwitz. Lors de ma dernière visite, l'« expérience d'Auschwitz » a tout du parcours postmoderne, avec un chauffeur de taxi, Szczepan Kękuś, qui se vante d'avoir véhiculé Steven Spielberg pendant le tournage de *La Liste de Schindler*, et il me tend des pièces à conviction que je ne lui demande pas. Sur une photographie, on voit Szczepan avec l'acteur principal, Liam Neeson ; sur une autre, Spielberg et Szczepan. « Appelez-moi Steve ! » lance Szczepan quand je descends devant l'entrée principale du camp.

Par rapport à la netteté des images de camps nazis que chacun a en tête, bien malgré soi, la visite des lieux vient tout brouiller (on trouve *à l'intérieur* du camp un hôtel et une cafétéria, qui propose aux touristes ses sandwiches jambon-fromage). Dans le cas des Tziganes, cette impression de distance est double : on imaginerait aisément qu'ils n'ont jamais été amenés ici. Je me joins à un groupe de Suédois, menés par une guide polonaise qui ne fait pas la moindre allusion aux Gitans (dans sa version, l'histoire des juifs à Auschwitz n'arrive qu'en seconde position après le récit de l'héroïsme des victimes polonaises). Après la visite, les Suédois se dirigent vers la cafétéria et j'interroge la guide au sujet des Tziganes. « Même ici à Oświęcim, les Gitans ne travaillaient pas. » Voilà tout ce qu'elle a à dire sur les quelque 21 000 Tziganes assassinés à Auschwitz-Birkenau.

L'emplacement du *Zigeunerlager* est indiqué sur le plan placé sous l'arcade qui marque l'accès au vaste site de Birkenau. Le « camp gitan » se trouvait dans une rangée de constructions situées le plus loin possible de l'entrée principale, ce qui veut dire que les Tziganes avaient une vue imprenable sur les chambres à gaz et les fours crématoires. En dehors de quelques cheminées en briques à demi effondrées, il ne reste rien des 38 casernes destinées aux Gitans.

Au bout de trois kilomètres et demi, dans le camp principal d'Auschwitz, les prisons ont été converties en pavillons nationaux, chacun évoquant les pertes d'un ou deux pays : URSS ; Pologne ; Tchécoslovaquie ; Yougoslavie et Autriche ; Hongrie ; France et Belgique ; Italie et Pays-Bas. Une exposition distincte, « Souffrance et lutte des juifs », est installée dans le Bloc 27. D'autres blocs (les numéros 4, 5 et 6) contiennent, en plus des photographies, des documents et des explications techniques sur la machine à tuer, tout ce que les victimes ont laissé sur place. Dans une vitrine, on voit les sept tonnes de cheveux de femmes trouvés à la Libération, répartis en paquets de vingt-cinq kilos chacun, prêts à être vendus 50 pfennigs le kilo, pour servir de bourre dans les costumes (je demande à la guide polonaise pourquoi tous les cheveux sont de la même couleur brunâtre. Les gaz, répond-elle. Le Zyklon B donnait une couleur uniforme à toutes les chevelures et à toutes les peaux). Et voici un mur de lunettes à monture en fil de fer ; un autre de brosses à dents et à cheveux ; de photos d'êtres chers ; de chaussures d'enfants, à boucles et à boutons ; de petites robes et de petits manteaux.

Face à un amas de valises en cuir marron, je me penche pour lire ces noms juifs qui me sont familiers, soigneusement tracés, avec une adresse, en épaisses lettres blanches. Face à tous ces objets, accessoires ordinaires de la vie bourgeoise dans l'Europe civilisée d'avant-guerre, je suis frappée par l'une des raisons pour lesquelles les Tziganes n'ont aucune présence à Auschwitz ou dans nos archives mentales privées : aucun de ces effets personnels ne leur appartient. Ils semblent avoir disparu sans laisser de traces.

Il ne faut pas un grand effort d'imagination pour remarquer l'absence des Gitans même là où l'on s'y attendrait le plus : dans l'abondante production livresque inspirée par l'Holocauste. Du fait de leurs traditions orales et itinérantes, et de leur analphabétisme général, les Gitans n'ont produit que peu d'érudits, d'historiens universitaires ou grand public. Il n'existe guère d'histoire détaillée du *porraimos* due à des non-Gitans. Les Tziganes disparaissent même dans les sources primaires, les décrets grâce auxquels les nazis parvinrent à les assujettir et finalement à les tuer.

Sous le nom « déviants sociaux », ils sont inclus dans les lois conçues pour la catégorie officielle des handicapés (premières victimes des massacres). En juillet 1933 apparaît la Loi de lutte contre la propagation des maladies héréditaires, et en novembre de la même année, les Règles de sécurité et de réforme des criminels endurcis et déviants sociaux. Dans le cadre de ces « mesures », Sintis et Roms se virent imposer la stérilisation. Deux lois de 1935 interdisent le mariage et les relations sexuelles entre Allemands et non-Européens, Gitans inclus. Une fois encore, ils ne sont pas explicitement nommés, mais on peut lire dans le commentaire semi-officiel des Lois de Nuremberg : « En Europe, de manière générale, seuls les juifs et les Gitans sont porteurs de sang étranger. »

La politique nazie envers les Tziganes alla en s'accentuant, ce qui devait mener à une redéfinition de leur statut. Alors qu'en 1937, les Lois anti-criminels les rangent parmi « ceux qui par un comportement antisocial, même s'ils n'ont commis aucun crime, montrent qu'ils refusent de s'intégrer à la société : mendiants, vagabonds (Gitans), prostituées, individus atteints de maladies infectieuses qui ne suivent aucun traitement, etc. », dans la législation postérieure, ils apparaissent dans un autre groupe : « juifs, Gitans et Polonais ». Le débat est le même que pour les juifs : faut-il les définir par la culture ou par la race ? Les nazis utilisaient les deux catégories et finalement, lorsqu'une explication biologique fut fournie pour chaque aspect de la culture et du comportement (la criminalité chez les Tziganes et, avec d'autres attributs, la déviance sexuelle, la vénalité et la soif de pouvoir chez les juifs), les deux catégories ne firent plus qu'une. En 1939, peu après le début de la guerre, quand commença la déportation des Gitans allemands, les règles d'inclusion et d'exemption reflétaient les critères utilisés ensuite pour l'envoi des juifs vers l'est.

Dès le départ, la prévention du crime servit de principal prétexte à l'incarcération des Tziganes, puis à leur extermination. La police allemande se mit à les enfermer en *Zigeunerlager* dès 1934, c'est-à-dire avant que le régime ait énoncé sa définition du Gitan. En juin 1936, le chef de la police de Berlin reçut par une circulaire (et non par une loi) l'autorisation d'arrêter tous les Gitans de Prusse ; 600 Sintis et Roms, avec leurs roulottes, furent aussitôt emmenés, sous la garde policière, dans un dépotoir proche d'un cimetière, à Marzahn, dans la banlieue de Berlin. L'emplacement de ce *Zigeunerlager*, le plus grand à l'époque, était doublement punitif pour les Gitans, compte tenu de leur peur des tombes et de leurs codes d'hygiène complexes. Mais les autorités municipales avaient atteint leur but : nettoyer les rues de Berlin avant l'ouverture des jeux Olympiques (les Tziganes furent envoyés à Dachau à partir de 1936, soit trois ans avant le début de la guerre). Avec seulement trois pompes à eau et deux toilettes, les 600 Gitans installés dans le dépotoir succombèrent vite aux maladies ; la réaction officielle fut : « Les décès en masse dans la zone restreinte ne nous intéressent que dans la mesure où ils représentent une menace pour la population non-gitane. » Le travail obligatoire était imposé aux Tziganes ; ceux qui survécurent jusque 1943 furent alors envoyés à Auschwitz.

Le sort des Gitans se distingue par quelques spécificités frappantes. Bien avant la montée des nazis au pouvoir, des comités de citoyens avaient réussi à obtenir l'évacuation et l'internement des Gitans dans des proto-ghettos qui finirent par se transformer en institutions officielles, les *Zigeunerlager* gérés par les municipalités, comme celui de Marzahn. De fait, quand les nazis arrivèrent au pouvoir, ils n'eurent pas besoin d'inventer la législation employée pour « combattre la peste gitane ». Malgré l'article 104 de la constitution de Weimar, qui garantissait l'égalité devant la loi, les forces de sécurité tenaient depuis 1899 un fichier central des *Zigeuner*. A partir de 1911, chaque dossier inclut empreintes et photos d'identité, non seulement pour les criminels mais pour tous les Tziganes âgés de plus de six ans (on considérait apparemment que ces deux catégories étaient superposables) ; en 1926, la loi de Lutte contre les Gitans, vagabonds et fainéants autorise la police bavaroise à envoyer Sintis et Roms en camp de travail pendant deux ans. Ils étaient donc déjà punis simplement pour être des *Zigeuner*. La loi bavaroise fut adoptée partout et amplifiée pour s'adapter aux besoins locaux des autres états. Les individus répertoriés dans les années 1920 devinrent automatiquement les victimes des lois raciales des années 1930. Les Gitans étaient déjà largement considérés comme « un problème », que devait traiter la police locale et pas seulement les SS, et cela rendit plus facile de les oublier par la suite, dans les recherches historiques, lors des procès ou lors du calcul des compensations.

Lucy Davidowicz, historienne de l'Holocauste, exprime le point de vue de beaucoup de ses collègues lorsqu'elle écrit : « C'est seulement dans la dernière année de la guerre que les idéologues nazis se mirent à considérer les Tziganes non seulement comme un élément social indésirable, mais aussi comme un élément racial indésirable. » Même si la politique nazie à l'égard des Gitans était pleine de contradictions, cette affirmation est évidemment fausse. Les déportations vers Auschwitz ne marquent pas le début d'une attitude raciale face aux Gitans (même si elles en furent souvent la conclusion).

Durant leur séjour à Marzahn, et bientôt dans de nombreux autres camps, les détenus étaient soumis à un examen détaillé par des anthropologues, des psychiatres et autres « savants » employés par l'Office de recherche sur l'hygiène raciale et la biologie démographique, branche du ministère de la Santé. En 1937, les officiers de santé purent établir « un tableau long de plusieurs mètres sur lequel avait été tracé, en lettres et en chiffres minuscules, de quelques millimètres, l'arbre généalogique de tous les Tziganes vivant en Allemagne, sur dix générations ». Il serait utilisé pour étudier « le développement futur de tous les peuples, en particulier le peuple allemand ». L'intérêt nazi pour les caractéristiques raciales des Gitans est attesté dès leur arrivée au pouvoir, et il ne fit que s'accroître, alors que les Tziganes ne représentaient qu'une fraction infime de la population. Ces « camps spéciaux » devinrent, avant guerre, les laboratoires de l'équipe de recherche dirigée par le Dr Robert Ritter, spécialiste de psychologie enfantine reconverti en « hygiéniste racial », qui finit par rassembler 30 000 généalogies. Son but était d'établir le caractère héréditaire des comportements criminels et asociaux.

Ritter et son équipe, notamment son assistante Eva Justin, faisaient des rondes, équipés de seringues, de compas, de tableaux de classification de la couleur des yeux et de la cire pour mouler les visages gitans ; sur les photographies prises par l'équipe, les victimes paraissent stupéfaites, terrorisées (pour garantir une action efficace, les médecins étaient secondés par la police). Quand l'histoire personnelle que les « sujets » racontaient ne coïncidait pas avec les paradigmes prédéterminés, l'équipe complétait le classement selon des catégories telles que « apparence » et « mode de vie ».

C'est en se faisant passer pour une missionnaire qu'Eva Justin entrait en contact avec les Tziganes encore en liberté. Dans ses rapports, elle recommandait la stérilisation des Gitans et des individus ayant du sang gitan, y compris les plus instruits et les plus assimilés ; l'éducation des Gitans était inutile et devait prendre fin. Souvent après l'une de ses visites, le Tzigane interviewé était envoyé dans un camp, parfois avec toute sa famille. Ces expériences, malgré leur exagération dans l'imaginaire collectif, expliquent la méfiance universelle, voire l'hostilité que manifestent les Gitans à l'idée d'être interviewés, surtout sur des questions de parenté.

Les classifications raciales des pseudo-scientifiques ont eu une influence décisive sur la vie de milliers d'êtres humains. Pour une raison absurde, proche du fantasme romantique du « bon sauvage », les Gitans « purs » étaient jugés moins dangereux (et bien sûr beaucoup plus rares) que ceux dans les veines desquels coulait du sang allemand : situation inverse de celle des juifs.

La découverte de tels éléments dans le fichier d'un Gitan pouvait entraîner la perte de la citoyenneté, la stérilisation, et finalement la déportation. Parmi les victimes de la nouvelle classification figuraient des officiers très décorés qui ignoraient tout de leur lointaine parenté tzigane jusqu'au jour où ils furent renvoyés de l'armée du Reich. Dans ses mémoires, le commandant d'Auschwitz, Rudolf Hoess (à ne pas confondre avec le leader adjoint du parti nazi, Rudolf Hess), évoque le cas de « l'un des premiers membres du parti, de sang gitan, qui dirigeait une grande entreprise à Leipzig, qui avait participé à la guerre et avait été plusieurs fois décoré » ; autre exemple, le chef de l'Organisation des jeunes Allemandes à Berlin. Le fait que certains Gitans aient été membres du parti nazi a troublé bon nombre d'historiens juifs, qui y voient la preuve que les Gitans ne sauraient avoir été vus comme « l'ennemi mortel ». Mais il semble plus vraisemblable que, comme pour les collaborateurs juifs, ces gens avaient cru assurer leur survie immédiate par un calcul cynique.

La définition que donne Ritter de l'individu « de sang gitan » était plus large que celle de l'individu « de sang juif ». Sur les 16 arrière-arrière-grands-parents d'une personne donnée, il suffisait que deux soient gitans pour que la personne soit « de sang gitan », et donc puisse être envoyée à Auschwitz (par contraste, avoir un juif parmi ses grands-parents, et donc quatre arrière-arrière-grands-parents juifs, ne suffisait pas pour tomber sous le coup de la législation anti-juive). Ritter fut dénazifié en 1950. En février 1964, Eva Justin fut acquittée de toute accusation par un magistrat de Francfort.

Exemple extrême d'une conception répandue (qui fait écho à ces classifications), Yehuda Bauer, spécialiste de l'Holocauste, affirme que, pour les nazis, tuer un Gitan n'était pas la même chose que tuer un juif : « les Gitans n'étaient pas juifs, il n'était donc pas nécessaire de les assassiner tous ». Il fut certainement question de sauver quelques Gitans. Himmler, célèbre pour avoir dit que « tout le monde a son juif spécial » (c'est-à-dire, celui qu'il faudrait sauver), rêvait d'une sorte de musée vivant du Gitan « pur », où chacune des principales tribus serait représentée. Pourtant, il paraît plus judicieux de retenir les actes plutôt que les paroles des nazis. Les autorités locales ne tenaient aucun compte des instructions leur enjoignant d'exempter les gitans « purs », qu'ils auraient de toute façon eu bien du mal à trouver.

Même si les Gitans n'étaient mentionnés dans aucune des principales lois raciales du Reich, la politique à leur égard était très claire, et elle devint de plus en plus explicite. Les mesures adoptées en 1939 sur les ordres de Himmler sont sans ambiguïté :

> Les informations acquises dans le cadre de la lutte contre la peste gitane, le savoir tiré des recherches biologico-raciales ont montré que [...] la solution finale à la question gitane [...] doit être abordée en gardant à l'esprit la nature fondamentale de cette race.

A l'encontre des recommandations prévoyant d'exempter les Gitans « purs », mais conformément à la radicalisation générale des politiques raciales, le sort des Gitans devint lié à celui des Polonais et des juifs après l'invasion de la Pologne. Adolf Eichmann, comme plusieurs autres hauts dignitaires nazis, dont Reinhard Heydrich, préconisèrent ensuite que la « question gitane » soit « résolue » en même temps que la « question juive », par exemple en ajoutant « trois ou quatre fourgons » de Sintis et de Roms aux trains qui transportaient les juifs viennois en 1940 vers le *Generalgouvernement* (de la Pologne centrale et méridionale occupée par les Allemands).

L'invasion de l'Union soviétique en juin 1941 marque le passage de la persécution à l'extermination pour les juifs comme pour les Tziganes. Des unités de l'armée et de la police, mais en particulier des *Einsatzgruppen* SS, se mirent à fusiller les Gitans en masse (de même que les juifs, les Russes et les malades hospitalisés) en Russie, en Pologne et dans les Balkans. Le massacre était justifié par la vieille rumeur selon laquelle les Gitans étaient des espions, au nombre de 250 000 peut-être. Personne ne sait avec certitude combien de victimes ont pu faire les équipes assassines itinérantes. Le peu d'intérêt des historiens pour ces épisodes, joint aux lacunes de nos connaissances sur les territoires occupés, rend impossible de citer des chiffres précis.

On dit que les soldats allemands étaient démoralisés par ces meurtres ; on recherchait des méthodes « plus humaines ». Début 1940 eurent lieu les premières expériences de *Sonderbehandlung* (traitement spécial, c'est-à-dire mort par le gaz) sur une grande échelle, portant sur les êtres considérés au premier chef comme « indignes de vivre » : les malades chroniques, les handicapés mentaux et physiques, et les Gitans. L'usage du gaz comme méthode d'élimination en masse (et donc le début de la Solution Finale) fut inauguré dans le camp de la mort situé près du village polonais de Chełmno, sur la Ner, le 7 décembre 1941 : le même jour, les Japonais attaquaient Pearl Harbor.

C'est le ghetto de Łódź, où résidaient 160 000 juifs, à seulement 70 kilomètres, en aval de la Ner, qui devint bientôt le principal réservoir d'êtres « indignes de vivre » pour la machine à tuer de Chełmno. Les Gitans étaient incarcérés avec les juifs dans les ghettos de Bialystok, Cracovie, Łódź, L'viv, Radom et Varsovie. On ne trouve guère de récits détaillés de la vie des Tziganes dans les chroniques des ghettos, où vécurent et moururent beaucoup plus de juifs. Il peut donc être utile de donner ici quelques détails (essentiellement empruntés au livre de Ficowski, *Ciganie na polskich drogach*, « Les Gitans sur les routes de Pologne »).

En octobre 1941, une section du ghetto juif fut encerclée par douze mille mètres de fil de fer barbelé spécialement commandé à Poznań, formant un double cordon autour de la zone ainsi définie. Cette barrière, jointe à un fossé rempli d'eau et à une série de postes de sécurité, isolait le futur ghetto tzigane. On connaît l'amour des nazis pour les catégories et les sous-groupes, même vides de sens : on ne sait pas vraiment pourquoi, dans chaque ghetto (et dans les camps de la mort), les Gitans, contingent toujours relativement faible, étaient isolés des juifs et des autres prisonniers.

Alors que les Gitans allemands avaient été envoyés dans des

camps de concentration en Allemagne dès 1934, Łódź devint en novembre 1941 la première ville de Pologne où les Tziganes furent réunis en vue de leur extermination dans un camp. Ils y étaient complètement coupés du monde, invisibles : seuls quelques médecins juifs qui traitaient une épidémie de typhus, puis des fossoyeurs juifs, furent les témoins de leur fin.

A Łódź, les nazis appliquaient une définition très large du mot gitan. Les prisonniers (ils furent 5 000 en quatre jours) incluaient des artistes de cirque et des vagabonds, des « individus errant comme les Gitans » (*nach Zigeunerart umherziehende Personen*), des Sintis allemands, des Kalderash roumaines avec leurs larges jupes fleuries, de nombreux Gitans hongrois, et quelques riches Gitans viennois, notamment une certaine famille Weinrich. La liste des biens confisqués comprend des montres en or, des broches en or, des boucles d'oreilles en diamants, des boucles d'oreilles en ambre, des boucles faites de pièces d'or hongroises ou françaises, des bagues de corail ou d'émeraude, des chaînes en or, et ainsi de suite. A quoi bon recopier cet inventaire ? Peut-être parce que c'est une manière de placer les Gitans, par le biais de leurs bijoux et effets personnels, parmi le reste des victimes, dont les reliques sont présentées dans des vitrines.

Entre le 5 et le 9 novembre, selon les instructions précises d'Adolf Eichmann, cinq convois partirent des camps de l'Autriche occupée vers Łódź. Si à certains endroits on séparait les Gitans pour les fusiller ou les lyncher sans même garder trace de ces meurtres, à Łódź les préparatifs étaient complexes et méticuleux. Chaque convoi transportait exactement mille prisonniers (le dernier en comprenait 1 007, mais cet excédent ne compensait pas le nombre de déportés morts en chemin). Et tous les trains étaient censés arriver à Łódź à 11 h du matin. Tout écart était dûment noté, et l'on tentait de mieux respecter l'horaire le jour suivant. Par exemple, lors du second convoi, parti d'un camp de Furstenfeld, 186 hommes, 218 femmes et 596 enfants arrivèrent à 17 h 50, soit avec près de sept heures de retard. On leur fit donc passer la nuit dans leurs wagons fermés, sur une voie de garage ; le déchargement (accompli en une demi-heure, selon les recommandations) eut lieu le lendemain. Le nombre total de Tziganes amenés au ghetto était de 11 morts et 4 996 vivants. Sur ce chiffre, 2 686 étaient des enfants.

Le « Dr Vogl de Prague », médecin prisonnier (et survivant) du ghetto de Łódź, était obligé de signer des certificats de décès où la cause de la mort était indiquée comme *Herzschwächenheit*, une faiblesse cardiaque, car de nombreux Gitans furent pendus ou étouffés. Kalman Wolkowicz, prisonnier qui travaillait comme infirmier à l'hôpital juif (les Gitans n'y étaient pas traités, pas plus qu'ailleurs), se rappelle le jour où la musique venue du camp tzigane cessa. Quand les instruments furent déclarés *verboten*, le silence ne fut plus interrompu que par les cris et les hurlements des SS et de leurs victimes. Wolkowicz note aussi la malnutrition extrême dans le ghetto gitan ; la tâche des médecins qu'on y envoyait consistait simplement à faire le tri des malades.

Abram Rozenberg, fossoyeur du ghetto, devait apporter les cadavres de Tziganes au cimetière juif.

> Il y avait trois ou quatre convois par jour. Il y avait à chaque fois entre huit et dix cadavres, dont des vieillards et des enfants [...]. J'ai remarqué que la plupart avaient été battus, certains avaient des bleus sur le cou qui indiquaient qu'ils avaient été pendus [...]. Beaucoup de cadavres avaient été massacrés [...], bras et jambes cassés. Ils avaient sans doute résisté. Je n'en suis pas sûr, mais ayant vu les cadavres, j'en suis arrivé à cette conclusion. [...] J'ai découvert que la Kripo [la Kriminalpolizei du Reich] venait chaque jour ordonner aux Gitans de pendre des membres de leur famille. Les pendaisons avaient lieu chez le forgeron du 84/6, rue Brzezinska.

Les Gitans, comme les prisonniers juifs, devaient également jouer le rôle de policiers et de gardes vis-à-vis de leur propre communauté : « Derrière la double clôture en barbelés [...] il y avait trois Tziganes qui montaient la garde. C'étaient les policiers du camp, ils portaient des brassards et tenaient des matraques. En voyant approcher un *Scharführer*, un officier SS, ils couraient vers les Gitans présents dans les parages et les battaient violemment. » En obligeant les victimes à participer à leur propre extermination, on faisait d'eux les criminels asociaux qu'ils étaient selon l'idéologie nazie ; il fallait bien que ce soit leur faute.

Bien avant la création d'un camp destiné aux Tziganes à Auschwitz, le caractère de génocide impitoyable de ce massacre était devenu évident. Une fois dans le ghetto, et ensuite au camp de la mort, le prétexte de la criminalité n'était plus nécessaire. La suppression de cette hypocrisie laborieuse devait être un soulagement, surtout pour tuer les « criminels » les plus jeunes.

Abram Rozenberg se rappelle le meurtre d'un enfant :

> C'était à l'automne, je ne me rappelle pas exactement quelle année [1941], quand vers neuf, dix heures du matin, un chariot est arrivé et, avec mes collègues, nous avons déchargé une caisse contenant des cadavres. A ce moment-là, nous avons entendu un enfant pleurer. Instinctivement, nous avons sursauté, mais une seconde après je me suis approché de la caisse et j'ai soulevé le couvercle. Un petit enfant tzigane en sortit. Il avait des convulsions. Avec un canif, j'ai coupé la corde qu'il avait encore autour du cou. Les convulsions ont continué un moment, mais l'enfant a bientôt repris connaissance. Nous ne comprenions pas ce qu'il disait. Nous nous sommes demandé comment le cacher, mais Sztajnberg, le chef du cimetière, est arrivé à ce moment-là avec Hercberg, le patron de la prison, et ils nous ont dit d'emmener l'enfant à l'hôpital du ghetto. Ils ont vite contacté la Kripo, qui lui a fait quitter l'hôpital. Le lendemain, l'enfant mort fut apporté au cimetière. Il avait été sauvagement assassiné. C'était une petite fille de trois ou quatre ans.

613 Tziganes sont morts dans le ghetto de Łódź ; les autres furent envoyés à Chełmno, camp d'extermination expérimental, où 350 000 personnes furent assassinées. Selon Ficowski, « l'expérience menée sur les prisonniers gitans de Łódź devait servir aux nazis pour organiser un immense centre d'annihilation des Tziganes à Auschwitz [un an après] ». Jan Dernowski, un Polonais qui fut témoin de ces convois, se rappelle une colonne quotidienne

> d'une dizaine de camions de trois tonnes, avec plaques SS. Ces camions, soigneusement bâchés, étaient escortés à l'avant et à l'arrière par des membres de la Gestapo munis de mitraillettes, en voiture [...]. En regardant horrifié cette procession de la mort, car je connaissais bien le but de ce voyage, j'entendais les cris et les gémissements des déportés, sous les bâches légèrement soulevées. Ce n'étaient pas seulement des cris de femmes et d'enfants, mais aussi des cris d'hommes, de beaux et authentiques Gitans.

L'un des rares prisonniers à avoir pu s'évader de Chełmno, Michal Podklebnik, se rappelle qu'« après la liquidation des juifs de beaucoup de petites villes, des convois se mirent à arriver du ghetto de Łódź. D'abord sont venus les Tziganes, environ 5 000, et ensuite les juifs ». La motivation immédiate de ce déplacement des Gitans vers Chełmno n'avait rien d'idéologique : c'était la peur de l'épidémie de typhus qui ravageait leurs logis horriblement surpeuplés dans le ghetto. En général, les juifs furent les premiers envoyés dans les chambres à gaz. Là encore, simple pragmatisme : on avait besoin des logements des juifs pour héberger les Allemands rapatriés.

Chełmno était un camp de la mort, pas un camp de concentration, et les prisonniers étaient d'ordinaire tués à l'arrivée. Mais avant d'avoir le droit de mourir, les Tziganes, comme les juifs, étaient soumis à une comédie ridicule. On leur promettait « de la bonne nourriture et un transfert à l'est, pour le travail ». Mais d'abord, une douche. C'était en janvier. Ils se déshabillaient dans une pièce chauffée et suivaient les panneaux. On leur disait qu'une navette les emmènerait jusqu'aux douches, mais la comédie s'arrêtait là. Des gendarmes les forçaient à monter dans les camions, à coups de matraque. Il s'agissait de chambres à gaz mobiles qui transportaient ensuite les morts vers un charnier situé en pleine forêt (ils partageaient cette fosse commune avec les juifs) avant de revenir chercher une autre fournée de « douchés ».

Il n'y eut aucun survivant du ghetto de Łódź, qui n'exista que quelques mois. Le *Biuletyn Kroniki Codiennej* (la *Chronique quotidienne du ghetto*) signale, à la date des 29 et 30 avril 1942 :

> Dans les bâtiments quittés par les Gitans, on a trouvé d'importantes quantités de nourriture, légumes, sucre et pain dur comme la pierre. Toutes ces provisions ont été désinfectées au chlorure. On a également trouvé des objets : vêtements, instruments de musique, couteaux, etc. Après désinfection, ces bâtiments seront transformés en usines pour la fabrication de sandales en paille.

Un an après, en février 1943, les premiers convois de Gitans allemands arrivèrent au nouveau camp d'Auschwitz-Birkenau. Les prisonniers étaient surtout des Gitans allemands et tchèques, mais venaient aussi d'Autriche, de Pologne, de Russie, de Croatie, de Slovénie, de Hongrie, des Pays-Bas, de Lituanie, de Norvège, de Belgique et de France.

Mieczysław Janka, survivant polonais, se rappelle le camp familial tzigane situé à côté de l'hôpital de Birkenau. « Les hommes accompagnaient nos chants tandis que leurs femmes dansaient. Pour les remercier, nous leur jetions des morceaux d'oignon et des cigarettes. Une nuit, les Gitans furent emmenés et brûlés. » Du *Zigeunerlager*, isolé du reste du camp, les autres prisonniers ont surtout gardé des souvenirs sonores : chant, musique, pleurs, gémissements et hurlements, puis « une nuit », silence. Cette nuit était celle du 2 août 1944.

Le *Zigeunerlager* différait du reste d'Auschwitz-Birkenau par plusieurs aspects. Les hommes, les femmes et les nombreux enfants avaient le droit d'y rester ensemble, en famille (il y avait aussi un *Familienlager* tchèque). Presque jusqu'au bout, ils purent conserver leurs cheveux, ainsi que leurs biens et leur argent, ce qui leur permit au départ d'acheter ou de troquer de la nourriture. Ils portaient leurs propres vêtements, où était cousu le triangle noir (noir pour « asocial » ou parfois vert pour « criminel »), et on leur tatouait un Z pour *Zigeuner* sur le bras gauche. Initialement, comme ma guide polonaise le signalait avec mépris, ils n'étaient pas employés dans des travaux forcés ; ils ne figuraient pas sur la liste des *Arbeitseinsatz*, le registre des travailleurs. Les Tziganes n'étaient donc pas soumis aux sélections régulières, par lesquelles, durant toute l'année, les médecins envoyaient les prisonniers nus à droite ou à gauche, vers le travail ou vers la mort. A la fin, les jeunes Gitans en uniforme furent envoyés travailler dans le camp principal, et un groupe de 200 femmes fut envoyé hors du camp pour aplanir le terrain et ramasser des pierres dans leurs jupes. Les Gitans ne furent « sélectionnés » qu'une seule fois : lorsque tout le camp fut liquidé suite à des ordres venus d'en haut, de Berlin. Il ne restait alors que 4 000 Tziganes vivants sur 23 000.

Josef Mengele, médecin nazi tristement célèbre, s'intéressait particulièrement aux Gitans. L'ordre du génocide le laissa désemparé car il s'était passionnément investi dans ses recherches. Pourtant, selon un témoin, il « parcourut tout le camp » ce jour-là, pour débusquer le moindre enfant caché. Il prit dans sa voiture personnelle ceux qui avaient échappé aux convois de la nuit précédente et les conduisit jusqu'aux chambres à gaz. Et les petits Gitans le suivaient volontiers, car c'était un homme qui, depuis longtemps, leur témoignait de l'affection et leur offrait des sucreries ; ils adoraient Mengele, lui faisaient confiance et lui couraient après en criant : « Oncle Pepi ! Oncle Pepi ! »

Mengele avait créé ce qu'un de ses passagers appela « une sorte de nef des fous très macabre » : un bloc spécial où étaient enfermés les nains, les géants, les individus aux yeux vairons, et surtout les jumeaux, qui le fascinaient. Selon un prisonnier-médecin qui dut travailler avec Mengele, il conservait dans le camp gitan « des échantillons de cheveux, d'yeux [de jumeaux], un matériel pour enregistrer les empreintes des doigts, des mains et des pieds ». Une fois le relevé accompli, il adressait les parties du corps — les yeux surtout, mais parfois la tête entière — à son vieil institut berlinois avant d'envoyer le reste au crématorium (les autopsies de jumeaux avaient lieu à part, dans un laboratoire spécial proche du crématorium). Beaucoup de jumeaux étaient gitans. Certains n'étaient pas jumeaux du tout : ayant constaté le traitement préférentiel qui leur était accordé (nourriture meilleure, logement propre, pas de châtiment corporel), certaines femmes faisaient passer deux enfants de même taille pour des jumeaux. Les jumeaux avaient leur bloc spécifique dans le camp des hommes, le camp des femmes et le camp des Gitans. Ils étaient des sujets particulièrement précieux pour l'étude des « prédispositions héréditaires identiques », prédispositions à la criminalité dans le cas des Gitans. La plupart des jumeaux avaient plus de chance de survivre que les prisonniers ordinaires, mais ce n'est pas vrai dans tous les cas. Une nuit, Mengele fit lui-même une piqûre de chloroforme dans le cœur de quatorze jumeaux gitans sains, afin de pouvoir passer à la dissection de leurs cadavres.

Rien n'explique pourquoi les Tziganes furent isolés dans leur propre camp, derrière leur propre clôture électrifiée, dans des conditions atroces, même selon les normes d'Auschwitz. Peut-être étaient-ils séparés dans l'intérêt de la recherche « scientifique ». Si les premiers camps gitans urbains étaient un lieu idéal pour la recherche généalogique initiale, Auschwitz-Birkenau était un parfait laboratoire de la mort. Mengele avait peut-être une très vive conscience de cette occasion : il était aussi médecin-chef à Birkenau et avait apparemment la pleine responsabilité du camp gitan. Dans ce zoo humain, les maladies rares pouvaient être délibérément propagées à des fins d'observation, et pour expérimenter des « remèdes ». A Dachau et à Buchenwald, les Tziganes recevaient des piqûres d'eau de mer parce que la marine allemande voulait découvrir combien de temps les êtres humains pouvaient survivre en ne se nourrissant que d'eau salée. A Auschwitz, on étudiait principalement les maladies et les tares héréditaires (on y testait aussi les effets de l'acide sur la peau et on changeait la couleur des yeux au moyen de piqûres, entre autres expériences exotiques). Une épidémie de gale permit d'expérimenter un traitement consistant à faire passer le malade d'une cuve de ciment à une autre, chacune étant remplie d'une solution différente de sel et d'acide. Et quand le traitement échouait, on pouvait procéder à l'autopsie immédiatement.

De fait, en cas de désaccord entre les médecins pour déterminer quelle maladie était la plus responsable des ravages causés chez un prisonnier, l'intéressé pouvait être aussitôt disséqué. Mengele abattit ou, selon son expression, « sacrifia » ses jumeaux préférés, une « splendide paire » de Gitans de sept ans, pour régler un « litige » de ce genre. « Ce doit être un cas de tuberculose », avait insisté Mengele ; il revint une heure plus tard, « parlant d'un ton plus calme ». Il déclara à son confrère, médecin prisonnier : « Vous aviez raison. Il n'y avait rien. » Pendant l'heure écoulée, il avait tué les deux petits garçons et avait examiné leurs poumons et d'autres organes.

Au menu des épidémies au *Zigeunerlager*, on trouve le typhus, la typhoïde, le scorbut, la dysenterie et la gale, en plus des poux et des furoncles. Il y avait un hôpital de fortune (les Tziganes malades n'étaient pas envoyés à l'hôpital principal situé juste à côté de leur camp) mais le seul médicament était le camphre, en faible quantité. Les femmes accouchaient sur des tuyaux de poêle qui couraient le long des casernes. Certaines n'accouchaient jamais : on inoculait le typhus à certaines femmes enceintes de plusieurs mois pour constater les effets sur le fœtus. Un témoin a relevé 86 cas semblables.

La maladie la plus exotique dans le camp était le noma, une forme de gangrène normalement rare qui affecte le visage et la bouche. Dans ses mémoires, c'est avec un réel frisson que le commandant Hoess évoque l'épidémie. Les « enfants étaient atteints de noma, maladie qui m'a toujours terrifié parce qu'elle ressemble à la lèpre ; ces enfants émaciés, aux joues creusées de grands trous, cette lente décomposition du corps humain ! ».

On sait que les causes du noma sont la malnutrition et une extrême faiblesse physique ; pourtant, Mengele y trouva une explication raciale. Ayant remarqué « un petit tas d'os » (un petit Gitan souffrant d'un noma avancé), Mengele demanda à un autre prisonnier : « Croiriez-vous que ce gosse a dix ans ? » Il attribuait la décrépitude de l'enfant à son appartenance à « ce genre de race », plutôt qu'à un état iatrogène fatal, c'est-à-dire entretenu par les médecins.

De même, un collègue et ami de Mengele, que Robert Jay Lifton désigne comme Ernest B. dans son ouvrage *The Nazi Doctors*, a décrit les conditions existant dans le *Zigeunerlager* d'Auschwitz : elles « étaient atroces [...], pire que dans tous les autres camps », et constituaient « un très grand problème ». Le Dr B. ajoute : « Depuis que j'ai survécu à ce camp gitan, j'ai conçu une très piètre opinion des Tziganes. Et quand je vois un Tzigane, je fais en sorte de m'enfuir au plus vite [...]. Je ne supporte pas la musique tzigane. » Le Dr B. fait remonter cette répugnance à une période antérieure. Il était « profondément intéressé » par la situation des Gitans, mais il était horrifié par ce qu'il déclare avoir vu : des parents qui mangeaient en laissant leurs enfants mourir de faim.

Cette projection désespérée de sa propre culpabilité est assez transparente : ce sont bien entendu des médecins comme Ernest B. qui affamaient les enfants... et leurs parents (les casernes exclusivement peuplées d'orphelins se sont multipliées à l'intérieur du camp gitan). Cette affirmation sonne faux pour d'autres raisons. Le sentiment familial semble avoir été bien plus fort chez les Tziganes que le désir de survie personnelle. Il est difficile d'imaginer le commandant SS d'Auschwitz se laissant « émouvoir » par les larmes des Gitans, mais les souvenirs de Rudolf Hoess sont plus crédibles :

> Dans les relations personnelles, ils étaient très agressifs ; dans le cadre de tribus particulières, ils étaient unis et attachés les uns aux autres. Dans le camp, lorsqu'on procédait à une sélection pour le travail et qu'il fallait séparer les familles, il y avait des scènes touchantes, pleines de chagrin et de larmes. Les Gitans se calmaient et se rassérénaient uniquement quand on leur disait qu'ils seraient réunis ensuite.

« Pendant un moment, se rappelle Hoess, les Tziganes aptes au travail qui étaient dans le camp principal d'Auschwitz tentaient l'impossible pour voir leur famille, même de loin [...]. Souvent, durant l'appel, nous devions partir à la recherche des plus jeunes. Ils se faufilaient jusqu'au camp gitan [à 3,5 km], parce que leur famille leur manquait. »

Si les Gitans avaient le droit de rester en famille, c'est donc à cause des ennuis qu'ils causaient, ou qu'on prévoyait qu'ils causeraient, si on les séparait. Il y eut de nombreux cas de résistance individuelle durant la liquidation finale du *Zigeunerlager*, surtout de la part des femmes, apparemment. Juste avant de gazer tous les Tziganes restants, Mengele fit transférer une prisonnière dans le camp des femmes, peut-être parce que son mari était allemand. Cependant, ses enfants resteraient en arrière pour attendre la mort. « Vous n'avez même pas le courage de me tuer ! » lui aurait-elle crié, quelques secondes avant d'être fusillée. Une employée du camp, une Sinti, se jeta sur un officier SS pour lui arracher les yeux, avec des gestes de bête sauvage, avant d'être elle aussi abattue. Etait-ce pour rassurer ces mères embarrassantes ou pour satisfaire le sens de l'humour des nazis qu'une école maternelle fut créée, avec manège, pour les frêles enfants du *Zigeunerlager* à peu près un mois avant qu'ils soient tous assassinés ?

Les juifs hongrois amenés à Auschwitz occupèrent brièvement le camp gitan vidé de ses habitants ; après qu'ils eurent été tués, les lieux furent convertis en hôpital pour les femmes.

Quand j'ai commencé mes recherches, je pensais que les Tziganes étaient « les nouveaux juifs » d'Europe de l'Est. Ils sont dispersés en très grand nombre, comme les juifs auparavant, et ils sont les premières victimes des nouvelles démocraties. Mais ce ne sont pas les nouveaux juifs : les Tziganes sont, comme les juifs, de vieux boucs émissaires. Les juifs empoisonnaient les puits ; les Gitans apportaient la peste.

Avant l'âge des Lumières, les Gitans et les juifs incarnaient ensemble, dans l'imaginaire européen, le vagabond pauvre. D'ailleurs, selon certains mythes, les Gitans *étaient* juifs. Dans son *Dictionnaire infernal* (1844), Collin de Plancy raconte comment, au XIVe siècle, les juifs de France et d'Allemagne, rendus responsables des épidémies qui ravageaient ces deux pays, s'enfuirent dans les bois où ils vécurent pendant cinquante ans, dans des grottes souterraines. Lorsqu'ils en sortirent, dit l'histoire, ayant perdu leur fortune et leurs métiers traditionnels, ils furent obligés de gagner leur vie en disant la bonne aventure. Ils prétendaient venir d'Egypte (accusation ancienne rendue plausible par la nouvelle attribution d'une origine sémitique). Collin de Plancy décrit leur « jargon déguisé » comme un mélange « d'hébreu et de mauvais allemand », où les commentateurs se sont empressés de reconnaître le yiddish (alors que la langue des Jenische nomades ou le dialecte germanique des Sintis aurait aussi bien fait l'affaire). Malgré le côté schématique de cette histoire, le désir d'établir une origine sémitique pour les Gitans s'explique aisément par certaines similitudes frappantes dans leur sort commun, fait de persécution et de diaspora.

Les juifs et les Gitans ont chacun leur langue « nationale », leurs lois traditionnelles, leurs codes moraux, leurs rituels, leurs comportements propres ; les uns et les autres ont été associés à des professions particulières, parfois les mêmes (celles qui unissent l'artisanat au commerce, comme il convient à des nomades). Peu à peu, pour le meilleur et pour le pire, ces deux peuples ont été coupés de leur culture traditionnelle par leur dépendance vis-à-vis de la culture de leur société d'accueil.

Les nazis s'intéressaient assurément plus à la question juive qu'à la peste gitane. Après tout, les Tziganes, déjà invisibles socialement et économiquement, ne représentaient qu'une fraction infime de la population européenne : 0,05 % de la population d'Allemagne en 1933. Alors que le juif était dépeint comme une créature exotique et nuisible (les vieux stéréotypes furent réactualisés par une propagande violente, comme *Der Stürmer* de Julius Streicher), les Gitans n'avaient pas besoin d'être noircis davantage. Si faible que soit leur nombre, ils étaient restés l'Autre par excellence dans l'imaginaire européen, sinistre, isolé, à la peau noire, associé au crime et à la sorcellerie. On pouvait tirer parti de leur impopularité (alors que nous voyons un meeting politique dégénérer en pugilat, un leader tzigane me dit, avec une ironie caractéristique : « Jamais auparavant un groupe n'a été aussi persécuté et aussi antipathique »).

Les Lumières ont donné aux juifs européens des occasions de s'instruire et de commercer qui leur étaient refusées jusque-là, et ils purent donc s'élever dans la société comme jamais les Gitans n'ont pu le faire. De leur côté, les Gitans refusaient toute assimilation (notamment par l'éducation) et se tenaient à l'écart de la société. Cette différence d'attitude se reflète dans les réactions très tranchées à l'Holocauste juif et au *porraimos* gitan.

L'oubli du *porraimos* est parfois soutenu par des cas d'amnésie *nationale* durable, dans les territoires occupés mais aussi en France (les Français refusent encore aux chercheurs l'accès aux documents relatifs aux Gitans, probablement pour protéger certains hauts fonctionnaires). Plus généralement, les archives sont consultables, mais les Gitans sont toujours considérés comme un simple détail, quand on ne les omet pas totalement. Dans son étude monumentale de l'Holocauste, en trois volumes, Raul Hilberg consacre moins d'une quinzaine de pages au sort des Gitans européens ; Lucy Davidowicz, dans son ouvrage fascinant sur le détournement de l'Holocauste par les historiens, règle le compte des Gitans en deux paragraphes.

Si cette ignorance quant au traitement réservé aux Gitans par les nazis semble parfois délibérée, c'est peut-être parce que reconnaître leur génocide reviendrait à contredire ce que Sybil Milton, historienne officielle du Mémorial américain de l'Holocauste, décrit comme le credo de ses collègues : « Tous continuent à se focaliser sur le massacre des juifs comme une évolution unique par rapport aux persécutions antérieures, en acceptant l'antisémitisme d'Hitler et du mouvement nazi comme la seule motivation. » Comme le souligne Milton, c'est le même gouvernement, ce sont les mêmes institutions, les mêmes médecins, les mêmes anthropologues et autres « scientifiques raciaux » qui ont conçu et appliqué les mesures eugéniques contre les juifs, les Gitans, les Noirs et les handicapés. A commencer par les lois sur le mariage et la stérilisation et en terminant par le meurtre, les méthodes utilisées pour enregistrer, isoler et enfin éliminer ces groupes « pour la protection du sang allemand » étaient analogues et parfois rigoureusement identiques.

Alors que les juifs étaient montrés du doigt comme les agents d'une conspiration criminelle internationale, les Gitans (désignés comme espions plusieurs siècles auparavant) étaient désormais attaqués en tant que criminels congénitaux. Cette dernière accusation a mieux résisté à l'épreuve du temps.

Lors des procès de l'après-guerre, les nazis ont tenté de justifier le génocide, ou de le distinguer, en affirmant que les Tziganes avaient été punis comme criminels et non comme gitans en soi. Et cette excuse fut acceptée : alors que les documents nécessaires étaient disponibles en quantité suffisante aussitôt après la guerre, le massacre des Sintis et des Roms ne fut pas examiné lors des procès de Nuremberg, et aucun Gitan ne fut appelé à témoigner. A ce jour, un seul nazi, Ernst-August König, a été spécifiquement condamné pour crime commis contre les Tziganes. En prison à perpétuité, cet ancien garde d'Auschwitz âgé de 71 ans s'est pendu dans sa cellule le 18 septembre 1991.

Beaucoup d'« experts » sur les « affaires gitanes » durant la période nazie ont continué à étudier le problème sous le régime fédéral, et la plupart des Tziganes n'ont pas constaté de différence majeure malgré l'effondrement du Troisième Reich. En 1953, les dossiers, les généalogies et les « témoignages raciaux » de Ritter furent remis à un organisme nouvellement créé (ou nouvellement nommé), l'Office des errants de la police criminelle bavaroise, dont le personnel incluait l'un de ses anciens collègues SS. Quant à Ritter, apprécié en tant que conseiller du gouvernement fédéral pour sa « profonde connaissance de la situation des Gitans », il revint à ses travaux sur la psychologie enfantine.

En 1956, un tribunal fédéral prit comme point de départ des persécutions raciales l'année 1943 (quand les déportations à Auschwitz commencèrent), ce qui revenait à nier toute responsabilité envers la majorité des survivants gitans. Avant cette date, les mesures « de police et de sécurité » prises à leur encontre étaient légitimées par leurs prétendues « caractéristiques asociales ». C'est seulement dans les années 1960 que la justice allemande décida de remonter jusqu'à l'année 1938, mais la plupart des survivants de l'Holocauste étaient déjà morts ou irrémédiablement dispersés. Dans les pays du bloc communiste, les Tziganes ont également été désavoués. Il était commode pour les gouvernements de sous-estimer le nombre d'indésirables vivant sur leurs territoires ; ainsi, même pour des régimes prêts à honorer les « victimes du fascisme » (les juifs reçurent très vite et très facilement des compensations en Hongrie et en Tchécoslovaquie), un nombre dérisoire d'habitants gitans rendait politiquement possible de négliger leurs prétentions légitimes. A la même époque, la culture tzigane, en particulier leur contribution musicale, était l'un des éléments décisifs de l'identité folklorique de la Hongrie.

Le génocide des Sintis et Roms par les nazis fut officiellement reconnu en 1982, par Helmut Schmidt. Mais bien peu de choses ont changé. Les quelques survivants tziganes capables de surmonter les obstacles bureaucratiques trouvent souvent que le jeu n'en vaut pas la chandelle. Par exemple, en cas de succès, tous les versements au titre de la sécurité sociale perçus depuis 1945 sont automatiquement déduits des réparations, comme s'il s'agissait de la même chose. Pour les enfants des victimes, inutile de se risquer à une tentative ; contrairement à leurs homologues juifs, les Tziganes laissés orphelins par les nazis n'ont droit à rien. Mais qui oserait s'en plaindre ?

Très peu de Gitans connaissent leur histoire collective, mais aucun n'ignore cet héritage de persécution. Beaucoup (mais pas la majorité) des Tziganes installés dans les Balkans ont une idée du sort qui leur fut réservé par le Troisième Reich et par les régimes frères en Bulgarie et dans les terres tchèques, en Croatie, en Hongrie, en Roumanie et en Slovaquie, comme dans les pays occupés, Albanie, Serbie et Grèce. Par une ironie du sort, les Tziganes se précipitent aujourd'hui vers l'Allemagne (on a peine à imaginer une attraction magnétique de ce pays pour les derniers juifs d'Europe de l'Est). Alors que les mouvements d'émancipation gitane travaillent à changer cet état d'esprit, c'est un instinct puissant qui pousse à vouloir effacer le passé.

Parmi les Gitans, pourtant, « oubli » ne signifie pas soumission : il s'agit parfois, au contraire, d'une attitude de défi. En 1993, alors que je visite un misérable quartier tzigane que des Roumains ont incendié, je suis accompagnée par un Gitan anglais, Pete Mercer, chef de sa communauté à Peterborough. Face à cette attaque, qui a laissé plusieurs victimes handicapées et des centaines de sans-abri, il réagit avec vigueur, mais avec un juron élégant. Dans mon carnet, Pete inscrit « Hony swacky mally Asbestos », avec une traduction en dessous : comme beaucoup de Britanniques, il connaît au moins phonétiquement la devise de l'Ordre de la Jarretière, *Honi soit qui mal y pense*, mais il en remplace le dernier mot par le terme anglais pour « amiante » : « Allez vous faire voir, je suis ignifugé. »

Les juifs ont réagi à la persécution et à la dispersion par une monumentale industrie du souvenir. Les Tziganes, avec leur propre mélange de fatalisme et d'hédonisme, ont fait de l'oubli un art.

Historiquement, les Gitans n'ont aucune idée d'eux-mêmes en tant que groupe, et n'ont pas même de mot pour se désigner ainsi. Au lieu d'une nation, ils ne reconnaissent que diverses tribus et, plus localement, de grandes familles, des clans. Leurs noms européens, Gitans ou Tziganes, suggèrent un tout monolithique. Cela ne reflète pas la perception qu'ils ont d'eux-mêmes, mais la façon dont les autres les voient.

Mais les choses sont en train de changer. De même que les Esquimaux ont choisi de se baptiser Inuits, « les gens », le mot Roma commence à être employé, et il correspond à une nouvelle identité *collective*. C'est ce début de reconnaissance qui rend possible le projet de souvenir. La conscience des malheurs locaux et personnels se transforme en une conscience des torts historiquement subis. Et pour la première fois, les Gitans veulent commémorer le *porraimos*.

Le 14 avril 1994, le Mémorial américain de l'Holocauste organise son premier hommage aux victimes tziganes. Parmi les participants figurent Ian Hancock, Gitan anglais qui vit aujourd'hui à Buda, au Texas. C'est Hancock qui a conçu le terme *porraimos* ; c'est lui qui a mené, plus ou moins seul, la longue bataille pour aboutir à l'inclusion des Gitans dans le musée ; les 65 membres du conseil d'administration du Mémorial (fondé en 1979) comprenaient déjà des Polonais, des Russes, des Ukrainiens et plus de trente juifs. C'est seulement après la démission en 1986 du président Elie Wiesel, survivant des camps et prix Nobel de la Paix, hostile à toute représentation gitane, qu'un Gitan fut invité à siéger au conseil.

En cette journée printanière, une poignée de Gitans sont réunis sous les marbres du Hall du Souvenir. Ils viennent du New Jersey, de Minneapolis, de Los Angeles, de Budapest, de Bucarest, de Bratislava et de Cracovie. Hancock (de Londres et de Buda), que je connais de longue date, mais que j'ai toujours vu intraitable, a les larmes aux yeux, plein de fierté en cette occasion solennelle. Pourtant, il fulmine encore contre le recoin consacré aux Tziganes à l'intérieur du Mémorial, décoré comme pour un spectacle scolaire, avec sa roulotte et son violon. Sous l'étiquette « Ennemis de l'Etat », son peuple se perd dans la foule des « indésirables » : « communistes, Socio-démocrates, syndicalistes, pacifistes, homosexuels, prêtres réfractaires, témoins de Jéhovah, francs-maçons, Roms (Gitans), Slaves et autres ». Dans les collections permanentes du musée, seuls les juifs sont décrits comme ennemis raciaux et donc comme uniques victimes de l'annihilation.

Trois Tziganes d'Europe de l'Est ont pris la parole. Leur seule présence dans le Hall du Souvenir est la preuve d'un changement, tout comme leur témoignage, en début de journée, lors d'une audience spéciale consacrée aux violations des droits de l'homme à l'encontre des Gitans. Cependant, ce qu'ils racontent laisse entendre surtout que l'Holocauste a appris à leurs parents l'utilité de l'oubli et qu'ils sont très conscients du rôle du *baxt*, du hasard, de la chance ou du destin. Une représentation significative des Gitans fera partie de la communauté du souvenir, mais beaucoup resteront à l'écart, inquiets et vivant uniquement dans le présent.

Dans les années 1930, Jan Yoors, un petit Belge âgé de douze ans, quitta sa maison pour se joindre à une troupe itinérante de Gitans Lovara. Des années après, il transcrivit les souvenirs qu'il avait de son peuple adoptif :

> Les Tziganes ne réagissent pas devant des persécutions qui ont souvent un caractère odieux. J'ai d'abord attribué cette résignation au fait qu'ils manquent de protection officielle. Ce n'est pas le fond du problème. En les fréquentant assidûment, j'ai compris à quel point la haine leur est étrangère. Pulika, mon père adoptif, disait : « Le manque de courage devant la mort est un manque de courage devant la vie. »

Pendant la guerre, Yoors fut contacté par la Résistance britannique. Avec leur connaissance des forêts et des chemins détournés, les Tziganes étaient des membres rêvés pour un réseau souterrain. En plus des talents développés par une *nation* souterraine, c'est pourtant cet instinct de vivre dans le présent qui rendait les Gitans si précieux aux yeux de la Résistance, et qui explique aussi leur manque d'intérêt pour le passé. Dans *La Croisée des chemins, La Guerre secrète des Tziganes 1940-1944*, Yoors retrouve Pulika et sa famille, chargé d'une mission. Ce second livre se conclut sur un exemple de la sagesse de Pulika en temps de guerre : « Un jour tu réapprendras à ouvrir ton poing fermé. Seule la vie a un sens. » Ou, comme le dit le proverbe gitan gallois : « L'hiver nous demandera ce qu'on a fait l'été. »

8

La tentation d'exister

Dans une brochure de 1972 intitulée *La Population de Roumanie*, Roumains, Hongrois et Allemands représentent 99 % de la population, le reste comprenant les « autres nationalités » : « Ukrainiens, Ruthéniens, Hutsulains, Serbes, Croates, Slovaques, Russes, Tartares, Turcs, juifs, etc. » Les Roms de Roumanie, la principale minorité du pays depuis longtemps (15 % de la population totale en 1992), étaient donc simplement désignés comme « etc. ».

Nicolae Gheorghe, activiste érudit et inattendu, était l'un de ces « etc. ». Mais après 1989, il est devenu une sorte de star, fêtée par la « communauté internationale » et saluée comme l'une des nouvelles célébrités du conflit ethnique et des droits des minorités (comme, par exemple, Rigoberta Menchú, prix Nobel de la Paix, ou le martyr Chico Mendes). Nicolae Gheorghe a projeté sur le devant de la scène non seulement les Tziganes mais aussi ses propres talents. Dans la presse étrangère, son nom est toujours mentionné dès qu'il est question des Gitans.

Comme beaucoup de célébrités, il est insaisissable. A la lettre G, dans mon carnet d'adresses, j'ai noté une demi-douzaine de numéros de téléphone pour Gheorghe, dont aucun n'est le sien. Il faut une demi-douzaine de conversations téléphoniques pour retrouver sa trace : l'une après l'autre, ses secrétaire/femme/sœur me disent (avec méfiance/impatience/ennui) que Nicolae est à un colloque, reçoit un prix à Helsinki/Varsovie/Genève/New York. Il slalome de sommet en symposium, visite une vingtaine de capitales par an et vit frugalement, grâce aux indemnités. Comme il convient au porte-parole d'un peuple apatride et théoriquement nomade, même chez lui à Bucarest, Nicolae n'a pas d'adresse fixe mais seulement une boîte postale. Dans ses bagages, il transporte un ordinateur portable, le carnet à spirale dans lequel il tient son journal, quelques chemises et foulards. Nicolae essaye toujours de détourner l'attention de lui-même ; un tel intérêt n'éclaire pas sa cause, mais son conflit personnel. Universitaire par inclination, Gheorghe est devenu un activiste par sens du devoir (même s'il a su combiner ces différents rôles en étant un activiste de l'intellect, qui défend des idées et se bat pour des théories). Il n'a réellement aucun désir d'enrichissement personnel et fait don de toutes ses récompenses à des projets au profit des Gitans. Il ne s'appuie sur aucune clientèle, et d'autres Gitans ambitieux lui envient le prestige apparent de son mode de vie, qui se rapproche plutôt du rythme trépidant d'un représentant de commerce.

Nicolae a grandi dans une famille *romanizat*, roumanisée, où l'on ne parlait que la langue nationale. Sa mère, à la peau claire, décourageait toute identification avec les *ţigani*. Ce n'était pas vraiment un choix défendable, car du côté du père, on avait la peau très noire ; mais avec son fils, elle était inébranlable. C'est en passant pour une *gadji* qu'elle avait échappé à la déportation. A la maison, les Gheorghe admettaient qu'ils étaient roms, et bien que ce mot devienne un euphémisme politique, ils l'utilisaient pour se distinguer des *ţigani*, par quoi ils désignaient, comme tous les Roumains, les Tziganes corrompus et/ou socialement inférieurs.

Ces taxinomies n'étaient pas respectées à l'école, cependant, et Nicolae, qui n'est pas plus noir que beaucoup de Roumains, garde un souvenir douloureux des autres écoliers qui lui criaient *Ga ! Ga ! ! Cioră !* En roumain, *cioră* signifie corbeau, oiseau nuisible et noir, et *ga* est le cri du corbeau. *Cioră, Cioră, măta zboară tactu, cintă la vioară* : Ta mère s'envole, ton père joue du violon. A l'académie militaire où il a passé six ans, Nicolae est devenu le chef de la Ligue des jeunes communistes ; à l'université, il s'est inscrit au Parti, s'éloignant de plus en plus de toute identité tzigane. Même si les Gitans, appréciés pour leurs talents spécifiques, avaient jadis été *intégrés* dans les territoires roumains, nombre d'entre eux ont été assimilés pour la première fois dans les années 1960, instruits et formés comme militants de base, pour le meilleur et pour le pire. Ils ont perdu en « mobilité culturelle », comme dirait Nicolae, mais ont certainement gagné en mobilité sociale. Néanmoins, Nicolae se rappelle avoir été appelé « Africain » à l'académie militaire.

Puis un jour, durant ses recherches pour son diplôme de sociologie, Nicolae est entré en contact avec de « vrais » Tziganes. Ce fut une révélation. Selon Sam Beck, sociologue américain qui a rencontré Nicolae dans le cadre de ses propres recherches en Roumanie en 1979, Gheorghe avait alors déjà essayé d'organiser ce qu'il appelait « une association officielle et volontaire de Tziganes », tentative audacieuse à une époque où « la politique ethnique était conçue soit comme une menace contre l'Etat ou comme une forme de patriotisme illégal ». En même temps, sous Ceaușescu, ses travaux et même ses conseils ont été utilisés pour élaborer une politique qui lui inspirait des sentiments mitigés.

Alors que les Gitans étaient toujours « etc. » du point de vue officiel, le Parti communiste roumain était animé du secret désir de faire quelque chose pour ce peuple mystérieux dont les membres nombreux ne reflétaient pas les réussites de l'Etat roumain moderne. Un comité fut donc formé. Nicolae Gheorghe a travaillé pour la Commission démographique de 1976 à 1989. Il ne se faisait pas d'illusions sur son objectif (la dispersion et, ainsi, l'assimilation des Tziganes) et n'a pas dû être surpris d'apprendre que la police jouait un rôle décisif dans ce projet.

En 1983, la section Propagande du comité central a publié un rapport qui évaluait l'œuvre de la Commission :

> Bon nombre d'entre eux, persistant dans des traditions et des mentalités rétrogrades, tendent à se conduire en parasites, refusent de travailler et vivent dans des conditions précaires. [Ils] résistent aux mesures hygiéniques et sanitaires [...] et refusent de participer à des activités pour le bien de la société.

La « résistance » tzigane à l'hygiène peut s'expliquer par le fait que, aujourd'hui comme hier, l'eau courante et les services sanitaires s'étendent rarement jusqu'aux quartiers gitans, même quand ceux-ci se trouvent à l'intérieur des villes. Mais le ramassage des ordures ne faisait pas partie des remèdes proposés par le comité, qui suggérait en revanche qu'on délivre à tous les Tziganes des cartes d'identification policière et qu'on les prive de tout moyen de transport personnel, comme les chevaux et les carrioles. Les vagabonds et les mendiants devaient être pris en charge, et leur éducation se concentrerait sur les aspects moraux et sanitaires, en mettant « l'accent particulièrement sur le respect des lois, des documents et des décisions du Parti ».

Après la publication du rapport de la commission en 1984, Nicolae a rédigé son propre rapport : un article révélant et dénonçant les nouvelles mesures oppressives, article qui sortit de Roumanie sous le manteau et qui fut publié dans un journal français. Peu de temps après, Nicolae fut victime de la délation et il fut soumis à une campagne de terreur qui lui fit perdre son emploi et détruisit sa famille. Ses enfants, qui sont à moitié tziganes, avaient grandi loin des questions de l'émancipation des Roms, c'est-à-dire aussi loin de leur père. Il avait apparemment tout perdu.

Dix ans après, Gheorghe est encore partagé entre les deux camps. Il conserve son attirance initiale pour les valeurs humaines, internationalistes, du communisme ; son autocritique est exemplaire. Son déchirement vient en partie de ce qu'il doit son éducation à ce système. En outre, comme tout individu qui lutte pour acquérir ces droits dont son groupe est privé, le conflit porte sur le degré auquel il reste un Gitan, non seulement dans sa tête et dans l'esprit des Gitans laissés en arrière, mais aussi aux yeux d'un gouvernement pour qui un Gitan est un être inéducable, un criminel inné : un problème *social.*

En vérité, Nicolae avait fait son deuil de ces valeurs humaines et internationalistes depuis longtemps, bien avant la descente de la Securitate. Dans les années 1970, c'était un membre bien assimilé au sein du Parti communiste roumain ; c'est lui qui a changé en premier, bientôt suivi par tout ce qui l'entourait. Après que Ceauşescu eut dénoncé l'entrée des chars russes dans Prague en 1968, la Roumanie s'est de plus en plus éloignée de Moscou pour se diriger vers ce qu'on connaît sous le nom de nationalisme socialiste : le Parti devint un organe ouvertement nationaliste. Nicolae s'est senti trahi. L'écrivain roumain Norman Manea, juif déporté (il avait cinq ans) par Antonescu, exilé du régime de Ceauşescu, a mis le doigt dessus : « La question de l'étranger dans une société qui aliène tout le monde, tout en forçant chacun à assimiler sa propre aliénation, se cache sous des masques douteux et sinistres. » C'est donc seulement en tant que *sociologue*, en recueillant les témoignages de Gitans désespérés qui avaient survécu aux déportations, que Gheorghe a reconnu en eux sa propre histoire, et peut-être son avenir.

Je suis à présent à Bucarest pour rencontrer Nicolae. J'ai essayé de lui téléphoner, en vain. Je l'appelle à l'heure la plus tardive où j'ose le faire. Une femme décroche à la première sonnerie.

« *Da ?*

— Bonjour, est-ce que Nicolae est là ?

— Non.

— Ah. Eh bien, euh... je m'appelle... Pourriez-vous lui demander de me rappeler quand il rentrera ? » Un silence.

« Non, je ne suis pas sûre de pouvoir faire ça. »

Mon Dieu, il est passé onze heures. Je m'explique sur mes intentions, pour éviter tout malentendu : « En fait, nous devons prendre l'avion demain matin très tôt, pour aller dans un village qui a été attaqué. J'espérais fixer un rendez-vous...

— Nicolae ne rentrera pas ici ce soir. »

Que dire après cela ? J'attends, dans l'espoir que mon interlocutrice m'offrira un indice. Je suis sur le point de raccrocher lorsqu'elle reprend enfin la parole.

« Nicolae a été enlevé. »

Elle s'appelle Ina. Et elle est terrorisée. Comme la plupart des Roumains, c'est une dissimulatrice habile, mais sa frayeur se mesure au fait qu'elle a réuni, en quelques heures, deux avocats américains spécialistes des droits de l'homme, un commentateur de la télévision française, un journaliste roumain et l'envoyé d'une agence de presse. Elle estime que l'attention internationale pourrait aider à galvaniser la police. Ina est convaincue que Nicolae a été enlevé par des leaders tziganes rivaux, Octavian Stoica et Nicolae Bobu, l'homme aux cheveux bleus. Cette intuition est confirmée au cours de la nuit : il a été emmené de force dans une voiture par deux hommes, et le témoin, un Tzigane, a reconnu les ravisseurs.

Le lendemain, de bonne heure, Ina entend une rumeur selon laquelle Nicolae a été emmené dans le nord, à Sibiu, en Transylvanie, où se trouve le quartier général d'Ion Cioaba, racketteur Kalderash et à présent roi des Gitans roumains autoproclamé. A dix heures, on apprend que Nicolae a été conduit vers une petite ville nommée Rîmnicu Vîlcea, à environ quatre heures au nord-ouest de

Bucarest, près du monastère où s'est déroulée la fête annuelle des Kalderash un mois auparavant (c'est aussi la région de Cioaba. Est-il impliqué dans cette affaire ?). Il paraît vraisemblable que Nicolae a été enlevé en vue d'un *kris*, un procès gitan. Si cela est vrai, l'heure est grave. Le *kris* échappe à la loi roumaine ; c'est un procès sans appel.

Lorsque j'arrive à la mairie de ce village reculé, avec le journaliste roumain, seul rescapé de notre équipe initiale, le procès bat son plein. L'accusé, les accusateurs et peut-être quelques notables neutres sont assis sur l'estrade. Cioaba est là, ainsi que Bobu, Stoica et la fille de Cioaba, Luminitsa, connue pour ses frasques. Des cris et des huées montent du public, trois cents Tziganes, parmi les plus sales et les plus agités que j'aie jamais vus réunis dans une pièce. Fidèle à son père, Luminitsa me décrit plus tard cette réunion comme un *kris*, mais on dirait un tribunal irrégulier. Un *kris* doit être annoncé longtemps à l'avance, il doit être public, comme ce procès, mais l'accusé et l'accusateur ont chacun le droit de choisir un juge (ce juge en choisit à son tour un troisième, et éventuellement d'autres encore, selon la gravité du crime).

Nicolae est d'abord accusé d'avoir dérobé des fonds remis à son organisation par le Conseil mondial des Eglises. A plusieurs reprises, il invite n'importe qui à consulter les registres de sa Fédération ethnique des Roms, mais on l'interrompt : c'est l'accusation qui passe avant tout. Nicolae n'a pas le droit de répondre. De toute façon, on ne l'entendrait pas dans ce vacarme. La pièce est bondée, d'une chaleur étouffante, lourde de colère. Il est clair que ces Tziganes sont surtout des Kalderash, les plus traditionalistes, les moins assimilés, qui sont au nombre de 200 000 rien qu'en Roumanie. Ion Cioaba se prétend leur leader, mais ils ne semblent pas reconnaître son autorité. En fait, une explosion paraît imminente. Une femme à l'aspect fruste interrompt la procédure pour se plaindre d'une voix rauque qu'elle ne peut pas nourrir ses dix enfants. Mais son visage témoigne de la sévérité de la loi gitane : sa narine gauche a été fendue, châtiment traditionnel infligé par son mari pour adultère.

Stoica, homme austère à la langue revêche, accuse Nicolae d'« activités anti-roumaines ». Ce grief semble familier. Déjà, le matin du procès, un article calomniateur est paru dans le journal violemment nationaliste (et vigoureusement antisémite et antigitan) *România*

Mare, « Une plus grande Roumanie ». Les leaders tziganes sont suffisamment « balkaniques », c'est-à-dire bornés, cyniques ou pervers, pour sacrifier l'un des leurs en faveur d'une nation qui approuve les attaques menées contre eux. Certains, comme Stoica, sont des patriotes fanatiques, animés d'une rage pathétique à l'encontre du stéréotype du Gitan conçu comme un être forcément déloyal (et sans doute un espion). Mais avec un appui extérieur, les ennemis gitans de Nicolae peuvent faire bien plus de tort qu'une bastonnade dans les bois ; ils peuvent fournir la « preuve » qui lui rendrait difficile de quitter la Roumanie, et ainsi contrecarrer ses prétendus efforts pour souiller la réputation de la nation roumaine à l'étranger.

Nicolae est menacé, bousculé, averti, puis relâché. Pourtant, le prétendu *kris* est un événement significatif, une manifestation dramatique des forces intégristes qui menacent non seulement des individus mais tout le mouvement rom.

Beaucoup plus tard, quand je demande à Nicolae ce qui s'est passé la nuit de l'enlèvement, il répond froidement : « Ils se plaignaient que je regardais ma montre chaque fois qu'ils me parlaient. Je suppose qu'ils essayaient d'attirer mon attention. » Si Nicolae en parle si calmement, c'est parce qu'il a déjà vécu ce moment trois fois auparavant, depuis les années 1970, lorsqu'il s'est reconnu comme gitan après ses recherches sur le terrain. Agé de 33 ans, alors qu'il rédigeait sa thèse, Nicolae tenta de trouver une réponse auprès du monde « authentique » des Tziganes et il fut présenté à Cioaba.

Ion Cioaba n'a jamais appris à lire ou à écrire et, dans les années 1970, il a engagé Nicolae en guise de secrétaire. Nicolae a écrit pour lui des centaines de lettres, dont beaucoup pour obtenir la restitution de l'or confisqué aux Kalderash. Quand Nicolae me raconte que, dans son enfance, il se sentait issu d'une « caste inférieure », je crois d'abord qu'il veut dire inférieure aux Européens qui l'entourent. Mais lorsqu'il relate l'époque où il travaillait pour Cioaba, je comprends qu'il enviait en secret, de manière à demi-consciente, les autre Gitans, les « vrais ». Je lui demande ce que représente pour lui quelqu'un comme Cioaba. « C'est ce qu'on pourrait appeler l'aristocratie. »

C'est en 1992 que je rencontre Cioaba pour la première fois, à

Sibiu, en Transylvanie. Il est coincé dans un fauteuil tournant, derrière son bureau, et porte une haute toque d'astrakan perchée sur sa tête, le même modèle qu'arborait le feu dictateur. Sur le mur, une affiche électorale du « Sénateur Ion Cioaba », un peu plus jeune mais pas plus mince : il mesure 1,70 m en hauteur et presque autant en largeur (les Gitans puissants ont tendance à être très gros. L'obésité suggère l'autorité et la richesse, comme autrefois en Europe occidentale ; chez les Gitans, avoir une grosse tête est considéré comme de bon augure). Derrière lui est encadré le diplôme du « Docteur Ian Cioaba » délivré par la « Texas America University ». Ses bijoux forment la seule autre décoration : une montre en or massif et, enfoncée sur chaque doigt, une grosse bague en or. L'une d'elles (qui a été sciée quand je le revois) est un sceau portant ses initiales, I.C., en forme de faucille et de marteau. Normalement, Cioaba fait payer les journalistes pour ses interviews, mais cette fois il fait exception. Il s'amuse. « Si vous étiez une femme, dit-il pour me donner une illustration de la vie des Kalderash, vous n'auriez pas le droit de passer devant mon bureau. Vous devriez passer derrière. »

Sa famille est très traditionaliste. La maison des Cioaba fait face à son bureau, mais ses enfants sont les premiers à grandir sous un toit (malgré le froid, les vieilles femmes semblent passer leur vie dehors). Sa minuscule belle-mère est debout à la porte. Ses cheveux gris, mêlés de pièces d'or, forment des tresses qui lui arrivent à la taille ; elle porte une longue jupe rouge, fume la pipe et manipule un vieux jeu de cartes. Quand nous passons devant elle, elle me tire la manche et marmonne comme pour me dire la bonne aventure, mais l'impérieux beau-fils qu'elle a élevé la réduit aussitôt au silence.

Pendant toute la période Ceaușescu, Cioaba a voyagé à l'étranger, ce qui implique des liens très étroits avec les forces de sécurité. Les Cioaba furent les premiers habitants de Sibiu à avoir une voiture, puis les premiers à posséder une voiture occidentale (une Mercedes), puis ils eurent le premier téléviseur. Détail intéressant, ces gadgets n'eurent apparemment aucun impact sur leur culture ; Luminitsa, la fille de Cioaba, ne semble pas connaître les problèmes identitaires qu'entraîne ordinairement ce genre d'ascension sociale. Elle raconte gaiement le jour où sa grand-mère a fui la télévision en hurlant. Un western passait alors : la vieille fumeuse de pipe croyait que les chevaux étaient des vrais. Parmi les Kalderash, cette richesse visible garantit le statut de Cioaba. Pour Nicolae, c'est l'inverse ; il admire l'art avec lequel Cioaba a su devenir un homme d'affaires à succès sans renoncer au moindre aspect de la vie traditionnelle. Ce sont ces traditions qui maintiennent l'indépendance de la famille.

Les Kalderash sont des ferronniers mais, comme beaucoup de Gitans, ils sont aussi commerçants. Dans son enfance, Cioaba a passé deux ans dans les camps de déportation, en Transdnistrie. Même là-bas, son père arrivait à vendre de l'or. Cinquante ans après, les Cioaba fabriquent encore des *kazans*, ces alambics qu'on trouvait jadis dans toutes les maisons d'Europe de l'Est. Derrière la maison, dans un terrain boueux, j'aperçois une scène antique : un frère et plusieurs neveux aux longs cheveux emmêlés soulèvent de lourds marteaux et frappent le cuivre sur une enclume. Mais à présent, Cioaba possède également une usine de chaudronnerie en ville et, chaque fois qu'il en a l'occasion, il achète de l'or (au bout de quelques minutes, il me demande si j'ai de l'or à lui vendre, qu'il me paierait en devises, bien sûr).

Cioaba préside la fête d'automne des Kalderash, cette année au monastère de Bistrita. Pour le profane, cette assemblée qui dure deux jours ressemble à une gigantesque foire automobile. Des centaines de Mercedes et de BMW sont garées dans tous les sens, et des groupes de jeunes filles en robes chatoyantes dansent entre les pare-chocs. Les familles déballent des pique-niques compliqués, chacun essaye de faire mieux que le voisin, avec dindes, agneaux, chèvres et cochons, rôtis à la broche sur le parking. Je finis par comprendre : *Love k-o vast, bori k-o grast*, dit le proverbe : argent en main, fiancée sur le cheval. C'est un marché matrimonial. Bien entendu, les Kalderash ne se marient pas en dehors de la tribu, mais ils doivent être vigilants sur les questions de consanguinité ; ils viennent donc de partout, étalent toutes leurs richesses (voitures, or et filles à marier), à vendre ou à acheter.

Même si la grande majorité des Tziganes (Kalderash compris) n'ont visiblement pas les moyens de participer à un tel événement, ce déploiement somptueux alimente les fantasmes des Roumains pour qui *tous* les Gitans sont d'une richesse insolente, acquise grâce au marché noir. Mais peu leur importe ; ils n'ont à répondre qu'aux leurs, et peuvent se permettre de mépriser la majorité.

Etre sénateur, réel ou imaginaire, ne représente pas grand-chose. Un « doctorat » n'a rien de bien glorieux. En 1992, Ion Cioaba se déclare donc roi des Gitans roumains. Il se fait fabriquer une couronne en or et loue l'église orthodoxe de Sibiu pour un couronnement en grande pompe. Mais il a des rivaux. Son cousin Iulian Radulescu (qui est aussi son *xanamiki*, son parent par alliance) est revenu d'un séjour bref mais prestigieux à New York. Pour ne pas être en reste, Radulescu se déclare empereur universel de tous les Gitans. Depuis, les deux cousins n'arrêtent pas de se chamailler et de lutter à coups de dénonciation royale (ou impériale).

Beaucoup de leaders tziganes sont exaspérés par ces frasques qui attirent sur eux une attention dont ils se passeraient bien. Nicolae désapprouve aussi ces deux prétendants, mais en tant que sociologue, il reconnaît leur intelligence. La Roumanie n'a jamais été un pays démocratique, et elle n'a jamais été aussi instable. En l'absence d'autorité officielle, les deux cousins s'avancent, munis de leur sceptre, dans l'espoir cynique de combler un vide auprès de la vaste population tzigane. Ils ont surtout trouvé un créneau commercial pour l'exportation ; après tout, la notion même de « roi gitan » sort de l'imagination des *gadje*. Comme beaucoup de rois éphémères qui les ont précédés, ils savent que la monarchie jouit d'une aura que n'ont pas les secrétaires généraux et les co-présidents.

Et assurément, les grands journaux occidentaux consacrent des articles à ces cousins royaux, non seulement dans les rubriques spécialisées mais aussi dans les pages d'informations générales. Si Nicolae Gheorghe est chaque fois cité, à juste titre, aucun journaliste ne peut s'empêcher une allusion narquoise à ces grotesques monarques gitans. Et les insultes qu'ils s'adressent défraient la chronique. Lorsque Cioaba, survivant de la déportation, se précipite pour rendre hommage au dictateur fasciste de l'époque, Iulian Ier fait la une des journaux lorsqu'il approuve « à regret » le sarcasme incendiaire lancé par le politicien extrémiste russe Vladimir Jirinovski : la Roumanie est un Etat artificiel, exclusivement peuplé de Gitans italiens.

Les Gitans eux-mêmes n'ont jamais reconnu aucun souverain. Avec leur clientèle, les leaders locaux (le *bulibasha*, le *vojvoda*, le *shero rom* et le *baro rom*, littéralement le « grand homme ») sont les seules formes d'autorité qu'un groupe tolère, et il s'agit de juges plutôt que de dirigeants. Ces leaders ne durent que tant qu'ils sont respectés. Mais les premiers Gitans à avoir parcouru l'Europe occidentale se présentaient eux aussi comme des souverains, des capitaines ou des comtes ; les « monarques » roumains des années 1990 reprennent simplement un vieux déguisement favori, mis au placard durant la période communiste.

Les Kalderash semblent spécialement doués pour cet emploi. Ils ont déjà tenté d'établir une dynastie, dans les années 1920, en Pologne. La famille Kwiek, en particulier, retrouvait alors un rôle perdu. Au milieu du XVIIe siècle, les rois gitans étaient nommés par la Chancellerie royale de Pologne, pour représenter tous les Gitans de leurs territoires (et pour lever l'impôt). Ils n'avaient aucune autorité traditionnelle ou héréditaire ; il s'agissait simplement de tyrans bien habillés, disposant de leur propre force de police. En une génération, ces fiefs avaient été récupérés par la petite noblesse polonaise. Dans les années 1860, après l'abolition de l'esclavage, certains Gitans voulurent reprendre leur titre. Ces aristocrates, Kalderash ou Lovara, autre tribu dynamique, s'attirèrent la haine des Gitans polonais sédentarisés, qui ne disposaient de rien de comparable en matière de revenu indépendant ou d'autonomie, ni même de beaux atours (les visiteurs arboraient manteaux de fourrure et gilets voyants avec d'énormes boutons d'argent). Les nouveaux venus réussirent à établir leur domination sur les Gitans installés de longue date. Leur richesse fabuleuse, leur côté bravache, et surtout leur assurance furent alors des éléments décisifs, et le sont encore. Les rois Kalderash se sont imposés en passant des accords avec les gouvernements, pour s'assurer des privilèges sur les Gitans polonais, aux yeux desquels cette attitude constituait une traîtrise impensable. Les Kwiek, famille animée d'une ambition exceptionnelle, et plusieurs membres de leur *vitsa* ou clan, se sont adressés directement à la police, en proposant leurs services à condition d'être reconnus comme la plus haute autorité gitane. Des milliers de personnes, dont de nombreux diplomates étrangers, assistèrent en 1937 au couronnement par l'archevêque de Janusz Kwiek, vêtu d'un manteau d'hermine (loué à l'opéra de Varsovie).

Dans la société traditionnelle où vivent encore les Kalderash aujourd'hui, Luminitsa, la fille aînée de Cioaba, jouit d'une indépendance anormale pour une femme, et elle n'est pas du tout prête à « marcher derrière ». Elle a été mariée quand elle était à peine adolescente, comme toutes les petites Kalderash, mais elle a réussi à rompre en toute impunité, et même à éviter d'avoir des enfants. Elle est aussi très instruite. Et elle a voyagé seule, en Amérique, où elle a rapidement appris l'anglais, et où elle vendait des costumes gitans dans la rue, devant le bâtiment des Nations unies à New York, sur la place Dag Hammarskjöld. De retour à Sibiu, elle s'est installée dans un studio au-dessus du bureau de son père, où elle dirige et publie un magazine tout en couleurs (un fanzine en fait), avec articles, horoscope, poèmes, nouvelles et romans, lettres à la rédaction, surtout à propos de Luminitsa, le tout écrit par Luminitsa sous divers pseudonymes, illustré de photos de Luminitsa, portant un chapeau, avec un cheval, couchée sur un tapis, un œillet entre les dents. En outre, Luminitsa est constamment à la recherche d'une victime, moi par exemple (ses prédictions sont un tel spectacle, lorsqu'elle me dit la bonne aventure, qu'elles valent bien la somme dont elle me soulage). Là encore, on retrouve un écho du passé des Kalderash. Le dernier membre de la famille Kwiek à détenir le pouvoir fut Katarzyna Kwiek-Zambila, sœur du roi Janusz ; jusqu'à sa mort en 1961, elle a joui du respect et d'un rang normalement réservés aux hommes, y compris, comme Luminitsa, du privilège de participer à un procès, le *kris*.

Luminitsa est une vraie princesse : hautaine et impitoyable, elle n'aime personne autant qu'elle-même (elle se couvre de talc parfumé français), par opposition à des Gitanes privilégiées comme Antoinette en Bulgarie, qui est allée au Lycée français, ou même par rapport à Nicolae, homme intelligent, cultivé et célèbre. Ce privilège n'a pas été acquis au prix du déracinement : elle a vendu des costumes gitans, mais pas son identité tzigane. Finalement, il n'est guère étonnant que Nicolae se soit attaché à la famille Cioaba. Ils se sont rendu mutuellement des services linguistiques. C'est d'eux que Nicolae a appris le romani et, en échange, il leur a appris la langue de la politique *gadjo*, de la bureaucratie, du Parti. Puis, en 1984, Cioaba a vendu Nicolae. C'est Cioaba qui a dénoncé son protégé aux autorités comme étant l'auteur de l'article publié dans un journal français.

La période allant de 1984 à 1989 est la plus noire de la vie de Nicolae. Comme beaucoup d'autres Roumains, il était prêt à l'action lorsque la révolution a éclaté. La nuit de Noël 1989, lorsque Ceauşescu a été exécuté, Nicolae s'est trouvé enfermé dans les studios de la télévision nationale où, avec d'autres, il a saisi l'occasion d'annoncer la formation d'une Fédération ethnique tzigane, vouée à rassembler tous les différents groupes. Lorsque j'ai rencontré ces organismes naissants, en mutation constante, qui se défont pour se refaire quelques années après, je n'ai pu m'empêcher de penser à l'expression employée par l'écrivain roumain Emile Cioran, « la tentation d'exister » : ici s'exprime encore l'espoir d'une identité allant au-delà du « etc. ». Mais Nicolae, contrairement aux centaines d'organisateurs, a tiré de son expérience la volonté de refuser toute approche nationaliste. Il a quitté le pays.

Les divers gouvernements négligent, minimisent ou nient les violences perpétrées contre leurs propres citoyens ; il paraissait d'autant plus difficile d'attirer l'attention, puis l'imagination du monde et de ses augustes institutions internationales. Pourtant, six mois à peine après la révolution, Nicolae Gheorghe a mis sur la table des négociations le sort de la minorité la plus importante et la plus méprisée d'Europe, et il est même reparti avec quelques promesses.

A Copenhague (et plus tard, dans de plus en plus de clauses et d'articles, à Moscou, Oslo, Genève et Helsinki), les cinquante-deux nations membres de la Conférence sur la sécurité et la coopération européennes (CSCE, aujourd'hui l'Organisation de sécurité et de coopération européennes) ont « reconnu les problèmes particuliers des Gitans » en Europe, dans un contexte d'intolérance, d'antisémitisme et, en général, de xénophobie. Aux Nations unies, la commission des droits de l'homme a ensuite accordé une reconnaissance très controversée à la minorité rom, controversée parce que tous ses membres ne reconnaissent pas le peuple gitan. Sous la forme d'une Union gitane internationale, les Gitans avaient déjà (en 1979) été reconnus par le Conseil économique et social des Nations unies, mais c'est seulement en 1993, suite aux efforts intensifs de Gheorghe et de Ian Hancock, que cette reconnaissance a quitté le statut « consultatif » symbolique pour être entérinée par un vote.

Les Gitans à l'ONU ! L'exposé même de leur situation dans l'arène internationale *gadjo* allait à l'encontre d'un millénaire d'invisibilité, d'ignorance et d'indifférence. Tout aussi exceptionnelle, surtout de la part d'un Européen de l'Est, était l'insistance de Gheorghe sur la responsabilité personnelle : « Je sais que ce ne sont que des promesses sur le papier et non des obligations légales, mais ce sont nos textes, que nous devons nous-mêmes concrétiser. »

L'élite naissante tente de « concrétiser » dans un autre type d'arène internationale : en réunissant des représentants de leur diaspora. A Stupava, en Slovaquie, des Gitans issus de nombreux pays se sont réunis en 1992, pour la première fois depuis la chute du communisme, afin de débattre de leur avenir au sein de l'Europe nouvelle.

En lui-même, le choix du lieu de rendez-vous confère à ces premières rencontres un retentissement considérable. Les nombreux bidonvilles slovaques abritent certains des Gitans les plus misérables. A Rudňany, une communauté s'est installée sur une ancienne mine d'arsenic, et on voit les petits Tziganes jouer parmi les containers rouillés et les petits tas de poudre blanche qui s'en échappent. Ils vivent dans les bureaux de la mine, abandonnés depuis longtemps, effondrés, souvent sans toitures, entourés de métaux lourds : arsenic, antimoine, bismuth, mercure et fer. Pire que la misère « médiévale », une misère post-industrielle. Ils vivent sans se soucier de dangers pourtant bien connus. C'est en Slovaquie qu'un an après l'assemblée, le très populaire Premier ministre Vladimir Mečiar a pu affirmer, au cours d'un discours, qu'il était « nécessaire de limiter la prolifération d'une population socialement inadaptable et mentalement attardée » (les Tziganes), en ajoutant : « Si nous ne nous occupons pas d'eux maintenant, ils s'occuperont de nous plus tard. » A Prague, Václav Havel a riposté avec une vérité difficile à admettre : les Gitans sont la pierre de touche d'une société civile, mais son point de vue n'est guère partagé. Les conditions de vie des Gitans se sont encore dégradées, et le nombre de morts s'est accru. Depuis la Révolution de velours, vingt-huit Tziganes ont été assassinés en Tchécoslovaquie. On ne saurait surestimer le degré de haine ambiante.

A Stupava sont venus les vétérans du combat : Nicolae Gheorghe, Ian Hancock du Texas, Rajko Djurić de Berlin, Manush Romanov de Bulgarie. On rencontre aussi ceux qui ont rejoint plus récemment la lutte : Rudko Kawczynski de Hambourg, Klara Orgovanova de Slovaquie, Emil Sčuka, avocat tzigane de Prague, et Aladar Horváth, Gitan hongrois âgé d'une vingtaine d'années qui s'est fait un nom comme chanteur et qui est à présent député au Parlement hongrois. Plus quelques convertis : Andrzej Mirga et Hristo Kjuchukov, Gitan bulgare à qui l'on doit le premier abécédaire romani de son pays. De nombreux autres universitaires arrivent de France et des Etats-Unis ; il y a Milena Hübschmannová, linguiste pragoise qui m'a servi de guide lors d'un voyage en Slovaquie orientale, il y a aussi Marcel Courtiade, mon protecteur en Albanie.

Parmi les Gitans, tous les styles politiques sont représentés : militants ethniques, prédicateurs exaltés, tranquilles partisans de l'intégration au sein du système *gadjo*. A l'extérieur du bâtiment qui accueille le congrès, on découvre d'autres styles encore. Les participants viennent fumer une cigarette et, de chaque groupe discret, un nuage de fumée bleue monte vers le ciel. Ils ne se mélangent pas, par timidité (à en juger par les regards embarrassés et les allures gênées) ; cependant, pour la douzaine de Hongrois qui se déplacent toujours en bande, leur air dédaigneux tient à un problème de langue. Ils ne parlent que le magyar, et ne peuvent converser qu'avec ceux qui ont pris le même bus. Tout le monde arbore un costume neuf, apparemment acheté pour l'occasion. Ces vêtements divisent les délégués selon la nationalité, comme s'ils s'étaient parés de leur drapeau ou des plumes de l'oiseau national : les trois Polonais portent des nuances de jaune, moutarde ou paille, les Hongrois préfèrent le violet, du mauve au puce. Les Bulgares sont en noir.

Cigarettes et toux de fumeurs invétérés, moustaches, chapeaux, corps frêles pliés sous le fardeau de la vie, ces traits unissent la plupart des Gitans, mais leurs choix en matière de couleurs (qui reflètent sans doute ce que proposent les boutiques d'occasion dans leurs pays respectifs) correspondent au manque d'unité qui est la plaie de ces assemblées et qui entrave l'essor du mouvement rom.

Aucun monarque auto-proclamé n'est invité, ou n'ose s'aventurer dans ce congrès, qui compte pourtant quelques participants plus invraisemblables encore, comme Frank Johnson, Gitan de Los Angeles qui n'a absolument aucun rapport avec les milieux politiques ou universitaires. Comme beaucoup de ses homologues du bloc de l'Est, il n'a jamais rencontré les Gitans des autres pays.

Qu'auront-ils à se dire ? A part son teint basané, Frank ne ressemble pas à un Tzigane d'Europe de l'Est. Il est grand, robuste, sincère, américain. Il « n'arrive pas à croire » la viande beige et les pommes de terre en gelée qu'on nous sert. Ils sont tous gitans, mais n'ont-ils rien d'autre en commun ?

Les Roms profitent de l'occasion pour organiser leurs meetings personnels après les séances officiellement prévues. Je croise Frank Johnson qui sort de l'une de ces réunions : quand on passe dans le couloir, on croit entendre un combat de coqs. « Les Gitans sont partout les mêmes. Ils sont incapables de fixer des priorités. C'est la même chose chez moi. Ils ont la cervelle vide pendant 362 jours par an, et puis ils arrivent à un meeting comme celui-ci et se mettent à se pavaner. » Le matin, Frank a visité un bidonville et il est consterné par le désespoir qui y règne. Durant les séances de discussion, les Gitans et leurs amis experts se moquent des stéréotypes des *gadje*, mais en parcourant la communauté voisine, Frank s'est senti obligé de prévenir un professeur de l'université de Duke de « surveiller ses poches ». Frank ne supporte pas la politique politicienne.

Avec son costume noir et ses cheveux courts, Frank a l'air d'un représentant, et c'est bien ce qu'il est : il vend de l'espoir, aux femmes uniquement. « Elles viennent me voir, elles arrivent en pleurant et je les aide à résoudre les problèmes qu'elles ont avec les hommes. Ce sont toujours des problèmes liés aux hommes, et elles veulent toutes une solution rapide. Je leur explique qu'ils les quittent parce qu'elles se sont fanées. » Le lendemain matin, Frank a l'air un peu défraîchi, à son tour. Le médium (c'est ainsi qu'il se présente) est médusé par son petit déjeuner salami et cornichon. Je me demande ce qui l'a poussé à quitter Los Angeles pour venir assister à un meeting politique en Slovaquie. « J'ai eu deux femmes, j'ai vécu trente-six ans avec elles au total, une Gitane, une Américaine. J'ai pensé qu'en Europe j'en trouverais une qui a des valeurs traditionnelles, qui appréciera ce que je peux lui offrir, c'est-à-dire pas grand-chose, avec les remboursements de crédit et Dieu sait quoi, même si je ne paie pas d'hypothèque quand je loue. Quand j'étais petit, la maison était à nous. J'ai horreur d'être locataire. »

Le mariage et la politique sont bien entendu liés dans la vie traditionnelle des Gitans, et il faut pardonner à Frank s'il croit pouvoir rencontrer l'heureuse élue lors d'un meeting politique comme celui-ci. Mais si Frank est déprimé, ce n'est une question ni de femme, ni de loyer, ni de misère en Slovaquie. Ce qui le fait déchanter, c'est ce qu'il a vu des nouveaux leaders gitans. Orgueilleux, désunis, égocentriques, ignorants, guidés par leur soif de pouvoir, ils n'hésitent pas à s'échanger des coups de poignard dans le dos (« Et encore, ce n'est pas dans le dos, mais carrément de face qu'ils se donnent des coups de poignard », remarque une Américaine intriguée). Ces luttes intestines ne sont que trop familières, même pour un Gitan américain, mais elles sont franchement inquiétantes pour les observateurs non gitans qui les découvrent. Je me rappelle avoir été choquée quand j'ai vu pour la première fois un leader gitan s'agenouiller et pleurer pour mieux impressionner son auditoire. Loin d'être gênés ou inquiets, l'orateur et son public sont ensuite revenus au sujet du débat. Ce sont des conventions, comme les jérémiades rituelles lors des enterrements, que tous les membres du groupe comprennent. Il paraît justifié de tenir les non-Gitans à l'écart de ces « vraies » réunions à cause des malentendus (et des moqueries) possibles. Si les lamentations gitanes sont surtout une question de style, un peu comme un équivalent sonore des couleurs vives qu'ils portent, on y perçoit ici une forme de désespoir enjolivé.

Ian Hancock est l'un des rares leaders qui aient une conscience très vive de l'évolution honorable mais contrariée du nationalisme rom, apparu dans les années 1930 en Roumanie. Et il est fier de la stupéfiante prolifération de nouveaux groupes formés dans les pays de l'est depuis 1989 : pour la seule Hongrie, on dénombre déjà 140 associations tziganes. Néanmoins, Hancock aborde ici la question du fatalisme gitan (comme Frank Johnson, il en parle à la troisième personne). « Ils sont si sceptiques. Certains ne croient même pas avoir un idiome. Ils nient leur identité. » Selon Hancock, la dispersion et les diverses cultures qui leur ont été imposées ont fait perdre aux Gitans leur langue, leur sentiment d'appartenance et même leur capacité à se reconnaître entre eux.

S'adressant à un lectorat gitan dans un numéro du magazine *Roma* paru en 1988 (publié en Inde, c'est l'une des publications gitanes les plus durables), Hancock mettait l'accent sur une autre cause :

> On a souvent dit que notre principal problème est le manque de gens instruits parmi nous pour se charger de l'organisation. Ce n'est pas vrai : il y a certainement assez de Gitans instruits et engagés pour s'en charger. Le problème est en fait bien plus ancien : notre maladie nationale, *hamishagos* [déranger, se mêler des affaires d'autrui], qui nous pousse étrangement à gêner au lieu d'aider ceux des nôtres qui vont de l'avant. *Sar laci and'ekh vadra* (« comme des crabes dans un seau »), quand l'un tente de sortir, les autres s'accrochent à lui et le font retomber.

Il donnait l'exemple du premier Gitan nommé par un président (Ronald Reagan, en l'occurrence) à un poste fédéral, résultat direct d'années consacrées par Hancock à harceler les hommes politiques. Quand Bill Duna, d'origine hongroise, résidant à Minneapolis, fut choisi comme unique membre gitan du conseil du Mémorial de l'Holocauste, « dès le lendemain, d'autres Gitans cherchèrent à tout gâter. Ils envoyèrent au Conseil des câbles et des télégrammes en disant qu'ils étaient plus qualifiés que Duna. Le Conseil du Mémorial décida d'en rire. Des illettrés qui ignoraient tout de l'histoire de l'Holocauste... »

A Stupava, cependant, Hancock n'a pas l'intention de discuter de ces problèmes internes. Parmi ses publications figure un livre intitulé *Le Syndrome des parias*, qui nous éclaire sur ce qu'il croit être la cause du fatalisme gitan. « Par exemple, les journaux. Chaque fois qu'ils parlent des Gitans, c'est à propos d'un crime. Et on ne mentionne l'origine ethnique que si des Gitans sont impliqués : "la mère gitane", "le foyer gitan". Imaginez les réactions si l'on employait de cette façon le mot "juif". » Il parle de la presse occidentale, du *New York Times*. Sa tâche essentielle a consisté à jouer les chiens de garde, pour corriger patiemment tous ces stéréotypes qui surgissent partout aux Etats-Unis, dans les éditoriaux, les rapports de police, et même sur les cartes de vœux, où l'on voyait encore, dans les années 1990, de vieux voleurs gitans au nez crochu. Hancock s'indigne, et à juste titre. « Mais on ne parle jamais de nous dès qu'il s'agit des droits de l'homme. Par exemple, personne n'a dit que la plupart des enfants placés dans les orphelinats roumains sont des Gitans, comme la plupart des réfugiés en Allemagne. »

L'un de ces réfugiés est Rajko Djurić, poète et président de l'Union gitane internationale, qui a été menacé de mort et obligé de fuir sa Yougoslavie natale après s'être attiré le courroux des autorités pour avoir appelé les 800 000 Gitans d'un pays en pleine désintégration à refuser de combattre. Les Tziganes vivaient dans toutes les régions du pays, leur nom même était une insulte ; au nom de quel intérêt, de quel devoir auraient-ils participé à cette lutte nationaliste pour la terre ? Un an avant Stupava (lorsqu'une véritable guerre dans les Balkans paraissait inimaginable à la plupart des observateurs), je suis allée voir Rajko Djurić à Belgrade, et je l'ai rencontré dans la première grande manifestation de la capitale serbe. En ce jour de mars 1991, au milieu du vacarme de la foule, Rajko m'avait rappelé que bien peu de Tziganes avaient survécu à la terreur une fois que les Oustachis (les fascistes croates) étaient arrivés au pouvoir durant la Seconde Guerre mondiale. Et dans la Serbie occupée, avait-il continué dans le calme relatif d'un autobus bondé, les Gitans avaient été fusillés par des pelotons d'exécution à raison de cent pour chaque Allemand tué par les partisans, cinquante pour chaque Allemand blessé. Rajko avait alors prédit que, au cours de la guerre imminente, les Gitans serviraient à nouveau de chair à canon. Un an après, à Stupava, il promet, sans se tromper davantage, que les Gitans de l'ex-Yougoslavie, qui n'ont aucune terre à disputer, seront exclus de toutes ces négociations qui devaient avoir une importance décisive sur leur vie. Chaque discussion, à Stupava, ramène à un thème : les Gitans doivent se redéfinir en tant que problème ethnique, plutôt que social, avec ses éternelles connotations de parasitisme et de criminalité (et, peut-être pire encore, d'invisibilité).

Dans ce but, les trois experts américains instruisent les Gitans sur la gestion des crises ethniques. Ils connaissent bien les problèmes des Américains originaires du Mexique, des Noirs et des Blancs aux Etats-Unis, et les conflits ethniques en général. Malgré leurs excellentes intentions, ils ignorent tout des gitans, et ceux-ci le remarquent. Pourtant, leur crédibilité immédiate a déjà été sapée, de manière plus comique, par les dépêches radio annonçant les émeutes ethniques à Los Angeles. La radio appartient à un politologue serbe assis au dernier rang, qui cherchait des nouvelles de sa propre crise ethnique.

Mon impression est que la plupart des Gitans n'écoutent rien, même si aucun ne manifeste mieux son indifférence que Rudko Kawczynski, le militant de Hambourg. En Allemagne, il a organisé des sit-in et des grèves de la faim, formes nouvelles pour les protestations gitanes ; il a établi un Parlement international nommé Eurorom, ainsi qu'un Congrès national rom. A Stupava, impossible de le manquer. Il arrive ostensiblement en retard à chaque séance, toujours précédé de deux acolytes en blouson de cuir qui s'adossent au mur, les bras croisés, plutôt que de s'asseoir à un pupitre comme tout le monde. Sa façon de parler, avec des silences délibérés et la voix mielleuse d'un mafioso, est aussi prétentieuse que son chapeau à large bord soigneusement incliné. Kawczynski est le Malcolm X du mouvement d'émancipation gitan, et il peut à peine se retenir.

Donald Horowitz, professeur à l'université de Duke, monte au podium pour expliquer que l'image négative des Gitans est partagée par d'autres « groupes ethniques subordonnés », apparus du fait de l'esclavage et des conquêtes. Il évoque les Noirs américains, les basses castes en Inde et en Afrique, et les Burakamin du Japon, élément peut-être sans surprise et même insultant pour son auditoire. « Les Burakamin ont aussi été décrits comme sales, paresseux, luxurieux, et proches des animaux à quatre pattes. » Il s'apprête à affirmer que l'on peut faire évoluer cette image, lorsque Kawczynski l'interrompt.

« Les Roms sont assis, les *gadje* parlent. Ils nous disent ce qu'il faut faire, quelle langue il faut parler. Ils veulent nous apprendre à parler notre propre langue. Qu'est-ce qu'ils *font* ici ? [...] A dix kilomètres d'ici, des Gitans meurent de faim. Ça ne regarde pas les *gadje*. C'est notre problème. Ils ne veulent pas nous aider. Ils veulent nous étouffer, nous expulser ou peut-être nous tuer. Les Européens essayent de nous rendre la vie tellement difficile que nous partirons volontairement. Ils nous poussent à croire qu'ils sont tous pareils. Mes frères, ne croyez pas que le *gadjo* est plus intelligent que vous. Nous devons nous aider nous-mêmes. Nous ne pouvons espérer aucune aide de quiconque. »

Manush Romanov, un petit bonhomme venu de Bulgarie, a vingt ans de plus que Kawczynski et, bien que lui-même séparatiste, n'est pas convaincu. « Ils sont plus forts que nous ! » hurle-t-il durant la tirade de Kawczynski, à quoi le « Black Panther » polonais répond : « Non. » Un profond silence. « Dans les colloques seulement, pas dans la rue. Nous devons reprendre les rues. » Manush Romanov est plus poétique : « Nous avons des problèmes, comme les feuilles de la forêt. » J'imagine qu'il veut dire « aussi nombreux que les feuilles », et sur ce point il n'a pas tort.

Si, parmi les Gitans, le fait de survivre ou même de conserver son identité est une sorte de victoire, dans le cas de Manush, c'est un triple triomphe. Son nom, qu'il s'est lui-même donné en 1989, signifie « homme gitan » en romani, ou « homme homme ». Il s'était d'abord appelé Mustapha Alia puis, après la première campagne de débaptisation forcée en Bulgarie, Lyubomir Aliev. Dans sa vie antérieure, avant la fermeture du très populaire Théâtre tzigane de Sofia, Manush était auteur dramatique et marionnettiste. Il était l'un des trois Gitans à avoir été élu au premier Parlement libre de Bulgarie, et le seul à avouer être un Tzigane. Comme beaucoup de nouvelles personnalités (et malgré le prestige d'un séjour en prison), il paraît un peu inattendu dans le rôle de leader. Mais il y a très peu de leaders « vraisemblables », essentiellement parce que, comme Hancock le souligne, il y a très peu de disciples vraisemblables parmi les Gitans. Parmi les 800 000 Tziganes de Bulgarie, il existe une soixantaine de groupes tribaux, face à l'association culturelle de Manush (les partis politiques fondés sur l'ethnie sont illégaux dans son pays). Certains des groupes les plus orgueilleux, comme les Grastari ou Lovara, population élégante de maquignons, restés nomades jusqu'à ce que cela devienne un délit en 1958, interdisent expressément toute participation infamante à la politique *gadjo*, et ils estiment qu'il faudrait lyncher Manush.

Un leader inattendu. Pourtant, en dehors de son obsession peu commune d'une patrie gitane, il n'est pas si différent, sur le papier, des autonomistes charismatiques : « Nous voulons des écoles séparées, nous voulons que nos propres langues soient enseignées dans ces écoles et nous voulons nos propres villages. Nous devons construire des logements pour notre peuple, de nouvelles maisons dans de nouveaux quartiers, ne plus nous mêler à ces Bulgares que nous ne supportons pas. Nous devons avoir nos propres foyers pour notre propre mode de vie. Un jour nous aurons notre propre pays, le Romanistan. Pour le moment, nous n'avons pas même de place. Avoir un foyer, avoir une *maison* est plus important, après tout, que d'avoir un pays. »

Je demande à Manush si le risque n'est pas de créer un immense ghetto gitan. « Le plus grand danger est de disparaître », réplique-t-il.

Le besoin d'une patrie doit être plus vif chez ceux qu'on a réduits au statut d'apatride (Norman Manea y voit « la psychose du provisoire »). Mais si l'idée du Romanistan ne tente guère les Roms, en général, c'est peut-être parce qu'ils ne connaissent que trop les campements et les réserves : esclaves sur les terres de l'aristocratie, déportés dans les colonies, dans les camps de la mort ou simplement dans les bas-fonds de la société.

Depuis toujours, les Gitans vivent en marge. Ils commencent à apprécier l'idée de se savoir roms : en même temps, ils risquent de devenir une autre « langue » (dans leur cas, un dialecte peu diffusé) destinée à l'affirmation ethnique du statut de victime. « Le plus grand danger est de disparaître », a dit Manush ; mais il y a plus d'une manière de disparaître pour les Gitans.

Plusieurs années se sont écoulées depuis Stupava, et j'ai assisté à de nombreux congrès. J'admire la rapidité, l'aisance apparente avec laquelle les participants gitans se sont adaptés à cette forme de débat. Je suis impressionnée par leur éloquence, par tout ce qu'ils ont à dire. Mais je m'interroge : est-ce bien réel ? *Konferença, kongresso, parliamento ?* Réunion après réunion, les hommes et les femmes les plus prometteurs, vêtus de leur tenue de congrès, s'enfoncent de plus en plus dans la langue de bois du consensus et de l'euphémisme. Leur avenir doit-il finalement ressembler à celui de tout le monde ? De quel genre d'existence s'agit-il, sinon d'une nouvelle version d'« etc. » ? *Konferença, kongresso, parliamento...*

Le monde de Papusza, l'image du Gitan nomade, tout cela a disparu depuis longtemps, bien entendu. Plus de roulottes, plus d'ours et, s'il vous plaît, plus de rois. Pas besoin d'enjoliver le passé pour éprouver un véritable sentiment de perte et pour avoir une opinion mitigée quant au présent : le monde clos et incurablement sédentaire du congressiste.

Lors de ces colloques, je me sens fréquemment obligée de m'échapper un moment, pour ne plus écouter et faire le vide dans ma tête. Je fais quelques pas à l'air libre, j'inspire violemment et je me demande comment les Gitans pourraient à la fois respirer librement et s'intégrer comme ils le doivent et le veulent clairement désormais. C'est dans cette humeur que Nicolae me trouve un jour errant sur le parking d'un centre de congrès. Il court d'une communication à un atelier, mais il s'arrête pour me saluer et me donner des nouvelles de Roumanie. Il a apparemment deviné mon inquiétude et ce qu'il me raconte m'emplit de fierté et me donne envie de pleurer de joie.

Après des siècles de chaos stratégique, de fragmentation sociale et d'instabilité épique, les Gitans exposent aujourd'hui leur cas en public. Dans l'arène politique, mais aussi par leurs actions. Les nouvelles initiatives tziganes que Nicolae m'expose ne représentent pas grand-chose : une briqueterie, une coopérative agricole où ne travaillent que des Gitans. Mais cette coopérative regroupant quarante familles se trouve à Palazu Mare, tout près de Kogălniceanu, cette ville au bord de la mer Noire qu'une foule a rasée, avec son Discobar en losange et la petite fille dont les jambes ont fondu sous une poutre incendiée. Et Nicolae a des nouvelles de Ȟadăreni, au cœur de la Transylvanie, où deux Tziganes ont été lynchés et un troisième brûlé dans son lit. A Hădăreni, les cloches de l'église sonnaient chaque fois qu'un Gitan dépossédé osait s'approcher de la ville. Ces mêmes exclus ouvrent maintenant une boutique (et même une usine, dans une *synagogue*) pour fabriquer des toques de fourrure. Ils ne se laissent pas écarter. Ils ne vont pas disparaître. Pendant qu'il me parle, je pense à Luciano, le petit Gitan de sept ans mort avant qu'un médecin roumain accepte de le soigner, et qu'on a enterré avec un panama tout neuf sur la tête. Dans ces projets que me décrit Nicolae, je vois l'hommage dû à Luciano.

Dans l'arène internationale, Gheorghe met toujours l'accent sur ce que les Gitans ont à offrir, et non sur le spectre du Gitan désespéré, victime éternelle, dépendante et méprisée. Il n'a pas choisi la facilité. Quand on parle de droits de l'homme, on parle généralement de droits bafoués. Mais il a raison. Les Gitans savent tout faire quand on leur en donne l'occasion : ils sont plus entreprenants, plus énergiques, plus imaginatifs, plus enjoués que la plupart des gens qui les entourent. Ils savent tout faire. Tout sauf défendre leur cas.

Nicolae Gheorghe a une piètre opinion de la politique ethnique, nouveau ghetto, nouvelle marge, nouvelle voie de garage pour les Gitans. Mais la notion d'identité internationale laisse sceptiques la plupart des Roms (Andrzej Mirga parle d'« auto-stigmatisation » qui incite les gouvernements à désavouer leurs citoyens les plus mal-aimés). La vulnérabilité, même pleine de dignité, oblige pour l'heure les Gitans à se préoccuper avant tout de leur survie. Rares sont ceux qui partagent l'idéalisme de Gheorghe, et plus rares encore ceux qui reconnaissent le pragmatisme qui l'inspire.

Durant ses voyages, Nicolae a découvert que, sans terre et sans patrie, dépourvus des droits propres à une population indigène, « les Roms ont [aux yeux du droit international] le même statut que les syndicats, les lobbies écologistes ou les associations professionnelles ». Il a remarqué que les étrangers qui s'intéressent le plus aux Gitans sont les responsables de l'immigration. Il a compris que les taux-records (pour une population européenne) en matière de pauvreté, d'analphabétisme, de chômage, de maladies, de mort prématurée et de natalité ne constituent pas le cœur du problème. Les Roms forment la plus importante minorité d'Europe. C'est simplement leur existence, leur présence, leur omniprésence, qui dérange, et ce sujet est donc devenu son cheval de bataille. Gheorghe préconise une nouvelle identité (que beaucoup jugent sacrilège), où les individus pourraient être envisagés indépendamment des questions de propriété. Il estime que la séparation entre citoyenneté et nationalité, responsable de divisions territoriales et culturelles très nettes en Europe de l'Est, doit être assouplie pour accueillir une population transnationale constituée de citoyens de divers pays.

Le transnationalisme a séduit d'autres participants, mais cette notion englobe beaucoup de réalités. Pour Kawczynski, par exemple, cela signifie que les Roms jouiraient d'un droit de passage spécifique, et il exhibe même une sorte de passeport beige, avec faux tampons, qu'il s'engage à fournir moyennant mille deutsche marks. Ian Hancock imagine une identité transnationale sous la forme d'une « réunification », à travers un réseau d'organismes couvrant toute la diaspora et par la standardisation de la langue romani. « Quand nous avons quitté l'Inde, nous étions un seul peuple, nous partagions une langue et une histoire. Notre fragmentation date de notre arrivée en Europe. Nous devons redevenir un seul peuple », déclare-t-il à l'assemblée. Cette insistance sur l'Indianité n'est pas un appel au rapatriement en masse ; tout Gitan, quel que soit le lieu où il vit, a suffisamment l'habitude d'être l'Etranger pour ne pas avoir besoin d'une confirmation en Inde. Quand Hancock met plutôt l'accent sur la « réunification », comme lorsque Gheorghe parle d'« identité transnationale », il exprime l'idée qu'un peuple peut agir en tant que nation. L'usage de ce mot-même pour décrire ce qu'on désignait jadis comme des tribus reconnaît déjà largement cette possibilité et ce besoin.

Rudko veut « reprendre les rues » ; Hancock veut reprendre le fil du récit. Comme beaucoup de défenseurs des opprimés contre ceux qui abusent de leur pouvoir, contre ceux qui écrivent l'histoire, Hancock a pris le rôle de redresseur de torts, de torts flagrants ou invisibles. Depuis trente ans, il cherche à corriger l'histoire écrite par les vainqueurs, et donc à réorienter la destinée des victimes ; il arrive parfois à prouver ce que d'autres, surtout les historiens *gadje*, rejettent comme des exagérations. Son idée de l'exode massif d'une tribu unique partie de l'Inde n'a guère convaincu, pas plus que le chiffre d'un million et demi de victimes gitanes de l'Holocauste. Mais si l'on peut contester le détail, qui mettrait en doute l'essentiel de son histoire ? Qui lui contesterait le droit d'en parler ? Qui pourrait exagérer les torts perpétrés contre les Gitans ? La version des victimes est empreinte de vérité morale et spirituelle. Parmi les Gitans, cette volonté de « reprendre la parole » (selon l'expression de Hancock) marque un tournant radical. Frank, de Los Angeles, a tort de désespérer.

Les gouvernements des ex-pays communistes considèrent la situation des Tziganes comme un argument précieux lorsqu'ils doivent négocier pour obtenir des aides étrangères. Les minorités sont la pierre de touche de la démocratie ou, comme Václav Havel l'a fort bien précisé, d'une société civile. En théorie, Nicolae Gheorghe a compris que les minorités, les Gitans en particulier, peuvent au moins servir de vitrine. Il a cherché (et obtenu) l'appui du gouvernement pour un nouveau congrès à Stupava un an après, dans le grand palais d'été de Ceauşescu, sur le lac Snagov (ce cadre entraîne d'autres connotations : les Gitans roumains semblent apprécier l'idée d'occuper la résidence tapageuse du dictateur ; mieux encore, il existe une île sur le lac, au milieu de laquelle, loin de sa demeure en Transylvanie, Vlad Ţepeş, l'Empaleur en personne, a été enterré, sans doute par quelques-uns de ses centaines d'esclaves gitans. Et puis, seulement quelques semaines après une percée apparente, Nicolae est dénoncé publiquement par ses propres sponsors lors d'un important congrès international sur les minorités. Les représentants roumains se plaignent de ce que « M. Gheorghe a été présenté comme "représentant du peuple rom" », alors que « ce séminaire porte sur les minorités, non sur les "peuples". Il n'est pas question d'autodétermination. Les minorités restent sous la juridiction d'Etats nationaux souverains. En tout cas, Nicolas Gheorghe n'est pas le représentant du peuple rom ; où est son "roi" ? Où est son *empereur* ? » Pour une fois, et on le comprend, Nicolae reste sans voix.

Ailleurs, Manush Romanov a toujours quelque chose de mémorable à dire, surtout en guise d'adieu (les allées et venues lui donnent notamment l'occasion de baiser la main des dames avec courtoisie). Un jour, au terme d'un séjour à Sofia durant lequel il verse pratiquement des larmes sur le sort de ses Gitans, il me lance cet appel théâtral : « *Prohasar man opre pirende — sa muro djiben semas opre chengende* », « Enterrez-moi debout, j'ai passé toute ma vie à genoux ».

Pour cette communauté tzigane partie en croisade, chaque grand pas en avant s'accompagne d'un petit pas en arrière, lorsqu'un mouvement rom réactionnaire en plein essor cherche à nuire à toute organisation aux yeux du public. *Sar laci and'ekh vadra*, comme des crabes dans un seau. De violentes attaques émanant de Gitans intégristes, anti-intellectuels, ou simplement d'individus frustrés et envieux, surgissent à chaque meeting ; la plupart des observateurs *gadje* n'y comprendraient rien et y verraient la confirmation de leurs préjugés. Ces « crabes » roms ne se rendent pas compte de l'ampleur des progrès accomplis par leur élite. Ils ne sont pas impressionnés par la réussite d'Andrzej Mirga, dont la mère était une diseuse de bonne aventure illettrée, et qui publie à présent des livres savants et présente sa candidature au Parlement polonais. En principe, ils s'identifient moins avec le Hancock qu'ils connaissent qu'avec son grand-père bien-aimé Marko, attrapeur de rats, ou avec sa grand-mère Granny Bench, née dans une roulotte à Londres, sur la route de Vauxhall Bridge. Non, les crabes ne voient aucun progrès dans le passage du *kris* au congrès.

Bien avant 1989, un Gitan français nommé Mateo Maximoff a utilisé le voyage de sa propre famille afin d'illustrer un problème central pour l'avenir de l'émancipation rom. En 1947, il a publié son premier roman, *Le Prix de la liberté* ; pour son héros, Ioan, Maximoff s'est inspiré de son grand-père, né esclave. Le roman se passe dans les dernières années de l'esclavage en Roumanie, après les révolutions de 1848, qui avaient donné à certains captifs le courage de se révolter. Dans le roman, un groupe d'esclaves fuient la propriété de leur employeur pour rejoindre les montagnes et la Résistance. Mais un problème se pose pour Ioan. Il a reçu la même instruction que les enfants de son maître et il doit à présent décider : participer à la mutinerie ou rester dans la bibliothèque ? Est-il dans leur camp ou dans le nôtre ? Bien entendu, la connaissance qu'a Ioan de « la bibliothèque », du monde *gadjo*, décidera de l'issue du soulèvement, mais malgré ou à cause de cela, il est considéré comme un traître... comme le sont Nicolae et d'autres, comme l'a été Papusza, qui avait tant inspiré Mirga. Les nouveaux leaders sont bel et bien des « Gitans qui font carrière », comme on les en accuse. Ils sont aussi le seul espoir pour des millions de Roms qui n'ont jamais entendu parler d'eux, ceux qui vivent dans les Villes noires, dans les taudis pollués d'Europe de l'Est, dans des lieux sans noms, ou baptisés A-prendre-ou-à-laisser, Que-ça-vous-plaise-ou-pas, No-Man's-Land, Cambodge ou Bangladesh.

Bibliographie

Les astérisques signalent les ouvrages qui ne sont pas exclusivement consacrés aux gitans.

Etudes générales

Balic, S, *et al.*, éd. *Romani Language and Culture*. Sarajevo : Institut za Proucavanje Nacionalnih Odnosa, 1989. Epais recueil d'articles présentés lors d'un colloque du même titre à Sarajevo en 1986.

Clébert, Jean-Paul. *Les Tziganes*. Paris : Arthaud, 1961. Daté et peu fiable, c'est néanmoins une source d'informations sur les Gitans.

Fraser, A. *The Gypsies*. Oxford : Blackwell, 1992 ; édition révisée, 1995. L'histoire générale la plus approfondie, la plus fiable et la plus lisible, avec un exposé détaillé des origines, des migrations et des arguments linguistiques, avec une documentation fournie sur les persécutions européennes.

Grellmann, H.M.G. *Histoire des bohémiens, ou tableau des mœurs, usages et coutumes de ce peuple nomade ; suivie de recherches historiques sur leur origine, leur langage et leur première apparition en Europe*. Traduit. de l'allemand dans la deuxième édition. Par M.J. Paris : Chaumerot, 1810.

Hancock, I. *The Pariah Syndrome : An Account of Gypsy Slavery and Persecution*. Ann Harbor : Karoma, 1987. Cet éminent linguiste et activiste gitan puise dans de nombreuses sources pour cet exposé sur la persécution à travers les âges.

Kenrick, D. et G. Puxon. *Destins gitans : des origines à la solution finale*. Trad. J. Sendy. Paris : Calmann-Lévy, 1974. Voir la partie « Holocauste ».

Kogălniceanu, M. *Esquisse sur l'histoire, les mœurs et la langue des Cigains*. Berlin : Behr Verlag, 1837.

Liégeois, J.-P. *Tziganes*. Paris : La Découverte, 1983.

— *La Scolarisation des enfants tziganes et voyageurs : rapport de synthèse*.

Luxembourg : Office des publications officielles des Communautés européennes, 1986. Vues d'ensemble fiables et utiles. Liégeois inclut moins de documents que Fraser et plus d'analyses sociologiques, notamment des politiques officielles et des attitudes en vigueur envers les Gitans.

Rehfisch, F., éd. *Gypsies, Tinkers and Other Travellers*. Londres : Academic, 1975. Excellent choix d'articles.

Vaux de Foletier, F. de. *Mille Ans d'histoire des Tziganes*. Paris : Fayard, 1970.

Origines asiatiques et arguments linguistiques

De Goeje, M.J. *Accounts of the Gypsies in India*. Delhi : New Society, 1976. Contribution aux actes de la Koninklijke Akademie van Wetenschappen d'Amsterdam, 1875.

Hancock, I. « On the Migration and Affiliation of the Domba : Iranian Words in Rom, Lom, and Dom Gypsy. » *International Romani Union Occasional Papers*, série F, n° 8 (1993). Par le biais de la linguistique, cette étude se demande si les Gitans d'Europe et ceux du Moyen-Orient sont apparentés.

Kenrick, D. *De l'Inde à la Méditerranée : la migration des Tziganes*. Trad. J. de Waard. Paris : Centre de recherches tziganes / Toulouse : CRDP, 1994.

Rishi, W.R. « History of Romano Movement, Their Language and Culture. » In *Romani Language and Culture*, éd. S. Balic *et al.* Sarajevo : Institut za Proucavanje Nacionalnih Odnosa, 1989.

Samspon, I. *The Dialect of the Gypsies of Wales*. Oxford : Clarendon Press, 1926.

Turner, R.L. « The Position of Romani in Indo-Aryan. » *Journal of the Gypsy Lore Society* (3e série) 5 (1926) : 145-189. Les commentaires de Samspon sur cet article et la réponse de Turner se trouvent dans le *Journal of the Gypsy Lore Society* (3e série) 6 (1927).

Anthropologie sociale / Sociologie

Okely, J.M. *The Traveller-Gypsies*. Cambridge : Cambridge University Press, 1983. Résultat d'investigations sur le terrain, en Grande-Bretagne dans les années 1970, cette étude s'intéresse au maintien des frontières symboliques (la notion de pureté et les animaux), à la survie économique et à la condition des Gitanes. Ce livre est controversé parce que Okely rejette la théorie (et les arguments linguistiques) des origines indiennes des Gitans, en suggérant qu'ils étaient en fait des autochtones exclus par l'effondrement de la société féodale.

Sutherland, A. *The Hidden Americans*. Prospect Heights, Illinois : Wave-

land, 1975. Etude modèle de l'organisation sociale internationale des Gitans et de leurs relations complexes avec les non-Gitans, fondée sur les recherches de l'auteur parmi un groupe de Gitans Vlach en Californie.
Sway, M. *Familiar Strangers : Gypsy Life in America.* Urbana and Chicago : University of Illinois Press, 1988. Particulièrement intéressant sur les facultés d'adaptation économique des Gitans.

Bien qu'ils se concentrent sur des pays spécifiques, tous les livres mentionnés ci-dessus apportent des informations sur les Gitans en général.

Contes, folklore et souvenirs

Bercovici, K. *The Story of the Gypsies.* Londres : Jonathan Cape, 1929. D'un romantisme ridicule, ce livre contient néanmoins quelques légendes étranges.
Borrow, G. *Esquisses de la vie des Gitanos d'Espagne* [1841]. Trad. L. Dufresne. Paris : Boulé, 1845.
— *La Bible en Espagne* [1843]. Trad. R. Fréchet. Paris, Genève : Editions de la Palatine, 1967.
— *Lavengro.* Londres : John Murray, 1851.
— *The Romany Rye, a Sequel to Lavengro.* Londres : John Murray, 1857.
— *Wild Wales.* Londres : John Murray, 1862.
— *Romano Lavo-lil : Word Book of the Romany.* Londres : John Murray, 1874. Agent de la British and Foreign Bible Society, linguiste doué, Borrow se rendit à Saint-Pétersbourg, puis au Portugal et en Espagne. Il traduisit l'Evangile selon saint Luc en romani espagnol mais, surtout, ses voyages et ses aventures ont inspiré quelques-uns des livres les plus riches jamais écrits sur les Gitans. *The Bible in Spain* fut celui qui connut le plus grand succès du vivant de Borrow, et c'est peut-être le plus réussi.
Boswell, S.G. *The Book of Boswell.* Ed. J. Seymour. Londres : Gollancz, 1970. Mémoires d'un Gitan anglais.
Gorog-Karady, V. et M. Lebarbier, éd. *Oralité tzigane : Cahiers de littérature orale*, n° 30. Paris : Publications Langues'0, 1991. Essais sur les traditions orales des Gitans.
Groome, F.H. *Gypsy Folk-tales.* Londres : Hurst and Blackett, 1899.
Hancock, I. « Marko : Stories of My Grandfather. » *Lacio Drom*, supplément au n° 6 (décembre 1985) : 53-60. Souvenirs très évocateurs des ancêtres londoniens d'un activiste gitan. Ce numéro de *Lacio Drom* est consacré au folklore, aux contes et aux traditions populaires, et il comprend des essais sur les Gitans grecs, bulgares, hongrois, slovaques, kosovars et anglais.

Hübschmanová, M., H. Šebková, E. Zinayova. *Fragments tziganes : comme en haut, ainsi en bas*. Paris : Lierre et coudrier, 1991. Récits personnels (incluant chants, recettes et terreurs de la guerre) de Gitans slovaques racontés à la première personne. Les transcripteurs tchèques ont accompli un excellent travail pour conserver la saveur du langage romani.

Marushiakova, E. et V. Popov, éd. *Studii Romani, vol. 1*. Sofia : Editions Club 90, 1994. Recueil de légendes, de mythes et de chants des Gitans bulgares.

Starkie, W. F. *Les Racleurs de vent : avec les Tziganes de la Puszta et de Transylvanie* [1949]. Trad. P. Giuliani. Paris : Phébus, 1995.

— *In Sara's Tents*. Londres : John Murray, 1953. Nouvelles aventures, en Espagne cette fois.

Tong, D. *Gypsy Folktales*. New York : Harvest, 1991.

Vesey-Fitzgerald, B. « Gypsy Medicine ». *Journal of the Gypsy Lore Society* (troisième série) vol. 23 (1944) : 21-50.

Yates, D., éd. *A Book of Gypsy Folk-tales*. Londres : Phoenix House, 1948.

Yoors, J. *Tziganes ; sur la route avec les Rom Lovara*. Trad. A. Gentien. Paris : Phébus, 1990. A douze ans, Jan Yoors quitta sa maison d'Anvers pour rejoindre un groupe de Gitans Lovara. Ce texte est l'un des plus précieux témoignages sur la vie gitane. Des années après, durant la Seconde Guerre mondiale, Yoors retrouva sa famille adoptive, avec une mission. Dans un deuxième livre, *La Croisée des chemins* (trad. I. Chapman, Paris : Phébus, 1992), il raconte une histoire de Gitans dans la Résistance et son propre rôle dans leur lutte.

Europe de l'Est

Ascherson, N. *Black Sea*. Londres : Jonathan Cape, 1995.*

Cioran, E. *La Tentation d'exister*. Paris : Gallimard, 1956. Ce recueil d'essais, comme l'essentiel de l'œuvre de l'essayiste et aphoriste roumain, ne porte pas sur l'Europe de l'Est, mais on pourrait dire que seul un habitant de la MittelEuropa (ou un Sud-Américain) aurait pu l'écrire.*

Crowe, D. *A History of the Gypsies of Eastern Europe and Russia*. New York : St. Martin's Press, 1994.

Crowe, D. et J. Kolsti, éd. *The Gypsies of Eastern Europe*. Armonk, N.Y. : M.E. Sharpe, 1991.

Havel, V. *L'amour et la vérité doivent triompher de la haine et du mensonge*. La Tour-d'Aigues : Editions de l'Aube, 1990.

Huttenbach, H.R., éd. *Nationalities Papers* 19 : 3 (1991). Numéro spécial : « The Gypsies in Eastern Europe. »

Kiš, D. *Un tombeau pour Boris Davidovitch : sept chapitres d'une même histoire*. Trad. P. Delpech. Paris : Gallimard, 1979.

Jelavich, B. *History of the Balkans*. Vol. 1 : *Eighteenth and Nineteenth*

Centuries. Cambridge : Cambridge University Press, 1983.* *History of the Balkans*. Vol. 2 : *Twentieth Century*. Cambridge : Cambridge University Press, 1988.*
Kundera, M. *Le Livre du rire et de l'oubli*. Trad. F. Kérel. Paris : Gallimard, 1979.*
Lockwood, W.G. « Balkan Gypsies : An Introduction. » In *Papers from the Fourth and Fifth Annual Meetings*, Gypsy Lore Society, North American Chapter, New York, 1985.
Magocsi, P.R. *Historical Atlas of East Central Europe*. Seattle : University of Washington Press, 1993.*
Magris, C. *Danube*. Trad. J. et M.-N. Pastureau. Paris : Gallimard, 1988.
Manea, Norman. *On Clowns : the Dictator and the Artist,* Londres : Faber & Faber, 1994.
Milosz, C. *La Pensée captive : essai sur les logocraties populaires*. Trad. A. Prudhommeaux et C. Milosz. Paris : Gallimard, 1980.
Poulton, H. *The Balkans : Minorities and States in Conflict*. Londres : Minority Rights Publications, 1991.
Silverman, C. « Rom (Gypsy) Music. » *Garland Encyclopedia of World Music*, volume européen. Ed. James Porter et Timothy Rice. 1996.
Soulis, G.C. « The Gypsies in the Byzantine Empire and the Balkans in the Late Middle Ages. » *Dumbarton Oaks Papers* 15 (1961) : 143-165.

Pays spécifiques

Albanie

Courtiade, M. « I Rom in Albania. Un profilo storico-sociale. » *Lacio Drom* 28 (janvier-avril 1992) : 3-14.

Allemagne

Buruma, I. *The Wages of Guilt*. Londres : Jonathan Cape, 1993.*
— « Outsiders. » *New York Review of Books*, 9 avril 1992. Analyse remarquable de la violence xénophobe.*
Cartner, H. *Foreigners Out : Xenophobia and Right-Wing Violence in Germany*. New York : Human Rights Watch Report, octobre 1992.
Daten und Fakten zur Ausländersituation. Bonn : ministère fédéral de l'Intérieur, 1992.*
Enzensberger, H.M. « The Great Migration. » *Granta* 42 (1992) : 17-64.*
Grass, G. « Losses. » *Granta* 42 (1992) : 99-108.
Heuss, H. « Die Migration von Roma aus Osteuropa im 19 um 20 Jahrhundert : Historische Anlässe und staatliche Reaktion. » Article inédit.
Ignatieff, M. *Blood and Belonging : Journeys into the New Nationalism*. Londres : BBC Books et Chatto & Windus, 1993, 57-102.*
Macfie, R.A.S. « Gypsy Persecutions : A Survey of a Black Chapter in

European History. » *Journal of the Gypsy Lore Society* (3e série), 22 (1943) : 64-78.

Voir les sections « Holocauste » et « Nationalisme » pour d'autres documents relatifs à l'Allemagne et aux Roms.

Bulgarie

Marushiakova, E. « Ethnic Identity Among Gypsy Groups in Bulgaria. » *Journal of the Gypsy Lore Society* (cinquième série), 2 (1992) : 95-115.

— « Gruppi e organizzazioni zingare in Bulgaria e il loro atteggiamento verso l'impegno politico. » *Lacio Drom* 28 (janvier-avril 1992) : 51-63.

Popov, V. « Il problema zingaro in Bulgaria nel contesto attuale. » *Lacio Drom* 28 (janvier-avril 1992) : 41-50.

Zang, T. *Destroying Ethnic Identity : The Gypsies of Bulgaria.* New York : Human Rights Watch, 1991.

Hongrie

Féher, G. *Struggling for Ethnic Identity : The Gypsies of Hungary.* New York : Human Rights Watch, Helsinki, 1993.

Stewart, M.S. « Brothers in Song : The Persistence of (Vlach) Gypsy Identity and Community in Socialist Hungary. » Thèse de doctorat soumise à la London School of Economic and Political Science, Faculty of Economics, 1987. Stewart s'appuie sur quatorze mois d'études en Hongrie pour analyser la réaction gitane au travail salarié obligatoire, mais s'intéresse également, entre autres, aux notions tziganes de communauté et de partage.

Macédoine

Puxon, G. « Roma in Macedonia. » *Journal of the Gypsy Lore Society* (4e série), 1 : 2 (1976) : 128-133.

Tassy, M. « La poésie des Roms de Macédoine. » *Etudes Tziganes*, n° 4 (1991) : 20-29.

Pologne

Ficowski, J. *The Gypsies in Poland.* Varsovie : Interpress, 1990.

— « The Gypsies in the Polish People's Republic. » *Journal of the Gypsy Lore Society* (3e série), 35 (1956) : 28-38.

Kowalski, G. *The Story of a Gypsy Woman*, documentaire consacré à Papusza. Ul Brogi 19/4, 31-431, Cracovie.

Mirga, A. « The Effects of State Assimilation Policy on Polish Gypsies. » *Journal of the Gypsy Lore Society* (5e série), 3 (1993) : 69-76.

— « Human Rights Abuses of the Roma (Gypsies). » Déposition devant la sous-commission des droits de l'homme, commission des affaires étrangères, Chambre des représentants, 14 avril 1994. Washington, D.C. : U.S. Government Printing Office, 1994, 29-32.

Roumanie

Cartner, H. *Ethnic Conflict in Tîrgu Mures*. New York : Human Rights Watch Helsinki, 1990, bulletin de mai.

— *News from Romania*. New York : Human Rights Watch Helsinki, 1990, bulletin de juillet.

— *Destroying Ethnic Identity : The Persecution of Gypsies in Romania*. New York : Human Rights Watch Helsinki, 1991.

— *Romania Lynch Law : Violence Against Roma in Romania*. New York : Human Rights Watch Helsinki, 1994, bulletin de novembre.

Deak, I. « Survivors. » *The New York Review of Books*, 5 mars 1992, 43-51.

Florescu, R. et R.T. McNally. *A la recherche de Dracula*. Trad. P. et R. Olcina. Paris : Laffont, 1973.

Gheorghe, N. « Origin of Roma's Slavery in the Rumanian Principalities. » *Roma* 7 : (1983) : 12-27.

Gilberg, T. *Nationalism and Communism in Romania : The Rise and Fall of Ceausescu's Personal Dictatorship*. Boulder, Colorado : Westview, 1990.*

Maximoff, M. *Le Prix de la liberté*. Paris : Flammarion, 1947. Un romancier tzigane raconte l'esclavage vécu par ses ancêtres dans les principautés roumaines.

Panaitescu, P.N. « The Gypsies in Wallachia and Moldavia : A Chapter of Economic History. » *Journal of the Gypsy Lore Society* (3e série) 20 (1941) : 58-72.

Potra, G. *Contributiuni la istoricul Tiganilor din România*. Bucarest : Fundatia Regele Carol I, 1939.

Tchécoslovaquie

Davidová, E. « The Gypsies in Czechoslovakia. » *Journal of Gypsy Lore Society* (troisième série), 50 (1971) : 40-54.

Erich, R. « Roma in Slovakia : Experiments with an Ethnic Minority. » Vienne : International Helsinki Federation for Human Rights, 1992-93.

Gross, T. « The Czech Republic : Citizenship Research Project », rapport inédit sur la nouvelle loi de citoyenneté et ses effets sur les Tziganes. Voir aussi le rapport d'Ina Zoon (1994), tous deux écrits pour The Tolerance Foundation, Senovazne Nam. 1, Prague 1, République tchèque.

Guy, W. « Ways of Looking at Roms : The Case of Czechoslovakia. » In Rehfisch, *Gypsies, Tinkers and Other Travellers*, pp. 201-229.

Hübschmanová, M. « What Can Sociology Suggest About the Origin of Roms ? » *Archiv Orientalni* (Prague) 4 (1972) : 51-64.

— « Economic Stratification and Interaction : Roma, an Ethnic Jati in East Slovakia. » *Giessener Hefte für Tziganologie*, 3/4, 1984/1985, 3-25.
Kamm, H. Série d'articles particulièrement intéressants sur les Roms en République tchèque, en Slovaquie et en Hongrie. Voir *The New York Times*, 7, 17 et 28 novembre 1993, 8 et 10 décembre 1993.
Kólvada, J. « The Gypsies of Czechoslovakia ». *Nationalities Papers* 19 : 3 (1991) : 269-296.
McCagg, W.D. « Gypsy Policy in Socialist Hungary and Czechoslovakia, 1945-1989. » *Nationalities Papers* 19 : 3 (1991) : 313-336.
Mann, A. « The Roma — An Ethnic Minority in Slovakia », communication inédite présentée lors du congrès sur les relations ethniques de Stupava, Slovaquie, 1992.
Orgovanová, K. « Human Rights Abuses of the Roma (Gypsies). » Déposition devant la sous-commission des droits de l'homme, commission des affaires étrangères, Chambre des représentants, 14 avril 1994. Washington, D.C. : U.S. Government Printing Office, 1994, 26-28.
Tritt, R. *Struggling for Ethnic Identity : Czechoslovakia's Endangered Gypsies*. New York : Human Rights Watch, 1992.
Zoon, I. « Equal Rights Project. » Prague : Tolerance Foundation Report, 1994. Rapport inédit sur les dangers que représentent pour les Roms les nouvelles lois de citoyenneté en République tchèque.

Holocauste

Bandy, A. « European Gypsies Forgotten Victims in Story of Nazi Genocide. » *Los Angeles Times*, 26 juin 1994.
Berenbaum, M. *The World Must Know : The History of the Holocaust as Told in the United States Holocaust Memorial Museum*. Boston : Little, Brown, 1993.
Berenbaum, M., éd. *A Mosaic of Victims : Non-Jews Persecuted and Murdered by the Nazis*. New York : New York University Press, 1990.
Bernadec, C. *L'Holocauste oublié : Le Massacre des Tziganes*. Paris : France-Empire, 1979.
Braun, H. « A Sinto Survivor Speaks. » *Papers from the Sixth and Seventh Annual Meetings*, Gypsy Lore Society, North American Chapter, Cheverly, Maryland, n° 3, 165-171.
Burleigh, M. et W. Wippeman. *The Racial State : Germany 1933-1945*. Cambridge : Cambridge University Press, 1991.
Czerniakow, A. *Carnets du ghetto de Varsovie : 6 septembre 1939-23 juillet 1942*. Trad. J. Burko, M. Elster et J.-C. Szurek. Paris : La Découverte, 1996.
Dawidowicz, L.S. *The Holocaust and the Historians*. Cambridge : Harvard University Press, 1981.

Djurić, R. « Il calvaio dei Roma nel campo di concentramento di Jasenovac. » *Lacio Drom* 4 (1992) : 14-42.
Ficowski, J. *Cyganie na polskich drogach*. Cracovie-Wroclaw : Wydawnictwo Literackie, 1985.
Friedman, I. *The Other Victims : First-Person Stories of Non-Jews Persecuted by the Nazis*. Boston : Houghton Mifflin, 1990, pp. 7-28.
Gilbert, M. *The Holocaust : The Jewish Tragedy*. Londres : Collins, 1986.
Gutman, I., éd. *Encyclopedia of the Holocaust*. 4 volumes. New York : Macmillan, 1990.
Hancock, I. « "Uniqueness" of the Victims : Gypsies, Jews and the Holocaust. » *Without Prejudice* 1 : 2 (1988) : 45-67.
Hilberg, R. *La Destruction des Juifs d'Europe*. Trad. M.-F. de Paloméra et A. Charpentier. Paris : Fayard, 1988.
Höss, R. *Le Commandant d'Auschwitz parle*. Paris : Maspero, 1979.
Huttenbach, H. « The Romani Porajmos : The Nazi Genocide of Europe's Gypsies », *Nationalities Papers* 19 : 3 (1991) : 373-394.
Kenrick, D. et G. Puxon. *Destins gitans : des origines à la solution finale*. Trad. J. Sendy. Paris : Calmann-Lévy, 1974.
— *Les Tziganes sous l'oppression nazie*. Trad. J. de Waard. Paris : Centre de recherches tziganes ; Toulouse : CRDP, 1996.
Levi, P. *Les Naufragés et les rescapés : quarante ans après Auschwitz*. Trad. A. Maugé. Paris : Gallimard, 1989.
— *Si c'est un homme*. Trad. M. Schruoffeneger. Paris : Julliard, 1987.
— *La Trêve*. Trad. E. Joly. Paris : Grasset, 1988.
Lifton, R.J. *Les Médecins nazis : le meurtre médical et la psychologie du génocide*. Trad. B. Pouget. Paris : Laffont, 1989.
Michalewicz, B. « The Gypsy Holocaust in Poland. » *Papers from the Sixth and Seventh Annual Meetings*, Gypsy Lore Society, North American Chapter, Cheverly, Maryland, 73-83.
Milton, S. « The Context of the Holocaust. » *German Studies Review* 13 : 2 (1990) : 269-283.
— « Gypsies and the Holocaust. » *The History Teacher* 24 : 4 (1991) : 375-387.
— « The Racial Context of the Holocaust. » *Social Education*, février 1991 : 106-110.
— « Nazi Policies Towards Roma and Sinti, 1933-1945. » *Journal of the Gypsy Lore Society* (5e série), 2 : 1 (1992) : 1-18.
— « Holocaust : The Gypsies. » *Genocide in the Twentieth Century : Critical Essays and Eye-witness Accounts*. William S. Parsons, Israel W. Charny et Samule Totten, éds. New York et Londres : Garland Publishing, 1995, pp. 209-264.
Müller-Hill, B. *Science nazie, science de mort : la ségrégation des Juifs, des Tziganes et des malades mentaux de 1933 à 1945*. Trad. O. Mannoni. Paris : Odile Jacob, 1989.

Piper, F. *Auschwitz : How Many Jews, Poles, Gypsies...* Cracovie : Poligrafia, 1992.
Wiesenthal, S. *Justice n'est pas vengeance : une autobiographie.* Trad. O. Demange. Paris : France-Loisirs, 1989.
Wytwycky, B. *The Other Holocaust : Many Circles of Hell.* Washington : Novak Report, 1980 : 30-39.
Yoors, J. *La Croisée des chemins : la guerre secrète des Tziganes : 1940-1944.* Trad. I. Chapman. Paris : Phébus, 1992.
Zimmermann, M. « From Discrimination to the "Family Camp" at Auschwitz : National Socialist Persecution of the Gypsies. » *Dachau Review*, n° 2 (1990) : 87-113.

*Nationalisme, ethnopolitique, etc. **

Anderson, B. *L'Imaginaire national : réflexions sur l'origine et l'essor du nationalisme.* Trad. P.-E. Dauzat. Paris : La Découverte, 1996.
Berlin, I. *Le Bois tordu de l'humanité : romantisme, nationalisme et totalitarisme.* Trad. M. Thymbres. Paris : Albin Michel, 1992.
— « Two Concepts of Nationalism : An Interview with Isaiah Berlin. » *The New York Review of Books*, 21 novembre 1991.
Breilly, J. *Nationalism and the State.* Manchester : Manchester University Press, 1982.
Brubaker, R. *Citoyenneté et nationalité en France et en Allemagne.* Trad. J.-P. Bardos. Paris : Belin, 1997.
Gellner, E. *Nations et nationalisme.* Trad. B. Pineau. Paris : Payot, 1989.
Gottlieb, G. *Nations and Nationalism.* Oxford : Blackwell, 1983.
Greenfeld, L. *Nationalism : Five Roads to Modernity.* Cambridge : Harvard University Press, 1993.
Hertzberg, S. *Strangers Within the Gate City : The Jews of Atlanta, 1845-1915.* Philadelphia : The Jewish Publication Society of America, 1978.
Hobsbawm, E.J. *Nations et nationalisme depuis 1780 : programme, mythe, réalité.* Trad. D. Peters. Paris : Gallimard, 1992.
Horowitz, D. *Ethnic Groups in Conflict.* Berkeley : University of California Press, 1985.
Ignatieff, M. *Blood and Belonging : Journeys into the New Nationalism.* Londres : BBC Books et Chatto & Windus, 1993.
Moynihan, D.P. *Pandaemonium : Ethnicity in International Politics.* Oxford : Oxford University Press, 1993.
Rothschild, J. *Ethnopolitics : A Conceptual Framework.* New York : Columbia University Press, 1981.
Smith, A.D. *Nationalism : Theories of Nationalism.* New York : Harper & Row, 1983.
— *The Ethnic Origins of Nations.* Oxford : Oxford University Press, 1986.

Emancipation gitane

Acton, T. *Gypsy Politics and Social Change : The Development of Ethnic Ideology and Pressure Politics Among British Gypsies from Victorian Reformism to Romani Nationalism*. Londres et Boston : Routledge and Kegan Paul, 1974.

Beck, S. « Racism and the Formation of a Romani Ethnic Leader. » *Perilous States, Conversations on Culture, Politics, and Nation*, éd. G.E. Marcus. Chicago : University of Chicago Press, 1993, pp. 165-191. Portrait de Nicolae Gheorghe par un autre sociologue.

Gheorghe, N. « The Social Construction of Romani Identity », communication prononcée lors du séminaire d'études gitanes de l'ESRC, Londres, Université de Greenwich, mars 1993.

— « Roma-Gypsy Ethnicity in Eastern Europe. » *Social Research*, 58 : 4 (hiver 1991), 829-844.

— « Romanies in the CSCE Process : A Case Study for the Rights of National Minorities with Dispersed Settlement Patterns. » Rapport sur les débats du séminaire du CSCE, Varsovie 1993 (Romani Criss : Centre Rom d'Etudes et de Prévention Sociales, boîte postale 22-68, 70.100, Bucarest, Roumanie).

Hancock, I. « Talking Back », *Roma* 6 : 1 (1980) :13-20.

— « Reunification and the Role of the International Romani Union. » *Roma*, n° 29 (juillet 1988) : 9-18.

— « The East European Roots of Romani Nationalism. » *Nationalities Papers*, 19 : 3 (1991) : 251-268.

Liégeois, J.-P. *Mutations tziganes, la révolution bohémienne*. Bruxelles : Complexe, 1976. Cet ouvrage important et intelligent expose le contexte historique et culturel dans lequel s'insèrent l'adaptation et l'émancipation gitanes.

Project on Ethnic Relations. Cet organisme a organisé deux congrès qui ont débouché sur la publication de deux rapports, par Larry Watts : « The Romanies in Central and Eastern Europe : Illusions and Reality », mai 1992, et « Countering Anti-Roma Violence in Eastern Europe : The Snagov Conference and Related Efforts », mai 1993. PER, 1 Palmer Square, Suite 345, Princeton, New Jersey, 08542-3718.

Puxon, G. « Romani Chib — The Romani Language Movement », in *Compass Points*, recueil d'articles publiés dans les cent premiers numéros de *Planet*, éd. J. Davies ; introduction de J. Morris. Cardiff : University of Wales Press, 1993, 192-198. Cet essai est à présent vieilli (il date de 1980), mais Puxon y montre comment « la langue romani, lien vivant avec l'Inde, est par son élimination devenue le symbole de la libération nationale ».

Journaux

Etudes Tziganes (depuis 1955), 2 rue d'Hautpol, 75019, Paris.
Journal of the Gypsy Lore Society (depuis 1888, avec quelques interruptions). A présent dans sa cinquième série, cette revue vénérable est inestimable pour quiconque s'intéresse aux études gitanes. La société, fondée en Grande-Bretagne mais à présent dirigée par sa branche américaine, publie également une *Newsletter of the Gypsy Lore Society*, 5607 Greenleaf Road, Cheverly, Maryland 20785.
Lacio Drom (depuis 1965). Centro Studi Zingari, Via dei Barbieri 22, 00186, Rome.
Patrin. Largement rédigée par des Roms et publiée en édition bilingue (anglais-romani), *Patrin* s'intéresse à des questions comme l'éducation, la violence anti-gitans, la standardisation linguistique. Fondateur et rédacteur en chef : Orhan Galjus, Nevipe Press Room News Agency, boîte postale 166, 080 01 Presov, Slovaquie.
Roma (depuis 1974). 3290/15-D, Chandigarh, Inde. Fondateur et rédacteur en chef : W.R. Rishi.

Index

Remerciements

Ce livre est le résultat de nombreux séjours, longs ou courts, dans le centre et dans l'est de l'Europe, en Albanie, en Bulgarie, en ex-Tchécoslovaquie, en Allemagne, en Moldavie, en Pologne, en Roumanie et en ex-Yougoslavie. Je voudrais remercier, par ordre alphabétique, Igor Antip, David Binder, Holly Cartner, Marcel Courtiade, la famille Duka, Rjako Djurić, Moris Farhi, Edmund Fawcett, Angus Fraser, Andreas Freudenberg, Nicolae Gheorghe, Gabrielle Glaser, Ian Hancock, Herbert Heuss, Milena Hübschmannová, Elena Marushiakova et Vesselin Popov, Pete Mercer, Luminitsa Mihai, Sybil Milton, Andrzej Mirga, David Mulcahy, Ljumnja Osmani, Carol Silverman, Jeremy Sutton-Hibbert, Martine Tassy, Corin Trandofir, Rachel Tritt, Ted Zang et Ina Zoon. Je dois également beaucoup à Larry Watts et Livia Plaks du Projet sur les Relations ethniques.

J'ai une dette particulière envers Donald Kenrick, co-auteur d'un ouvrage fondateur, *Destins gitans*. Pendant quatre ans, il a répondu patiemment à mes questions et il a finalement lu tout le manuscrit. Je remercie également Mick Imlah, Richard Cornuelle, John Ryle, Martin Amis et Michael Glazebrook, qui l'ont également lu et amélioré.

Dans mon texte, pour diverses raisons, j'ai délibérément changé certains noms. Je n'ai pas toujours indiqué les noms de famille.

J'ai changé le nom de ceux qui voulaient ne pas être identifiés et de ceux dont j'estimais qu'ils ne comprenaient pas que leur histoire serait lue par des inconnus. Je n'ai jamais dissimulé mes notes, je n'ai jamais caché que j'écrivais en vue d'une publication, mais un problème se pose lorsqu'on consacre un livre à un peuple largement illettré : que signifient ces déclarations pour les nombreux Gitans isolés et analphabètes que j'ai rencontrés ? Je présente mes excuses à tous ceux dont j'ai mentionné le nom alors qu'ils auraient préféré l'anonymat.

Table

Cet ouvrage, composé par Nord Compo,
a été achevé d'imprimer sur Roto-Page
par l'Imprimerie Floch à Mayenne,
pour les Éditions Albin Michel
en février 2003.

N° d'édition : 21173.
N° d'impression : 56573.
Dépôt légal : mars 2003.
Imprimé en France.